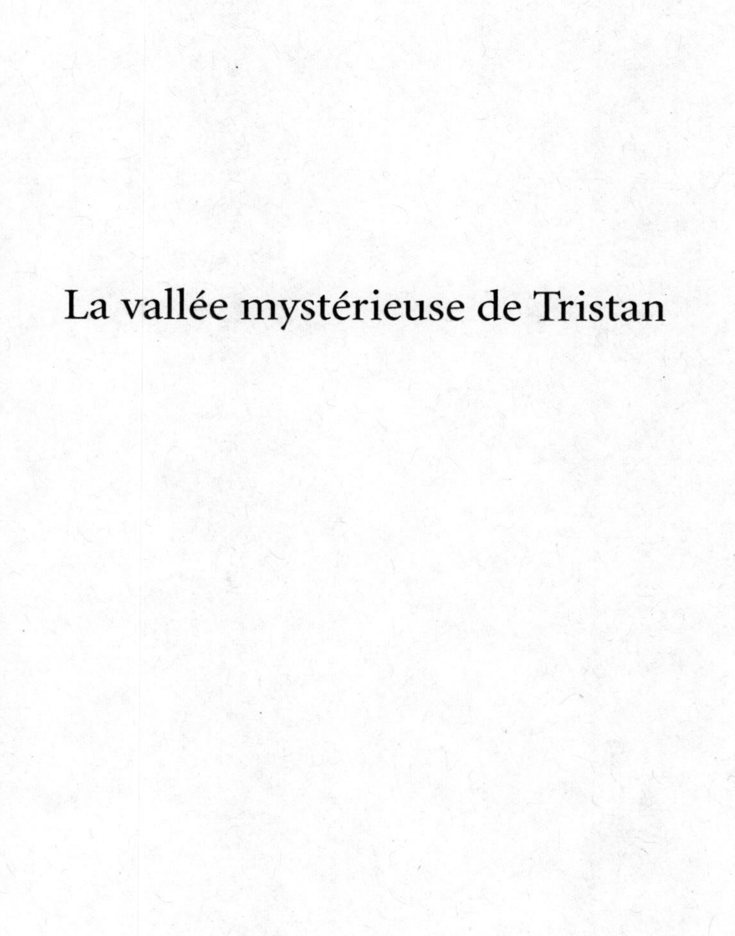

La vallée mystérieuse de Tristan

Lucien Bouthillier

La vallée mystérieuse de Tristan

Les Éditions au Carré inc.
Téléphone : 514-949-7368
editeur@editionsaucarre.com
www.editionsaucarre.com

Maquette de la couverture :
Nathalie Gignac
Mise en pages :
Édiscript enr.

Les Éditions au Carré désirent remercier tout spécialement la Société de développement des entreprises culturelles (SODEC) et le Fonds du livre du Canada (FLC) pour leur appui.

Dépôt légal : 2e trimestre 2014
Bibliothèque et Archives Canada
Bibliothèque et Archives nationales du Québec
ISBN 978-2-923335-55-1

DISTRIBUTION
Prologue inc.
1650, boul. Lionel-Bertrand
Boisbriand (Québec) Canada J7H 1N7
Téléphone : 1 800 363-2864
Télécopieur : 1 800 361-8088
prologue@prologue.ca
www.prologue.ca

À ma mère

1

— Tiens, ma femme ! Je t'ai apporté ce que tu m'avais demandé, dit Firmin en déposant le gros pot de lait sur la table.

— Merci, mon mari. Et le dernier veau ? s'informa Emma d'une voix inquiète.

— On n'a pas pu le réchapper, c'était trop tard pour courir chercher le vétérinaire.

— C'est le troisième qu'on perd ce printemps. Est-ce que le malheur va s'acharner sur nous autres ?

— C'est trop tôt pour parler comme ça. Les autres veaux sont venus au monde en bonne santé. Et puis, on a un poulain qui profite. On va en tirer un bon prix à l'encan cet été. Les semailles, ça s'est ben passé, la terre n'était pas trop mouillée. Ça pousse dans tous nos champs.

— T'as probablement raison, mon mari. Tu sais bien que je suis toujours portée à m'en faire quand quelque chose va de travers. Est-ce que les garçons vont rentrer bientôt pour déjeuner ?

— Oui, ils sont à la laiterie, ils achèvent d'écrémer.

— Bon, dans ce cas-là, je vais commencer à préparer ce qu'on va manger ce matin.

Douze enfants Firmin Bouïos et sa femme Emma avaient eus et élevés dans leur grande maison à deux étages située dans le rang du Ruisseau sacré. C'était une maison de type seigneurial avec une grande cuisine d'été, une remise arrière, une grande galerie avant protégée des intempéries par un toit d'ardoises. Leurs deux plus jeunes fils, Axel et Nolan, toujours célibataires, vivaient encore avec eux. Le père Firmin, qui commençait à se faire vieux, avait déjà légué ses biens à ses deux jeunes fils. La terre serait partagée en deux parties égales. La maison et les bâtiments iraient à Axel, le cadet, qui s'engageait à garder ses parents jusqu'à leur décès. Et Nolan devrait trouver femme à marier avant d'entreprendre la construction de sa maison et des bâtiments sur la partie du domaine qui lui avait été concédée par son père.

C'était une belle matinée de fin de printemps. Le train était fini, les deux garçons rentrés. La famille était à table dans la grande cuisine d'été pour le déjeuner traditionnel : gruau, œufs, jambon, fèves au lard et pain de ménage. Emma avait servi une bonne portion à chacun. Plus tard, elle s'informerait si chacun avait assez mangé, comme elle le faisait à chaque repas.

Emma Bouïos était petite de taille, maigre, débordante d'énergie pour ses cinquante-neuf ans. Elle portait ses cheveux gris abondants attachés derrière la tête. Chez Emma, ce qu'on remarquait surtout, c'était ses arcades sourcilières proéminentes, ses petits yeux fureteurs et volontaires. Volubile, la répartie facile, elle tenait à avoir le dernier mot.

À table, on bavardait de tout et de rien, des travaux de la ferme les plus pressants, des dernières nouvelles et potins du bourg, de la température qu'il ferait. Emma servirait un thé pour finir ce repas matinal.

— Vous avez bien mangé ? s'enquit-elle, il en reste encore.

— Oui, merci, ma femme, répondit Firmin.

Firmin Bouïos était de taille moyenne. Homme de peu de mots, il intervenait dans la conversation quand le sujet l'interpellait. Il portait bien ses soixante-huit ans. Encore solide, on sentait en lui une force tranquille, impression que laissaient ses larges mains noueuses. Un visage de forme ovale. Une moustache grisonnante bien fournie n'arrivait pas à faire oublier ses traits sévères et son front dégarni. Ses cheveux bruns courts et parsemés de poils blancs lui donnaient un air de sagesse. On aimait ses yeux bleus et son regard mélancolique. Calme et serein, son silence et son retrait des autres intriguaient. De nature résiliente, le maître des lieux savait faire face à l'adversité. Et quand se présentait un contretemps, il mettait alors tout en œuvre pour trouver la solution, et s'il n'y en avait pas, il se résignait noblement sans maugréer.

Le père Firmin avait des directives à donner à ses fils sur la répartition des tâches de la journée. Une grosse journée de travail s'annonçait.

— Nolan, cet après-midi, tu vas aller au bourg de Clodey chercher la pièce qu'on doit remplacer sur la charrette à foin parce qu'elle va servir bientôt dans les deux pièces derrière la maison. Demain, le foin déjà fauché aura assez séché, vous ferez alors de grosses meules qu'on pourra ramasser facilement.

— Oui, pas de problème, son père.

— Et toi, Axel, tu faucheras dans les deux pièces du côté de la maison hantée. Ton frère va venir te donner un coup de main s'il trouve le temps.

— Oui, son père, pas de problème.

— Moi, pendant ce temps-là, je m'en vais faucher les mauvaises herbes dans les fossés de l'autre côté du chemin avant qu'elles envahissent les champs.

Durant la matinée, Nolan s'était occupé à démonter la pièce défectueuse sur la charrette à foin, pas une mince affaire, car il n'avait pas les outils tout à fait adéquats pour le travail à effectuer. Ensuite, il alla faucher avec son frère.

De son côté, Emma s'affaira à faire son lavage. Elle frottait un morceau à la fois, sur une planche à laver avec du savon du pays dans une cuve à lessive remplie d'eau tiède. Puis elle rinçait et étendait dehors sur deux cordes à linge. Et un peu en même temps, elle préparait le repas du midi pour ses hommes. Après le dîner, chacun alla reprendre sa besogne, mais le père prit néanmoins un peu de temps pour aller faire un petit somme.

Son thé terminé et après s'être allumé une cigarette, Nolan s'apprêta à partir pour le bourg de Clodey, là où il allait d'habitude pour trouver les pièces dont on avait besoin à la ferme. Il sortit le poulain noir et pendant qu'il l'attelait au boghei, il eut une poussée intérieure très forte qui lui suggérait de se rendre plutôt à Aubrey, direction opposée. Il ne comprenait pas, lui qui n'était pas porté sur ces signes ou impressions qui relevaient davantage de l'occultisme que du réalisme. Le cheval attelé, Nolan dirigea sa monture vers le chemin et là, le cheval vira à gauche vers le petit village d'Aubrey sans en avoir reçu l'ordre. Il laissa faire, mais il se demandait ce qui lui arrivait. La sensation était si agréable qu'il s'engagea sur cette route même si elle était moins carrossable et plus longue. Un trot alerte, le cœur flottant dans une douce expectative, le fils Bouïos fila vers Aubrey. Il passa devant la maison dite hantée, un coup d'œil furtif, mais il ne tourna pas la tête. C'était appris depuis la tendre enfance qu'on ne devait pas porter son regard vers la grande fenêtre de la cuisine de peur d'y apercevoir la silhouette floue de l'homme qui y avait déjà vécu.

Cette maison qu'on disait hantée avait jadis été habitée, elle le serait toujours…

Dans un lointain passé, un couple de retraités sans enfant voulurent fuir les grandes chaleurs du sud où ils avaient fait fortune. Ils trouvèrent une petite terre située dans le rang du Ruisseau sacré à l'est de la grande maison des Bouïos. Le couple décida de l'acheter et de s'y établir. Ils feraient construire des bâtiments pour leur cheval et leurs petits animaux d'élevage et une maison qu'ils voulaient spacieuse et luxueuse. Leur demeure à deux étages serait un vrai château pour les lieux et l'époque : l'extérieur en brique rouge, des toits à pignons percés de trois cheminées. Les retraités cultiveraient quelques arpents de céréales pour leurs animaux et entretiendraient un grand potager.

Les maîtres emménagèrent en début de printemps. Ils furent tout de suite à l'aise dans leur nouvel environnement. Ils vécurent des heures heureuses dans leur château. L'homme, très possessif, se sentait rassuré : « Elle sera toujours près de moi. » Il ne vivait que pour elle. Les époux restaient isolés.

Le deuxième automne, l'épouse attrapa un rhume qu'ils ne surent pas soigner. Ça se transforma en une vilaine pneumonie. Ils tardèrent à faire venir le docteur. Un matin, le mari s'était réveillé, sa femme n'avait pas passé la nuit. Choc ! Traumatisé à en perdre la raison ! « Je ne pourrai pas continuer sans elle, à quoi bon la vie. » Catastrophé, il tourna en rond durant des jours, dépérissait, ne contrôlait plus le flot d'émotions qui le détruisaient. L'époux, impuissant, s'enfonça dans une nuit noire et bascula dans la folie. Il s'affala dans sa berçante devant la grande fenêtre donnant sur le chemin. L'air hébété, prostré, le regard éteint et fixe, le pauvre homme ne faisait que se bercer. Il venait de perdre sa raison de vivre.

Les voisins alertèrent les autorités communales qui se chargèrent de faire inhumer le corps de la dame. Le docteur jugea bon de faire interner l'homme sur-le-champ. Comme il n'y avait pas de testament, la responsabilité de la liquidation des biens du couple revint à la commune de Clodey. Tout fut vendu rapidement à l'encan excepté la maison. Trois fermiers en moyen se montrèrent intéressés. Quand le premier visiteur sortit de la maison, les deux autres, voyant son air hagard, se désistèrent. L'acheteur intéressé avait traversé un premier couloir, il avait alors senti une présence écrasante, insolite et envahissante. Une voix déchirée, agonisante et désespérée avait résonné à ses oreilles. « Cette maison est hantée », avait lancé le brave homme dont les nuits seraient longtemps agitées d'horribles cauchemars.

La mésaventure de ce fermier fut connue de tous et toutes dans le canton. C'est alors qu'on commença à appeler ce bâtiment la maison hantée. Elle resterait inhabitée. Elle obsédait encore du temps de Nolan l'imaginaire des petits comme des grands. Et les plus vieux racontaient que certains soirs de brise, on pouvait entendre une voix de femme pleurant, se lamentant...

Cette maison faisait partie du décor. On apprenait aux jeunes enfants à ne pas poser de questions à son sujet. Les bâtiments de ferme s'étaient tous effondrés il y avait un bon moment et le bois commençait à pourrir. Quant à la maison, elle avait résisté aux assauts du temps. Les tuiles d'argile de ses toits à pignons tenaient toujours en place. Les portes et les carreaux crasseux n'avaient subi aucun vandalisme. Les mauvaises herbes et les feuilles mortes couvraient entièrement le sol. Décor fantomatique !

Nolan cheminait à un bon rythme vers Aubrey. Il arrivait à la partie du rang que les gens de la région avaient toujours appelé le rang Croche.

Par le passé, Nolan avait dû à quelques reprises se rendre à ce village. Il n'avait jamais aimé se retrouver dans ce bout de rang. Un tableau désolant et inquiétant s'imposait à la vue du jeune paysan. De chaque côté du chemin, des fermes abandonnées depuis longtemps, des maisons et des bâtiments qui s'écroulaient. « Dire que des familles ont vécu là, et que ces gens ont été heureux ou malheureux, et que maintenant tout est en train de s'effacer, comme c'est triste tout ça », songeait Nolan. Des outils et des instruments aratoires achevaient de rouiller près des ruines, la végétation envahissait tout.

Une autre source d'inconfort pour Nolan, c'était ce rocher qui se dressait droit devant lui, là où la route faisait un grand détour — d'où le rang Croche — pour le contourner. Phénomène inusité que ce roc géant sortant de terre. On ne s'expliquait pas la présence d'un tel pic rocheux en pays plat. Ça ne pouvait être que d'origine diabolique, disaient les gens. Les citoyens l'avaient surnommé le rocher à Lucifer. Certains lui attribuaient des pouvoirs magiques sinon maléfiques. De forme allongée, il s'élevait à la hauteur d'une maison de deux étages. Ce qui surprenait en contournant cette masse de pierre dure et lisse, c'était la chaleur intense qu'elle dégageait. De la route, on la sentait bien, même si l'on se trouvait à un jet de pierre.

Les ministres du Culte déconseillaient vivement de s'approcher de ce roc maudit. L'âme en état de péché, selon leurs dires, aurait alors un avant-goût des tourments de l'enfer. Chaque printemps, ils venaient en procession, accompagnés de pieux fidèles, tenter d'exorciser les esprits mauvais qui habiteraient le lieu. Des nombreuses légendes qui circulaient dans ce coin de pays, une avait trait au rocher à Lucifer. Cette légende racontait qu'il était périlleux de s'approcher de ce sinistre lieu à la nuit tombée un vendredi treize. Ce soir-là, le rocher s'illuminerait et le Maître de l'enfer empruntant la silhouette de la Grande Faucheuse y apparaîtrait.

Le rocher à Lucifer contourné, Nolan se sentit mieux et son cheval reprit une allure plus calme. Chaque fois qu'il avait dû passer dans ce rang Croche et croiser ce pic brûlant, Nolan avait éprouvé une sensation troublante qu'il n'arrivait toujours pas à s'expliquer. Son cheval s'énervait et il fallait lui parler pour le rassurer. Passé le rocher, la route se déroulait droit devant en direction d'Aubrey.

Nolan Bouïos, âgé de vingt-cinq ans, était de taille moyenne comme son père. Il se dégageait de sa personne une impression de solidité inébranlable. Bien bâti, de carrure athlétique, de grosses mains habituées aux travaux de la ferme capables de gestes tendres. Son allure fière et masculine plaisait à la gent féminine. Ses cheveux brun foncé, il les portait courts et bien placés. Il possédait de superbes yeux bleu clair. Son visage harmonieux et son sourire discret reflétaient sa joie de vivre. Un regard pénétrant qui retenait l'attention surtout quand il élevait la voix, ce qui lui arrivait rarement. Il parlait peu, mais il avait le discours franc et direct. Nolan avait hérité de son père un sang-froid à toute épreuve. Il arrivait difficilement à faire voir ses émotions comme la plupart des hommes de son temps et les mots pour les exprimer restaient la plupart du temps bloqués dans sa gorge. Il était violoneux. Et tous ces airs du pays qu'il jouait l'aidaient à se détacher des petits tracas quotidiens. Il se laissait attendrir facilement. Nolan aimait sa vie de paysan. Peu instruit, mais bon travailleur, il voulait s'établir sur sa ferme à lui avec une femme qui l'épaulerait et lui donnerait des enfants. Ce rêve était encore plus présent, plus vivant, depuis que son père lui avait légué la moitié du domaine familial.

Un peu moins d'une heure plus tard, Nolan arrivait à destination. Il s'arrêta devant le magasin général où il espérait trouver ce qu'il lui fallait, descendit de son boghei et attacha sa monture. Il entra, se dirigea vers le comptoir. Un commis vint à lui. Nolan s'informa s'ils avaient la pièce requise. L'employé allait vérifier. Le magasin l'avait en stock. Nolan la commanda. Et pendant qu'il attendait, il remarqua à sa gauche une jolie jeune femme qui était en train de régler son achat. Ils se regardèrent du coin de l'œil, et sur le coup, une complicité, tacite, forte, s'établit entre eux. Nolan osa.

— Bonjour, mademoiselle.

— Bonjour, monsieur.

— Vous habitez dans le coin ? lui demanda-t-il.

— Oui, j'habite la petite maison tout près de la rivière, répondit-elle en pointant l'index en direction de celle-ci.

— Ça doit être plaisant d'habiter près d'une rivière ?

— Oui et non.

— Ah ! Comment ça ?

— Il y a des inondations chaque printemps. Ça fait sacrer mon père. Il emploie des mots que je n'ose pas répéter.

L'employé arriva avec la pièce. C'était bien ce que Nolan voulait. Il attendit sa facture. La jeune dame avait déjà payé la sienne, mais elle ne partait pas, elle attendait qu'il ait fini sa transaction.

— Comment vous vous appelez ? demanda Nolan.

— Armelle Priaux, et vous ?

— Nolan Bouïos.

— Où est-ce que vous habitez ? poursuivit-elle.

— Dans le rang du Ruisseau sacré, la grosse maison à deux étages, un peu avant la rivière, lui expliqua-t-il.

— Je ne suis jamais allée dans ce coin-là.

— Écoutez, continua Nolan, avec une audace subite qu'il ne se connaissait pas, j'aimerais aller rencontrer vos parents. Je demanderais à votre père la permission de venir vous voir le dimanche après-midi, si vous êtes d'accord bien entendu.

— Oui, répondit-elle spontanément comme le lui dictait son cœur. Mon père est à la maison aujourd'hui, il a pris congé de son travail de cantonnier, il s'attendait à de la pluie d'après le ciel de ce matin, mais il s'est trompé.

Ils se dirigèrent à pied vers la petite maison des Priaux. Ils entrèrent dans la cour. Nolan remarqua les deux immenses saules devant la petite maison coiffée d'un toit à deux versants et bâtie sur pièces à l'ancienne. Il aperçut monsieur Priaux qui faisait entrer un gros cheval dans une petite étable à une stalle. Cette écurie jouxtait un long hangar où il remisait son boghei et divers outils.

— Papa, venez, je voudrais vous présenter quelqu'un.

Le cheval rentré, le père ferma la porte et, l'air intrigué, se dirigea vers sa fille et le jeune homme qui l'accompagnait.

— Papa, je vous présente Nolan Bouïos du rang du Ruisseau sacré. Il aimerait vous parler.

— Salut, jeune homme, content de faire ta connaissance.

Les deux hommes se regardèrent et échangèrent une solide poignée de main.

— Viens, suis-moi, mon jeune, dit Viateur Priaux, tu pourras dire bonjour à ma femme.

Les trois entrèrent. La maîtresse de maison était en train de cuisiner. Évélina Priaux, la cinquantaine, était une petite femme maigre d'allure fragile. Elle semblait flotter dans sa robe à manches courtes. Elle se déplaçait à petits pas hésitants. Elle parlait peu et lentement, ses paroles toujours appuyées par le geste. Les épaules tombantes, elle présentait un visage triste et fatigué. Elle ne souriait plus souvent. Des cheveux raides et grisonnants qui tombaient jusqu'aux épaules.

La mère d'Armelle gardait sa petite maison propre et toujours en ordre. Elle aimait cuisiner. Avec les années, elle avait mis au point des recettes de son cru qu'elle avait enseignées à ses filles. Ses trois filles, les seuls enfants du couple, avaient toujours beaucoup compté pour elle. Des allergies commençaient à miner sa santé. Elle ne se plaignait jamais sinon du manque d'attention et de délicatesse de son mari.

— Ma femme, voici le fils de Firmin Bouïos, Nolan, du rang du Ruisseau sacré.

Évélina s'essuya les mains sur son tablier et s'avança vers Nolan.

— Bonjour, monsieur, heureuse de vous rencontrer, dit-elle en lui tendant la main et en affichant un léger sourire.

— Moi aussi, madame Priaux, fit Nolan en prenant la main frêle.

Nolan ne put attendre. La question qui lui brûlait les lèvres, il la posa à monsieur Priaux à savoir s'il pouvait venir courtiser sa fille Armelle. Mais avant de lui répondre, le père se fit raconter ce qui se passait dans le vallon et au bourg de Clodey, où il avait rarement eu l'occasion de mettre les pieds. Après une dizaine de longues minutes, Viateur Priaux répondit enfin à la question de Nolan.

— Oui, jeune homme, tu m'es ben sympathique, tu peux venir voir ma fille Armelle. On va t'attendre dimanche après-midi. À ce moment-là, tu pourras rencontrer ses deux sœurs, Imelda et Georgette, elles sont à l'ouvrage en ce moment.

— Merci, monsieur Priaux, je serai là dimanche après-midi. Maintenant vous allez m'excuser, je vais rentrer, y a du travail qui m'attend.

— C'est ben correct, à dimanche après-midi, conclut le père en lui serrant la main.

En s'apprêtant à sortir, le cœur rempli de joie, Nolan salua madame Priaux. Il tendit la main à Armelle qu'elle pressa doucement tout en lui offrant un sourire discret.

— À dimanche après-midi, mademoiselle.

— Oui, à dimanche, je vais vous attendre.

L'âme légère et le cœur joyeux, Nolan se retrouva sur le chemin du retour. Il se sentait étourdi par ce qui venait de lui arriver. Il tenait les rênes sans vraiment les tenir si bien qu'à la croisée des chemins près d'Aubrey, c'est son cheval qui, de lui-même, vira à droite en direction de la ferme. Cette bête était un peu complice de l'aventure qui avait bouleversé son maître. Nolan apportait l'image de cette jeune femme rencontrée au magasin général d'Aubrey.

Dans la fleur de l'âge, Armelle Priaux rayonnait de joie de vivre. Elle avait appris à sourire. De taille moyenne, svelte, un physique agréable, elle incarnait la grâce dans sa démarche et ses gestes. Fière de son apparence, elle s'appliquait à être bien vêtue, pas seulement les dimanches et les jours de fête. Derrière une apparente fragilité se cachaient une solide détermination et une grande force morale.

Armelle présentait une silhouette à faire rêver les hommes, les jeunes comme les moins jeunes. Des cheveux châtain foncé bien fournis, légèrement ondulés, tombant aux épaules. Son visage harmonieux aux traits fins et au teint rosé accentuait son air de jeunesse. Elle avait les yeux bruns ou verts selon ses états d'âme, un regard intense et chaud.

Calme et posée, elle pouvait, à l'occasion, élever la voix pour faire valoir son point de vue. Certains la disaient autoritaire, mais c'était plutôt du caractère qu'elle montrait. On ne manquait jamais de remarquer ses belles mains blanches aux longs doigts fins.

Cadette de la famille Priaux, Armelle avait bien réussi ses études primaires. Elle aimait lire. Mais la plupart du temps, elle devait se contenter de l'Almanach du peuple. Après son école primaire, elle était restée à la maison pour aider sa mère. La cuisine lui plaisait bien, mais son activité préférée était la couture. Armelle arrivait à confectionner ses vêtements. Généreuse et dévouée, elle était portée à en faire trop. Il lui arrivait de se surmener. À peine majeure, la jeune femme se sentait prête à s'engager. Elle rêvait d'aimer et d'être aimée. « Le Ciel, un jour, m'enverra le mien au moment où je m'y attendrai le moins », se disait-elle souvent.

Il y avait quelques heures à peine, Nolan se demandait encore s'il arriverait à rencontrer une femme qui lui plairait. Et voilà que le dimanche suivant, il avait un rendez-vous galant. Le sourire de cette jeune femme l'avait chaviré. Tout son univers sentimental avait été bouleversé. Il sentit, bien malgré lui, monter une larme qu'il s'empressa d'essuyer. Tout lui semblait plus coulant. Même le trot de son poulain lui paraissait plus léger.

Arrivé à la petite colline, Nolan sentit le besoin d'arrêter sa monture et d'admirer son environnement. Devant lui se déroulait cette petite vallée encaissée entre les deux collines. La petite rivière qui serpentait. On empruntait le vieux pont de bois encore solide pour la traverser et arriver un peu plus loin à l'autre colline. Quelle vue magnifique ! Ces lieux, Nolan les avait toujours habités, mais il n'avait jamais pensé prendre un moment pour les contempler. Et voilà qu'il ressentait ce désir à ce moment précis. « Ce qu'un sourire et quelques paroles de femme, d'une femme, peuvent donner envie de faire », songea-t-il. À sa droite, les bâtiments de ferme, l'érablière et la grande forêt. À sa gauche se dressait la grande maison entourée de champs de foin et de céréales. Les gens de la région avaient surnommé cette vallée le vallon Bouïos.

Tout près à sa gauche, de l'autre côté du fossé bordant la route, il y avait cette source d'où jaillissait sans arrêt une eau cristalline dans un bouillonnement féerique. Quand le vent soufflait, il arrivait que le passant reçoive quelques gouttelettes de cette eau sacrée. Il ne fallait pas les essuyer. On les laissait sécher naturellement. Ces jets d'eau formaient des petits nuages de bulles blanches qui s'élevaient jusqu'à une hauteur de deux mètres. Gazouillant joyeusement, toute cette eau dévalait la colline dans un ruisseau au fond rocailleux. Durant la saison froide, cette source ne gelait jamais.

Ce jour-là, Nolan voyait cette eau plus belle, plus limpide. Tout ce paysage qui s'offrait à ses yeux, il avait l'impression de le voir pour la première fois. Pourtant c'était toujours le même décor, il n'y avait rien de changé, tout lui semblait pareil. *Non, non*, lui murmura une voix intérieure, *une nouvelle ère a débuté aujourd'hui. Cette vallée que ton regard survole sera le théâtre dans les années à venir d'événements portant le sceau divin. Et tu y joueras un rôle important...* Silence... Un silence intérieur qui se mêlait à celui qui régnait tout autour... Nolan fut secoué par ces paroles, mais nullement effrayé. Il serait resté là, sans bouger, mais son cheval commençait à piaffer et de l'ouvrage l'attendait à la ferme.

À l'étable, Nolan détela, amena son cheval dans sa stalle et lui passa un bon coup d'étrille pour le récompenser. Puis il s'attaqua à la tâche de changer cette pièce sur la charrette à foin. Bien que très habile de ses mains, ce travail lui donna du fil à retordre parce qu'il était souvent distrait. Il réussit néanmoins à le finir. La charrette serait prête pour le lendemain.

Tous se retrouvèrent à table pour le souper. Emma avait préparé une soupe de légumes, un rôti de porc avec des petites fèves et des pommes de terre pilées. Il y avait du pain de ménage. Comme dessert, on mangerait des fraises des champs dans de la crème fraîche. Nolan mangeait en silence, l'air absent. Sa mère le remarqua.

— Qu'est-ce que tu as, Nolan ? Tu n'as pas l'air dans ton assiette. Ça s'est pas bien passé à Clodey ?

— J'ai été à Aubrey.

— Comment ça, Aubrey ? s'étonna-t-elle. On n'achète jamais rien là. Et en plus, il faut passer devant cette damnée maison hantée. Je te gage, comme on dit, qu'il y a une histoire de femme là-dessous.

— Oui, j'ai fait la connaissance d'une jeune femme. Je vais la voir dimanche.

— Toute une surprise ! Comment est-ce qu'elle s'appelle ?

— Armelle Priaux. Elle habite le village d'Aubrey.

Le père Firmin qui avait suivi la conversation d'une seule oreille ne put s'empêcher de réagir quand il entendit le nom Priaux.

— Est-ce que c'est ben le vieux Viateur Priaux ? s'informa-t-il, le dos légèrement courbé, de longs membres, le vieux béret bien enfoncé. Il habite la petite maison sur pièces avec les deux gros saules devant, près de la petite rivière.

— Oui, c'est bien ça, confirma Nolan.

— Il a été correct avec toi ?

— Oui, pourquoi ? demanda Nolan, pressé d'en apprendre davantage sur le père de la jeune femme qu'il se proposait de courtiser.

— Pas commode, le père Viateur. Il a toute une réputation dans le coin.

— Comment ça ? fit Nolan, qui commençait à s'inquiéter de ce qui pourrait suivre.

— Il est grand, fort, visiblement alerte pour son âge, sans peur. Il aime jouer les matamores, il prend plaisir à faire la loi, sa loi, il parle fort. On le dit têtu, grincheux, il ne faut pas le contrarier, car on pourrait le regretter surtout quand il a calé quelques bons coups de boisson du pays.

— T'exagères pas un peu, mon mari ? intervint Emma qui ne voulait pas que Nolan voie son possible beau-père sous un jour trop noir.

— Il a été bien correct avec moi, reprit Nolan. Il m'a donné la permission de venir voir sa fille.

— C'est ben tant mieux, mon gars. Et puis, as-tu pas rencontré le fou du village ?

— Non, je l'ai pas vu.

— Et la réparation de la charrette ? s'informa celui-ci.

— Tout est rentré dans l'ordre, son père.

— Bon. Demain, vous ferez des meules avec le foin fauché et séché des pièces derrière la maison. Vous finirez de faucher du côté de la maison hantée et s'il reste du temps, vous commencerez la fauche des parcelles de l'autre côté du chemin. Pendant ce temps-là, je m'en vais nettoyer et préparer la grange pour la rentrée du foin, puis je vais me joindre à vous. Après-demain, on va pouvoir commencer à rentrer le foin s'il peut faire beau une troisième journée d'affilée. Ce printemps, on n'a pas été trop gâté côté température.

— Pas de problème, son père, répondirent les deux fils.

— Nolan, pour aller voir la jeune Priaux, tu prendras le même poulain, c'est notre meilleur cheval de randonnée. Je l'aime beaucoup, ce cheval, c'est mon préféré.

— Merci bien, son père. Moi aussi, je l'aime beaucoup, ce cheval, dit-il en pensant à ce qui s'était passé au début de l'après-midi.

— Mon frère, lança Axel sur un ton moqueur, il ne faudrait pas que la petite Priaux t'invite à veiller un vendredi treize.

— Axel ! s'emporta sa mère. Tu vas m'arrêter ça tout de suite. Je ne veux pas entendre ça dans ma maison.

— C'était juste pour rire, se défendit celui-ci.

— Tu pourras garder tes drôleries pour les jeunes fanfarons du bourg de Clodey. Ces propos-là, c'est juste bon à attirer le malheur sur notre maison. J'espère que tu m'as compris.

— Mais oui, sa mère. Vous avez bien raison, acquiesça le fils cadet. On ne reviendra plus là-dessus.

Emma ne se voyait pas comme une personne superstitieuse, mais elle avait toujours enseigné à ses enfants qu'il y avait des paroles à taire et des gestes à retenir. Et cela dans le but de ne pas vexer tous ces êtres surnaturels qui peuplaient l'univers de la petite vallée, croyait-elle.

— Bon ! On a fait une bonne journée, conclut le père, on va prendre notre thé, puis on va se préparer pour une bonne nuit de sommeil.

Les hommes sortirent avec leur thé. Emma débarrassa la table et vint les rejoindre sur la galerie avant où l'on pouvait profiter des rayons du soleil couchant.

Ce soir-là, chez les Bouïos, on alla au lit assez tôt comme à l'accoutumée, car le lendemain matin, on se lèverait au chant du coq. Nolan, quant à lui, tarda à trouver le sommeil, il revivait dans sa tête et dans son cœur les beaux moments de sa journée. Il en était à la fois enchanté et troublé. Mais il était bien déterminé à faire de son mieux pour que ce beau rêve qui s'offrait à lui se réalise. Tant de beaux projets s'échafaudaient déjà dans son imagination qu'il avait peine à croire à tout ça. « Cette voix intérieure va-t-elle encore guider mes pas ? » Nolan finit par s'endormir, emportant cette pensée dans ses rêves.

2

Pendant qu'Armelle et sa mère Évélina préparaient l'ordinaire dans leur petite cuisine, cette dernière observait discrètement, dans les yeux de sa fille, cette petite flamme amoureuse qui brillait un peu plus chaque jour. Elle était bien contente pour sa plus jeune, la plus chaleureuse et la plus sérieuse de ses trois filles. Ça lui rappelait ce qu'elle avait déjà ressenti pour son Viateur, il y a si longtemps. « Maintenant, il ne me regarde même plus. Il faut croire que je ne suis plus regardable », se répétait-elle avec mélancolie. Mais le bonheur exaltant et radieux que vivait sa fille Armelle apportait un peu de soleil dans sa vie de femme devenue avec les années bien grise.

Évélina aimait bien ce jeune Bouïos : ses beaux yeux bleus, son regard franc et chaud, son calme. « Ça lui fera le meilleur des maris. »

— Tu vas l'inviter pour notre souper du Premier de l'an, lui suggéra sa mère.

— Vous êtes vite en affaires, ma mère ! répliqua Armelle.

— À vous regarder aller tous les deux, je pense que non.

— Je vais lui transmettre l'invitation et je vous dirai sa réponse.

Nolan venait courtiser Armelle le dimanche. Il arrivait en début d'après-midi et il restait pour souper. Le dimanche tardait toujours à venir, lui semblait-il, elle, pour sa part, comptait les jours. Elle tenait à préparer elle-même le dessert du souper. Après le dîner, Armelle allait souvent à la fenêtre jeter un coup d'œil. Quand elle apercevait son amoureux sur le pont, son cœur se mettait à battre et tout s'illuminait.

À la ferme des Bouïos, Axel prenait plaisir à taquiner son frère, surtout quand ils allaient faucher en compagnie de leur père.

— Mon frère, t'es souvent distrait. Tu penses plus à la petite Priaux qu'à la grande faux que t'as dans les mains. Attention ! Tu te taillades une cheville et tu pourras pas la voir pendant un bout de temps.

Nolan ne répondait pas, il se contentait de sourire. Il savait très bien que ça prendrait une blessure plus grave pour l'empêcher de se rendre à Aubrey le dimanche.

— Arrête d'agacer ton frère, intervenait le père. Laisse-le tranquille, tu le déranges dans sa besogne.

— Mais son père, vous voyez pas qu'il est amoureux comme c'est pas possible.

— Ben oui, ça saute aux yeux. Puis toi, quand est-ce que tu vas t'en trouver une fille à marier ?

— Ça va venir, son père, ça va venir. C'est pour ça que je veux aller à Clodey le plus souvent possible.

— Il faudrait que t'arrêtes, mon gars, de faire le faraud avec tes petits amis du bourg et que tu commences à les regarder, les filles, et à t'en occuper.

— Oui, son père, j'ai bien l'intention de suivre votre conseil.

S'il s'en donnait la peine, Axel trouverait une fille à marier assez facilement. Ses sœurs lui disaient souvent qu'il était le plus beau de la famille. Il avait un visage aux traits délicats, les cheveux noirs fournis, lisses, ramenés en arrière. Axel présentait une silhouette agréable et une démarche assurée qui plaisaient à ces dames. Le regard éveillé et moqueur, fin causeur, il aimait rire et faire rire. Une délicate moustache toujours bien taillée ajoutait à son charme. Sous des dehors décontractés, le dernier fils Bouïos était un garçon sérieux. Il s'était engagé à garder ses parents jusqu'à la fin de leurs jours.

Nolan se montrait un amoureux empressé et assidu. Tous les dimanches, après le dîner, beau temps, mauvais temps, il attelait son poulain. Celui-ci devenait alors plus éveillé quand il recevait le commandement de prendre la direction d'Aubrey comme s'il participait à la joie de son maître.

Les deux amoureux allaient marcher sur la route devant la maison et sur le pont couvert. Ils parlaient, échangeaient, faisaient de plus en plus connaissance. Avec son amoureuse, Nolan découvrait le plaisir de la parole. Mais parfois, ils restaient de longs moments silencieux. Un silence qui les rapprochait. Ils se tenaient à peine la main. Ils se limitaient à cette innocente et douce caresse de peur des réprimandes du père Priaux. Une bise rapide à l'arrivée et au départ.

Armelle et sa mère préparaient souvent quelque chose de différent pour le souper du dimanche. La plupart du temps, Georgette et Imelda, les sœurs d'Armelle, étaient présentes, accompagnées de leurs soupirants.

— Tu devrais venir plus souvent, Nolan, on aurait un menu plus varié dans cette maison, disait Viateur en mangeant avec grand appétit.

— Comme si l'on mangeait toujours la même chose ici. Tais-toi donc si t'as rien d'autre à dire, rétorquait Évélina, blessée dans son amour-propre.

Viateur parlait, c'était surtout lui qui se racontait: son ouvrage sur les routes du canton, ses mésaventures au village d'Howick et son voisin d'en face qui ne nettoyait pas bien son bout de chemin l'hiver. Il posait souvent des questions sur le travail de la femme à la ferme. La soirée passait toujours trop vite pour Armelle et Nolan, mais ce dernier avait une longue route à faire et le lendemain, il devait se lever à la barre du jour.

Cette année-là, l'hiver s'invita tôt. Grands froids, beaucoup de neige, souvent de la poudrerie. Le rang menant à Aubrey était peu déblayé. Chaque fermier était tenu de nettoyer la route longeant sa terre, mais dans le rang Croche, il n'y avait que les fermes abandonnées. Ça n'avait jamais empêché l'amoureux de se rendre à son rendez-vous hebdomadaire. Il lui arrivait qu'en fonçant dans un banc de neige son traîneau se renverse. Nolan était fort, il le remettait sur ses lames. Son cheval ne s'affolait jamais. Les paroles et les cris de son maître lancés aux moments opportuns le gardaient calme. Et Nolan reprenait sa route vers sa bien-aimée.

Nolan avait accepté l'invitation de madame Priaux pour le souper du Premier de l'an. Ses parents avaient compris son envie d'être auprès de son amoureuse pour cette fête. Il n'avait pas apporté son violon, à la suite d'une suggestion d'Armelle.

— Pourquoi pas? s'était-il étonné.

— Tu verras bien, s'était-elle contentée de répondre.

— Mais quoi? fit-il cherchant à comprendre.

— Tu auras une surprise, tu n'aimes pas les surprises?

— Bien sûr, surtout les bonnes.

Nolan aimait bien ce côté un peu mystérieux d'Armelle. Ça mettait un peu de piquant dans sa vie de paysan qui pouvait s'avérer parfois un peu monotone.

À son arrivée à Aubrey, le Premier de l'an, la petite maison était bondée. Les deux sœurs d'Armelle, Georgette et Imelda, y étaient accompagnées de leurs cavaliers. Évélina avait fait une surprise à sa cadette. Elle avait invité sa cousine préférée, Mignonne, du même âge, nouvellement mariée à un artisan du village voisin, Owen Priaux, aucun lien de parenté. Les deux cousines avaient fréquenté la petite école du village d'Aubrey. Elles étaient devenues des amies inséparables. Elles avaient vécu une partie de leur jeunesse ensemble avant que la famille de sa cousine ne déménage à Howick, village voisin.

Mignonne portait bien son nom. Plutôt courte de taille, menue, énergique, elle avait les cheveux blonds, courts, toujours bien placés. De grands yeux verts expressifs, un visage rond. Elle respirait la joie de vivre. Mignonne soignait sa tenue. Le sourire franc, toujours le mot pour faire rire, elle aimait taquiner. Elle avait gardé intact ce trait de jeunesse. La cousine d'Armelle avait eu la chance de trouver le mari qui lui convenait : un homme calme, les deux pieds sur terre qui faisait contrepoids à son côté rêveur. Armelle s'empressa de présenter sa cousine à Nolan. « Enchanté de faire votre connaissance, madame, mes meilleurs vœux. »

— Enchantée, moi aussi, enchaîna-t-elle et on va se tutoyer, cher Nolan.

— D'accord, Mignonne, consentit-il de bon cœur.

Nolan offrit ses vœux de bonheur à tout le monde. Un peu plus tard, Mignonne attira Armelle à l'écart.

— Égoïste, va, tu as choisi le plus beau, lui dit-elle sur un joyeux ton de reproche.

— Trop tard, tu es déjà mariée.

— Je serai, j'espère, invitée à tes noces, j'y compte bien.

— Je ne sais pas encore, il faudra que j'y pense... Et puis Nolan n'a pas encore fait la grande demande.

— Ça ne va pas tarder, je t'assure.

— Qu'est-ce qui te fait dire ça, ma chère ?

— Ses yeux parlent quand il te regarde.

— Et qu'est-ce qu'ils disent, ses yeux ?

— Que l'été prochain, vous serez mariés.

— Viens rejoindre les autres, ma diseuse de bonne aventure ! lui dit Armelle qui ne demandait pas mieux que s'accomplisse la prédiction de sa cousine.

On passa à table assez tôt comme c'était la coutume. Armelle et sa mère avaient préparé tout un repas pour souligner l'arrivée de la nouvelle année. Selon l'habitude, on servit dans une grande assiette un peu de tout ce qui constituait le repas principal : une petite pointe de tourtière, du ragoût de porc avec boulettes nappé d'une sauce brune, un morceau de dinde avec de la farce. Il y avait du pain de ménage dans un panier d'osier au centre de la table.

Les hommes buvaient de cette boisson alcoolisée dite boisson du pays, ou bien du cidre dit d'automne au faible taux d'alcool.

— Mon oncle, lui dicta pour ainsi dire sa nièce durant le repas, vous allez servir du cidre à toutes les femmes ici présentes.

Et à la surprise de Nolan et des cavaliers de Georgette et d'Imelda, Viateur Priaux s'exécuta. Mignonne savait prendre l'intonation voulue pour parler à son oncle Viateur : mi-autoritaire, mi-enjouée. C'est ainsi qu'elle touchait ses cordes sensibles. Elle n'avait jamais été intimidée par ses éclats de voix et son ton parfois coupant. Son attitude désinvolte avait toujours plu à son oncle. Ce qui faisait dire à Georgette et Imelda que leur cousine devait posséder un pouvoir magique secret pour pouvoir ainsi parler à leur père sans s'exposer à ses foudres. Il y eut du cidre à volonté. L'atmosphère s'égaya et la conversation s'anima. Nolan se disait que sa mère n'aurait jamais permis ça à la grande maison.

Puis vint le moment toujours attendu à la fin d'un grand repas : le dessert. Toutes les gâteries sucrées furent placées au centre de la table, chacun se servit. Un gâteau aux fruits, une tarte au sucre, une autre au sirop d'érable et puis une autre à la ferlouche — un mélange de raisins secs et de mélasse. Un plateau de beignets au miel couronnait le tout. Les desserts de madame Priaux étaient succulents, c'était bien connu. On se gardait toujours de la place.

Après le dessert, un thé fut servi. Les femmes débarrassèrent la table, lavèrent la vaisselle et la rangèrent. Les restes furent descendus au frais dans le petit sous-sol auquel on accédait en soulevant la trappe en plein milieu du plancher de la cuisine. Pendant ce temps-là, les hommes fumaient dans le petit salon, excepté Owen. Ils parlaient d'un peu de tout. Son dernier morceau de vaisselle essuyé, Mignonne, sur un ton joyeux, attira leur attention :

— Bien tranquilles, les hommes ! Je vais vous faire rire un peu.

Et elle leur raconta une histoire rocambolesque qu'elle aurait vécue avec Armelle durant leur adolescence. On rit de bon cœur, mais tous devinèrent que c'était inventé de toutes pièces. Puis elle les fit chanter des chansons à répondre. Après la dernière chanson, le père Priaux se leva et se tourna vers Nolan.

— Tu joues du violon, toi, Nolan, n'est-ce pas ?

— Oui, pourquoi ?

— Vous avez, vous les Bouïos, bonne réputation comme violoneux. Vous êtes combien dans la famille qui jouez ?

— On est quatre.

— J'ai quelque chose pour toi.

— Quoi ? fit Nolan un peu intrigué par l'approche un peu obscure du maître des lieux.

— Bouge pas, je vais te chercher ça.

Viateur Priaux alla au fond de la cuisine et alluma une chandelle. Le bougeoir à la main gauche, il s'engagea dans l'escalier en bois fermé qui menait à l'étage ou au grenier comme il disait. Chaque marche craquait sous son poids. L'étage, c'était une aire ouverte, une seule pièce où les trois sœurs Priaux y avaient leur chambre : chacune un lit simple, une commode à trois tiroirs sur laquelle trônaient un bol et un pichet à eau. Et pour compléter cet ameublement minimal une petite table de nuit, des crochets au plafond pour suspendre l'essuie-main, la débarbouillette et les vêtements. Les trois sœurs y étaient à l'étroit et sans grande intimité. Plus on s'approchait des murs latéraux, plus il fallait se pencher à cause du toit en pente. Une fenêtre à chaque bout laissait entrer la lumière. Peu après, Viateur descendait, les marches craquant toujours autant.

— Tu reconnais ça, Nolan ? demanda celui-ci en lui montrant ce qu'il tenait dans la main droite.

— Oui, une boîte à violon. Vous en jouez, du violon ?

— Non, je n'ai jamais pu apprendre. Mais toi, tu pourrais sans doute le faire résonner. Le violon qu'y a là-dedans a une histoire fabuleuse, annonça-t-il fièrement.

L'instrument venait selon Viateur des vieux pays où un vieux luthier, ayant reçu un don, put fabriquer durant ses dernières années un violon unique d'une sonorité telle qu'il ne pourrait jamais être imité. Il eut le temps d'en fabriquer à peine quelques douzaines. Ces violons furent achetés, vendus, revendus, légués en héritage de telle sorte qu'ils se retrouvèrent aux quatre coins du monde.

— Et un de ces violons se trouve ici, dans cette boîte, proclama le père Priaux. J'en ai hérité de mon grand-père qui m'a certifié qu'il s'agissait d'un de ces violons uniques. Et lui, il l'avait eu en héritage de son grand-père.

Ce récit avait étonné Nolan et les cavaliers des sœurs d'Armelle. Les autres avaient déjà entendu l'histoire.

— Comment est-ce qu'on peut vraiment savoir que le violon que vous a légué votre grand-père a bien été fabriqué par ce luthier ? commenta Nolan sur un ton sceptique.

— Quoi ! Tu oses mettre en doute la parole de mon grand-père, réagit vivement Viateur Piaux, haussant la voix et fronçant les sourcils, visiblement irrité par la remarque de Nolan.

— Vous avez sûrement raison, monsieur Priaux. Je n'ai aucun motif sérieux de mettre en doute les affirmations de votre grand-père, dit Nolan sur un ton posé dans l'espoir de calmer le maître des lieux en train de monter sur ses grands chevaux.

Ô étonnement général ! Le père Priaux, lui d'habitude irritable et vindicatif, s'apaisa. Le ton calme de Nolan avait réussi ce tour de force. Armelle, agréablement surprise, découvrait un trait fort de la personnalité de son amoureux. « Merci, voilà l'homme dont je rêvais. Il saura faire face à l'adversité calmement. J'espère qu'il fera la grande demande bientôt.»

Viateur Priaux respectait le genre d'homme qui osait le confronter sans broncher, qui ne se laissait pas intimider par les yeux méchants, la voix qui montait et menaçait. Un homme qui vous regardait dans les yeux en vous parlant. Il avait perçu le sang-froid de Nolan dès leur première poignée de main. «Celui qui lui fera baisser les yeux, le fera reculer et fuir, celui-là n'est pas encore né. En plein l'homme qu'il faut à ma fille pour la sécuriser. Si j'avais eu un fils, j'aurais voulu qu'il lui ressemble.»

— Bon, ben, veux-tu le voir ce violon, Nolan, et essayer d'en jouer? demanda le père Priaux sur un ton redevenu normal en sortant l'instrument.

— Mais oui! répondit gaiement celui-ci tendant les mains pour le prendre.

Nolan prit l'instrument, glissa sa main sur la table d'harmonie. Plus léger, ce violon était visiblement de qualité supérieure au sien. Il tâta les cordes et les crins de l'archet, de vrais cheveux d'ange.

— Ce violon est tout désaccordé, on n'en a pas joué depuis longtemps, commenta Nolan.

— Très peu de personnes ont touché à mon violon.

Après toute cette mise en scène, tous avaient hâte d'entendre Nolan jouer. Ce dernier accorda l'instrument, une corde à la fois. Il glissa l'archet sur les cordes et les fit résonner. Nolan découvrait une musicalité nouvelle. Il n'en croyait pas ses oreilles. Il se sentait privilégié d'avoir ce violon entre les mains. Le violoneux, le manche dans sa main gauche et la mentonnière ajustée, commença à jouer et il joua longtemps. Il interpréta des airs langoureux de chansons d'amour, des airs rythmés de chansons à boire et des rigodons, ces airs sur lesquels on dansait d'habitude. Après un rigodon particulièrement endiablé, Mignonne se leva, fit signe que c'était le temps d'une pause. Elle allait servir un verre de cidre à tout le monde. Nolan s'arrêta. Spontanément tous l'applaudirent. Il sourit, un peu gêné.

— Bravo, jeune homme, je n'ai jamais entendu mon violon résonner comme ça, s'exclama Viateur Priaux, enthousiaste, redevenu tout à fait calme, affichant même un bref sourire.

— Merci, monsieur, merci tout le monde.

Évélina, entourée des siens, se sentait heureuse. Ce Premier de l'an se passerait dans la bonne humeur. Son mari ne ferait pas d'esclandre comme chaque année. Il trouvait toujours une raison pour s'emporter. «La voix de Nolan a suffi à le ramener à la raison, je n'arrive pas à le croire. Oui, ça va lui faire le meilleur des maris.»

Quant à elle, Armelle rêvait du jour où ils auraient leur maison à eux et que Nolan jouerait souvent le soir pour faire oublier les petits soucis de la journée. « Il joue si bien. » Mignonne apporta les verres de cidre sur un grand plateau et en offrit un à chacun. « À la santé de Nolan ! » répéta-t-on en chœur plusieurs fois. Et l'on trinqua joyeusement.

— Alors ? Vous voulez entendre Nolan jouer encore ? demanda Viateur. Je comprends que l'heure avance, mais le Premier de l'an, ça n'arrive qu'une fois par année.

— Oh oui ! approuvèrent-ils tous.

Son verre à moitié vide, Nolan le déposa et il reprit délicatement l'instrument et se remit à jouer. Il se sentait bien. Le jeune violoneux du rang du Ruisseau sacré était heureux quand il jouait de son instrument préféré. De temps en temps, il jetait un coup d'œil à l'horloge murale. Les aiguilles du temps n'avaient pas ralenti leur marche régulière et précipitée. L'heure de son départ approchait à grands pas. Il aurait aimé que cette soirée n'eût pas de fin…

Un dimanche de février, par un après-midi de beau temps ensoleillé, doux et paisible, Nolan se décida de parler mariage à celle qu'il courtisait depuis l'été précédent. Au milieu du pont qui enjambait la petite rivière, ils arrêtèrent leur marche, il prit les mains délicates de son amoureuse dans les siennes pour les réchauffer. Les yeux d'Armelle s'illuminèrent de joie en entendant les mots que toute femme amoureuse rêve d'entendre :

— J'aimerais que tu deviennes ma femme, dit Nolan, d'une voix tremblotante.

Armelle se jeta dans ses bras et l'étreignit longuement. Tout son être appelait cette demande. Elle en frémissait de bonheur. Que son père soit témoin de la scène était le moindre de ses soucis à ce moment-là.

— Ah oui ! Je le veux de tout mon cœur, réussit-elle à dire à travers ses larmes.

— On ferait ça au mois de mai si tu es d'accord.

— Oui ! C'est le mois des lilas, le plus beau mois pour se marier.

— Alors, je vais parler à ton père dès ce soir.

— Comme je suis heureuse !

Après le souper, ce dimanche-là, le cœur battant, Nolan alla trouver monsieur Priaux qui s'était retiré dans son coin où il fumait sa pipe tout en se berçant. Évélina, elle aussi, était dans sa berçante, elle semblait absente, rêveuse. Les deux sœurs d'Armelle étaient sorties.

— Monsieur Priaux, j'ai quelque chose d'important à vous demander.

— Oui, jeune homme, qu'est-ce que c'est ?

— Je vous demande la main d'Armelle. Et si vous me l'accordez, on se marierait au mois de mai.

— À vous regarder tous les deux, je me doutais ben que ta demande n'allait pas tarder encore longtemps. Toi, ma femme, tu trouves que c'est une bonne idée que ce mariage?

— Ah oui! Je suis bien contente pour vous deux, répondit-elle en souriant, elle qui admirait tant celui qui deviendrait son gendre.

— Nous en sommes très heureux, dit Nolan d'une voix émue.

D'habitude, après le souper, les deux amoureux faisaient un bout de veillée dans le petit salon, assis sur un sofa confortable à l'abri du regard du père. Ce soir-là, Nolan attendait ce moment avec une grande exaltation. Il sortit de la poche de sa veste un petit écrin qu'il ouvrit lentement sous le regard scintillant de sa bien-aimée: une bague... une bague de fiançailles! Il prit la main gauche d'Armelle, glissa la bague à son annulaire. Ils restèrent silencieux, cette émotion se devait d'être partagée par eux seuls ce soir-là. Pas besoin de paroles. Des larmes coulaient sur les belles joues de sa fiancée. Ils étaient heureux. Leur amour venait de grandir.

«Ces moments de bonheur passent toujours trop vite. Je voudrais bien rester encore, mais il va falloir que je rentre», dit Nolan d'une voix douce tout en osant serrer contre lui sa future. «Comme c'est bon!» murmura-t-elle doucement à son oreille, «je vais penser à toi encore plus fort cette semaine.» Le fiancé se leva, enfila son pardessus et alla dire bonsoir aux parents d'Armelle. Évélina remarqua la bague au doigt de sa fille. «Ils viennent de se fiancer», se dit-elle en elle-même, partageant le bonheur de sa fille. «À dimanche prochain, monsieur, madame» salua Nolan. «Oui, jeune homme, on va t'attendre», dit le père Priaux. Nolan regarda une dernière fois son amoureuse et il sortit en emportant avec lui son sourire extasié. Il rentrait chez lui, le cœur réchauffé par cette flamme qu'il avait vue briller dans les yeux de sa future. «La vie s'annonce belle pour nous deux...»

Ce dimanche de la mi-mars, Nolan voulut présenter sa fiancée aux siens. Ils dîneraient à la grande maison avec ses parents et son frère Axel. Après la grand-messe au village d'Howick, Nolan et Armelle filèrent vers la grande maison. La fiancée emprunterait le rang Croche pour la première fois. «Tout va bien se passer, tu verras.»

— J'ai hâte de rencontrer les tiens et de voir la maison que nous allons habiter les premières années de notre mariage. Tu crois que je serai acceptée? demanda Armelle essayant de dissiper une vague inquiétude.

— Pourquoi pas?

— Mon père dit que ta mère a la réputation d'être une femme sévère et autoritaire.

— Ouais, mais quand elle verra que tu es la femme qui me convient, elle va être bien contente.

— Merci de me rassurer, fit-elle.

Passé la maison hantée, Nolan arrêta sa monture sur la petite colline.

— Regarde, Armelle, la source et cette petite vallée qui s'étend devant nos yeux.

— Oui, cette eau qui jaillit et bouillonne, la belle grande maison aux couleurs vives, la route qui serpente, le pont, l'autre colline, un joli coin de pays isolé, rien que pour nous. Je sens que je vais être heureuse ici.

— Imagine ça en été.

— Ah, ça doit être merveilleux! Que vienne le mois de mai. Je compte les jours. Ah Nolan!

— De l'autre côté du pont, un peu en aval, il y a un gros bosquet de lilas qui poussent à l'état sauvage. Ils seront en fleur à la fin mai. Et quand le vent souffle le moindrement, les odeurs flottent jusqu'à la grande maison.

— Du parfum! Du parfum de lilas pour nous accueillir ici le jour de notre mariage. Je ne pourrais pas en demander plus. Oh Nolan!

— Oui, ça va être bien. Maintenant on va y aller, ma mère nous attend.

— Oui, dit-elle, un peu nerveuse, se demandant comment elle allait être reçue.

En arrivant, Axel les attendait sur la galerie.

— Descendez, entrez, je vais aller dételer le traîneau, leur offrit-il.

— Ce n'est pas de refus, mon frère, accepta Nolan en lui passant les guides.

Nolan aida sa fiancée à descendre et lui présenta son frère cadet. « Enchanté de vous rencontrer, mademoiselle », dit Axel tout sourire. Et elle enchaîna: « Moi aussi, monsieur. » Firmin les attendait près de la porte. « Entrez, venez vous déshabiller, ta mère nous attend à la cuisine. » Ils entrèrent. À gauche de la porte, il y avait un grand paillasson pour les couvre-chaussures et des patères pour les manteaux et les pardessus. Dès le premier coup d'œil, Armelle fut impressionnée par ce qu'elle voyait. « Comme c'est grand et beau! » Le plancher de bois franc, les boiseries, les murs recouverts d'une belle tapisserie, l'ameublement riche et de bon goût. Un intérieur comme elle n'en avait jamais vu. Au rez-de-chaussée, la grande cuisine, la chambre principale, au fond, côté ouest. En avant, au pied de l'escalier se trouvait l'entrée du salon. À l'arrière, la cuisine d'été fermée pour la saison froide. Emma s'était avancée. Nolan fit les présentations. Armelle, un peu nerveuse, jugea bon de commencer par raconter combien elle avait trouvé les lieux enchanteurs vus du haut de la colline, ce qui fit bien plaisir à Firmin. Sa future bru lui était déjà sympathique.

— Pas trop inquiétée en croisant le rocher dans le rang Croche? demanda ce dernier.

— Non, Nolan m'avait bien mise au courant, précisa-t-elle.

— Après un certain temps, on s'y fait.

— Je m'habituerai, c'est sûr.

En attendant Axel, Emma les invita à passer au salon. C'était spacieux et aussi luxueusement décoré. Au mur, au-dessus du canapé, un grand miroir de forme ovale. De petites tables et un joli vaisselier en bois noble verni. Des fauteuils, une causeuse aux bras et dossier rembourrés et recouverts d'un tissu chatoyant. Nolan et Armelle s'assirent dans la causeuse.

— C'est très joli et très accueillant chez vous, madame Bouïos, dit Armelle.

— Merci, mais c'est beaucoup d'entretien.

— Je vous comprends très bien.

— Nolan ne t'en a peut-être pas parlé, continua Emma, mais on va refaire la décoration dans la chambre qui sera la vôtre à l'étage: de nouveaux rideaux, une autre couche de peinture au plafond, une nouvelle tapisserie, le repolissage et le revernissage du plancher, des moulures et des meubles. Ce sera prêt le soir de vos noces.

— Merci beaucoup, madame Bouïos, je suis certaine que ce sera une superbe chambre, s'exclama-t-elle en pensant à l'espace restreint qu'elle devait partager avec ses sœurs chez ses parents.

Sur ces entrefaites, on entendit Axel qui montait les marches de la galerie.

— J'entends Axel qui revient. Passons à table, suggéra Emma.

L'hôtesse de la grande maison servit les mets qu'elle avait préparés. Firmin, curieux, commença par poser des questions sur le père Priaux. Nolan n'avait pas mentionné son début d'altercation avec son futur beau-père à la fête du Premier de l'an.

— Est-ce qu'il est toujours aussi prompt?

— Oui, ça lui arrive encore de s'emporter s'il est contrarié. Mais nous, nous savons comment le prendre. On s'arrange assez bien.

— Il devrait s'assagir en vieillissant, commenta Firmin.

— Peut-être, se contenta de répondre Armelle.

— Ta mère, selon Nolan, est bonne cuisinière, intervint Emma. Toi, est-ce que tu vas pouvoir suivre ses traces?

— J'apprends avec elle depuis des années, répondit Armelle quelque peu embarrassée par la question.

— Elle fait de très bons desserts, s'empressa de préciser Nolan, sentant le malaise de sa fiancée.

Tout en mangeant, Emma poursuivit son interrogatoire. Elle voulut savoir si sa future bru était superstitieuse, car il ne fallait pas l'être pour vivre dans le vallon. Elle mentionna ce *black bush* où l'on ne mettait jamais le bout du nez, car on n'y serait pas bien accueilli. Et la grande forêt qui, depuis qu'on n'y chassait plus, abritait toutes sortes d'animaux aux cris étranges. Et ce gouffre qu'on ne saurait localiser et dont il ne fallait pas parler.

Axel notant l'air préoccupé de sa future belle-sœur intervint :

— Armelle, ce n'est pas aussi noir que le portrait que vient d'en faire ma mère. Regarde, est-ce que, nous, on a l'air traumatisé ? Moi, je peux rire de tout ça même si ma mère ne l'approuve pas.

— Non, je trouve que c'est jouer avec le feu pour rien, répliqua Emma un peu contrariée par l'intervention de son fils Axel.

— Bon, je pense qu'Armelle en a assez entendu pour une première fois, insista Nolan. Je m'en vais tout lui apprendre un peu à la fois en temps et lieu, et comme ça, elle va pouvoir s'adapter, ça ne m'inquiète pas.

— Oui, je suis d'accord avec ça, approuva Firmin, appuyant son fils. On va finir notre dessert puis on va aller au salon avec une tasse de thé et l'on va parler d'autre chose. De votre mariage qui s'en vient, par exemple.

En entendant les propos sensés des deux hommes, le sien et son futur beau-père, Armelle se sentit mieux. « Mon homme, oui mon homme, je crois bien, pensa-t-elle, que notre amour m'autorise dorénavant à appeler ainsi mon fiancé. » Armelle venait de comprendre de qui Nolan tenait son aplomb. Elle l'aimait encore un peu plus aujourd'hui. Une nouvelle teinte s'ajoutait à leur amour, celle de la confiance sereine, sans réserve. Il serait là dans les moments difficiles.

Au salon, on parla du mariage, de la cérémonie religieuse à Howick, de la noce à la grande maison, des deux familles et de certains membres en particulier. Axel dit un mot sur la saison des sucres qui allait débuter incessamment. Nolan se demandait s'ils allaient chasser le rat musqué ce printemps-là. « Non, pas cette année, ça ne vaudra pas la peine », dit Firmin. Il avait appris au magasin général de Clodey que la demande pour la fourrure de ce petit rongeur des rivières avait trop baissé. « Mon père va sûrement étendre ses pièges quand même, ça le désennuie », commenta Armelle. On ne put s'empêcher de spéculer sur l'ampleur que prendrait la débâcle de la rivière, toujours un moment d'appréhension dans le vallon. Firmin veilla à ce qu'on ne reparle pas de la vie particulière du vallon et de ses manifestations mystérieuses et inquiétantes parfois. Son fils se chargerait de lui apprendre, à Armelle, les règles simples à observer pour y vivre en paix. La future bru s'en rendit bien compte, elle n'oublierait pas cette délicatesse de son futur beau-père.

En milieu d'après-midi, Nolan annonça qu'ils allaient devoir partir. Axel s'offrit pour aller atteler le poulain. « Merci bien, mon frère. » Pendant que le frère cadet était sorti, certains détails de la cérémonie du mariage et de la noce à la grande maison furent revus.

— Nous allons vous attendre, moi et mes parents, le jour du mariage, il fera beau, je le sens, dit Armelle.

— Nous allons être là à l'heure, lui assura Firmin.

Quand Axel revint avec le traîneau, Nolan et Armelle étaient prêts. On se salua avec l'assurance de se revoir au mariage.

— Merci, madame, pour le bon repas et la chambre que vous allez nous préparer, dit Armelle en pensant que sa future belle-mère n'avait pas remarqué sa bague de fiançailles ou si elle l'avait remarquée, elle avait préféré ne rien dire.

— On se revoit au mariage, conclut Emma.

Au chemin, Nolan tourna à gauche.

— À gauche, pourquoi ? s'étonna Armelle, Aubrey, c'est à droite.

— Viens voir où nous construirons notre maison et nos bâtiments de ferme.

— Oui, quelle belle pensée !

À gauche de la route s'étendaient les champs enneigés qui appartenaient à Axel maintenant. Passé la grande forêt, à droite, c'était sa ferme à lui qui s'étendait à perte de vue, encaissée entre cette grande forêt et la plus petite qui longeait la rivière. Nolan s'arrêta à l'entrée utilisée l'été pour se rendre dans les champs.

— Regarde, où voudrais-tu qu'on bâtisse notre maison ? demanda Nolan.

— Là, derrière le pin géant, répondit-elle sur un ton joyeux.

Ce pin solitaire plus que centenaire se dressait à peu près à égale distance de la grande forêt et du chemin.

— Il y aura une fenêtre de ce côté-ci, suggéra celle-ci, et chaque fois qu'on regardera qui vient dans l'entrée, on verra notre pin.

— Et les gens diront la petite maison derrière le gros pin.

— Non, ils diront plutôt la petite maison à l'ombre du pin éternel.

— Quelle imagination ! J'aime beaucoup. Et devant la maison, la basse-cour, et les bâtiments de ferme au fond et de chaque côté.

— Ça va vous donner beaucoup d'ouvrage, tout construire ça.

— Ouais, mais mon frère et moi, on est dans la force de l'âge et mon père est encore solide.

— Je l'aime déjà, ton père.

— Lui aussi, je pense qu'il t'a trouvée bien correcte.

Puis Armelle exprima le désir de se rendre à la rivière. « On a sûrement le temps avant la tombée de la nuit, sinon on allumera le fanal du traîneau sur le chemin du retour », dit-elle. Près du pont, elle regarda à sa droite. Elle remarqua ce qui ressemblait à un étroit chemin.

— Regarde, Nolan, il n'y a pas de traces de traîneau, mais ça ressemble à une route qui s'enfonce dans la petite forêt.

— C'est le *black bush*, le large sentier de terre battue qui ne mène nulle part, paraît-il. Regarde les branches des arbres qui se rejoignent au-dessus. L'été avec le feuillage, c'est un lieu toujours sombre et mystérieux.

— Est-ce que quelqu'un est déjà allé voir où ça pouvait mener? demanda-t-elle.

C'était une question que l'on ne posait pas dans le vallon. Ce lieu était, selon ce qu'on racontait, l'habitat de tous les êtres maléfiques qui venaient hanter le vallon la nuit venue : le Bonhomme Sept-Heures, le Loup-garou, les Feux follets avec leurs cris effrayants et autres créatures maléfiques. L'aspect inquiétant de ce sentier surtout pendant la saison chaude suffisait à éloigner petits et grands. L'été, durant les soirées sombres, on préférait ne pas se trouver dans les parages. La nuit tombée, on ne s'aventurait pas seul sur les grands chemins.

— Il va falloir enseigner tout ça à nos enfants? Ça ne va pas les traumatiser? s'inquiéta Armelle.

— Oui, essentiel de le faire, mais regarde-nous, on vit avec tout ça une vie normale. On va bûcher dans cette petite forêt, y cueillir des cerises et des pommes sauvages tout en évitant le *black bush*.

— Et comment enseigne-t-on ça aux enfants?

— Sous forme de contes avant le coucher comme faisait ma mère, pas pour nous effrayer, mais pour nous mettre en garde. On revoyait tout en rêve et comme ça, c'était plus facile de tout retenir. Tu verras, ça viendra naturellement quand nous serons installés pour de bon dans notre ferme.

— Oui, je te crois. J'aime les contes, en écouter et en raconter.

Armelle ne se sentait pas inquiétée comme elle l'avait été durant le repas. « J'apprendrai la vie du vallon, j'ai le meilleur des maîtres. »

— Et la rivière, c'est la même qui passe à Aubrey, supposa-t-elle.

— Oui, la même qui déborde au printemps et qui fait sacrer ton père.

— Vous venez y pêcher au printemps ?

— Oui, avec mon frère Axel. Mon père fait un feu et l'entretient. Se joint toujours à nous un vieux garçon qui habite à la croisée des chemins de l'autre côté de la colline.

— Notre premier fils va vouloir t'accompagner à la pêche très jeune.

— Qu'est-ce qui te fait penser ça ?

— Une intuition. Je le vois notre petit ici dans le vallon. Il va vouloir en faire des choses, ça va nous étonner.

— Bon, il s'assoira avec son grand-père près du feu et ils feront la conversation. Mon père aime nous accompagner, mais il a perdu le goût de sortir du poisson de l'eau. Ça lui fera de la compagnie. Maintenant, je pense qu'on devrait partir, la nuit va nous tomber dessus bientôt.

— Oui, dit-elle en se blottissant contre son fiancé sans retenue, le regard paternel étant bien loin.

Ils se mirent en marche. En passant devant le pin géant, Armelle sursauta quand elle entendit un long croassement provenant de la grande forêt.

— Qu'est-ce que c'est que ce cri d'oiseau ? Je n'ai jamais entendu ça avant.

— C'est le cri des gros corbeaux du vallon.

— Ils sont dangereux? demanda-t-elle, en proie à une certaine inquiétude.

— T'en fais pas avec ça, on les entend presque jamais et on les voit que très rarement.

Ils reprirent leur route. Parvenus au rang Croche, ils s'arrêtèrent un moment pour allumer le fanal du traîneau. Nolan était content d'avoir présenté sa fiancée aux siens. Une pensée le tracassait cependant. Il avait trouvé sa mère un peu froide à l'égard de celle-ci.

Dans l'obscurité naissante, Armelle et son fiancé filaient tous les deux vers Aubrey et leur destinée, le petit flambeau illuminant leur voie…

3

Ce matin-là, Armelle se réveilla la première. Elle venait de passer sa dernière nuit chez ses parents. Ses deux sœurs semblaient encore dormir. Elle se leva, se rendit à la fenêtre en essayant de ne pas faire craquer le plancher de bois. Elle s'appuya au rebord de cette fenêtre pour observer les premiers rayons hésitants de ce soleil matinal. « Il va faire beau pour la plus belle journée de toute ma vie, merci. » Armelle se mariait, elle unissait sa destinée à celle de Nolan Bouïos. Elle se laissa aller à la rêverie, elle voyait sa vie, leur vie, se dérouler comme le plus beau des contes de fées. Nolan, son homme, saurait vaincre tous les obstacles à leur bonheur. « Nous nous aimerons toujours, Nolan, toujours. Nous aurons les plus beaux, les plus brillants des enfants. »

Bien accoudée, les joues reposant sur ses deux mains refermées, Armelle ne pouvait s'empêcher de penser à leur première nuit ensemble, ce passage mystérieux qui ferait d'elle une femme. Elle, portée à l'inquiétude devant l'inconnu, ne l'entrevoyait pas avec appréhension, cette nuit-là. « Ce sera une nuit magique, Nolan saura me montrer le chemin de l'amour et me rendre heureuse comme il le fait depuis le premier jour. » Elle avait hâte de le voir arriver, son fiancé. « Comme il sera beau dans son nouvel habit tout neuf. »

Armelle voguait sur un nuage de félicité… C'est alors qu'un bruit de paillasse la tira de sa rêverie. Ses deux sœurs se réveillaient.

— Bonjour, dit sa grande sœur Georgette se haussant sur les coudes dans son lit, je vois que tu auras une belle journée. Je suis bien contente pour toi et Nolan.

— Merci beaucoup, ma sœur, mes prières ont été exaucées.

— Et puis, Armelle, intervint Imelda assise sur le bord de son lit, prends ton temps ce matin, laisse-nous aider maman à préparer le déjeuner.

— Comme c'est gentil à vous deux ! Merci beaucoup.

Les deux sœurs firent un brin de toilette et descendirent à la cuisine retrouver leur mère. Armelle resta encore un peu à la fenêtre, admirant ce soleil levant. « Un jour, j'amènerai ma fille pour lui montrer ma chambrette », se dit-elle. C'était à l'étroit, mais elle y avait été heureuse. « Mes enfants à moi auront une vraie chambre. » La future mariée alla faire son lit, retira sa robe de nuit, puis fit sa toilette. Elle s'habilla. Des bruits de conversation animée lui parvenaient de la cuisine. « Ma famille est heureuse que je me marie avec Nolan. » Cette pensée lui réjouissait le cœur. Armelle étendit sa robe de mariée sur le lit et resta un moment à l'admirer. « J'espère qu'il va me trouver belle. » Elle se voyait déjà à son bras, entrant fièrement à l'église d'Howick. « Il faut que je me calme un peu, je vais descendre aider ma mère et mes sœurs à préparer le déjeuner. »

— Bonjour, ma fille, belle journée pour se marier, tu es contente ?

— Ah oui, ma mère ! Je suis si excitée que je ne me contiens plus.

— Bon, pour te calmer un peu, tu vas nous donner un coup de main. Votre père devrait rentrer bientôt, il est sorti se changer les idées, qu'il a dit.

Viateur rentra pour le déjeuner et puis sortit tout de suite après. Il tenait à ce que les siens ne s'aperçoivent pas qu'il n'allait pas bien. C'était un peu tôt, mais il attela quand même son cheval à son boghei, histoire de s'occuper l'esprit. Depuis le matin, il avait cette boule à l'estomac qui l'étouffait. Des émotions confuses, poignantes lui taraudaient le cœur. Mais le père Priaux savait trop bien ce qui le faisait souffrir. On lui enlevait en ce jour sa fille cadette, sa préférée, celle qui avait le plus de caractère. « Elle, elle n'a jamais eu peur de me parler, de me regarder. » En effet, Armelle même enfant n'avait jamais été rebutée par la grosse voix de son père et son ton parfois bourru. Évélina lui faisait souvent le même reproche : « Tu grondes souvent les deux plus vieilles, mais t'as jamais rien à redire à Armelle. » C'était vrai et Viateur ne s'en cachait pas. Quand Armelle levait vers son père ses jolis yeux aux couleurs changeantes, celui-ci trouvait bien malaisé de la disputer, les rares fois où cela était nécessaire. « Et elle va quitter ma maison pour de bon. » C'était comme un morceau de lui-même qu'on lui arrachait.

Viateur reconnaissait difficilement qu'un père élevait ses filles du mieux qu'il pouvait pour qu'elles trouvent mari. Puis un jour, de jeunes hommes venaient les courtiser, les marier et parfois les emmener au diable Vauvert. Ah, il ne craignait pas que Nolan la maltraite, sa fille, car elle ne se laisserait pas faire. Elle reviendrait à Aubrey bien vite.

Viateur attacha son cheval. La tête penchée, les traits tirés, le regard sombre, les mains dans les poches, le pas alourdi, presque au ralenti, il alla marcher du côté du pont pour tenter de chasser ces pensées qui lui engluaient l'esprit. Le vieux dur à cuire souffrait et le plus exaspérant, c'était de se sentir impuissant face à un adversaire invisible qui l'assaillait depuis son lever. « Comment tolérer de voir sa fille au bras d'un autre homme ? Mais y a rien à faire, c'est la vie qui tourne. » Le père Priaux se promit de ne pas laisser paraître son désarroi pour ne pas entacher le bonheur que vivait sa plus jeune. « Elle ne mérite pas ça. » Il accrocherait un sourire à son visage ravagé par la vie. « Je peux ben faire ça pour ma petite, une journée, j'en mourrai pas. »

— Veux-tu ben me dire ! Qu'est-ce qu'elle fait qu'elle n'arrive pas ? s'impatientait le père Firmin. On va peut-être arriver en retard avec ça.

— Mais non, son père ! Je sens le poulain fin prêt, on va filer à bonne allure, répliqua Axel.

Emma finit par se pointer. Dans sa robe bleu foncé, elle avait fière allure avec ses cheveux gris relevés et bien placés. Son mari l'aida à monter dans la voiture.

— Ç'a été long pour te faire belle, ma femme ! ironisa Firmin.

— Tais-toi donc ! Toi, puis tes niaiseries ! rétorqua-t-elle un peu vexée. Et toi, Nolan, pas trop nerveux ? Ce n'est pas tous les jours qu'on se marie.

— Non, sa mère, ça va aller, répondit-il d'une voix qui se voulait calme.

— Bon, Axel, mène-nous, lança fermement Firmin.

— Oui, son père, on y va.

Nolan allait sceller son destin : épouser Armelle Priaux. Il se voyait sortir de sa solitude. Lui souvent renfermé, il avait découvert à son grand bonheur qu'il arrivait à s'ouvrir et se confier à sa fiancée. Ce matin-là, en faisant sa toilette, il ne put s'empêcher de penser à sa future, de l'imaginer dans sa robe de mariée, puis nue, le soir venu. Image puissante, troublante. « Je la toucherai, je la caresserai, elle sera à moi. » Ces pensées à la fois l'excitèrent et l'inquiétèrent un peu trop à son goût, car un doute le tenaillait. « Est-ce que je vais savoir m'en occuper comme il faut ? Pourquoi est-ce que jamais personne nous enseigne, à nous les hommes, comment être avec une femme ? Et le père n'offre pas toujours un bon exemple à suivre. Il faut apprendre tout, tout seul. » Nolan s'arrêta de ruminer et se dit qu'il lui ferait plaisir, à sa future, en lui offrant un sourire chaud dès son arrivée au temple.

Après le déjeuner, Évélina monta avec Armelle pour l'aider à se préparer. La mère et la fille se sentaient à la fois heureuses et tristes. Armelle quittait avec nostalgie sa petite chambre de célibataire, une étape de sa vie prenait fin. Ça lui brisait le cœur de laisser sa mère, maman aimante et dévouée. Évélina perdait la fille qui emplissait la maison de sa joie de vivre. La fille et la mère auraient bien aimé exprimer ce qu'elles ressentaient, mais elles ne trouvaient pas les paroles à leur goût. Elles cherchaient toutes les deux quelque chose à dire qui terminerait bien leurs années de coexistence sous le même toit, mais ni l'une ni l'autre ne trouvait la manière. Elles se contentèrent des salutations courantes.

— Sois heureuse, ma fille, tu le mérites. Fais-nous de beaux petits enfants.

— Merci, ma mère pour la bonne éducation que vous m'avez donnée. Je vais penser à vous souvent. Je n'oublierai pas de vous écrire.

Armelle serait prête quand son fiancé arriverait.

Devant l'église, Armelle glissa son bras sous celui de Nolan. Ils montèrent ensemble les marches du grand perron qui s'étendait tout le long de la façade. La porte centrale à deux battants était ouverte et les fiancés franchirent le seuil en silence. À l'intérieur, l'attention de Nolan fut attirée par certains membres de sa famille déjà assis. Les futurs mariés avancèrent dans l'allée centrale la tête haute, le pas assuré et triomphant au son d'une musique solennelle qui les surprit tous les deux. Les grandes orgues laissaient entendre des hymnes sacrés pour souligner leur engagement mutuel. Nolan et Armelle étaient venus se jurer amour et fidélité devant Dieu et la communauté. Il faisait beau. Le soleil inondait la nef de ses rayons ardents qui traversaient les vitraux du vieux temple.

— L'amour se doit d'être éternel comme l'est Dieu, prononça gravement le ministre officiant. Vous êtes responsables de votre amour, vous devrez le garder vivant et le transmettre à vos enfants. Soyez heureux et que l'humain ne sépare pas ce que Dieu vient d'unir pour toujours. Sachez placer votre amour sous l'égide du Seigneur.

Ces paroles profondes et cette musique sublime raffermirent chez Nolan une confiance un peu ébranlée par les doutes de la matinée. « Armelle est ma femme, elle est à moi maintenant », se disait-il en amorçant leur marche vers la sortie. La mariée se colla à son mari qui la tenait fermement par le bras. Ils étaient heureux. Ils flottaient comme dans un songe fabuleux. Il leur semblait que rien ne pourrait jamais ternir leur bonheur. Et s'il venait des jours sombres, à deux, ils sauraient faire face dès qu'ils entendraient les premières notes du refrain de ce funeste chant de l'adversité. Mais ça leur semblait si loin, si impossible... Ils revinrent sur terre à la sortie du temple.

Tout un chacun parlait, riait, les embrassait, leur offrait leurs vœux de bonheur, les complimentait sur leur tenue. La cousine Mignonne, avec sa pétulance habituelle, vint enlacer sa cousine. « Je suis folle de joie pour vous deux, vous êtes le couple le plus beau qui ait jamais uni sa destinée dans cette église», lança-t-elle dans un élan spontané comme seule elle pouvait en avoir. «Merci, Mignonne, d'être venue partager notre bonheur», fit Armelle. «Comme il est beau! Il va me faire danser?» Nolan s'empressa de répondre qu'il ne savait pas danser. «T'inquiète pas, cher Nolan, je vais t'apprendre en moins de deux, tu vas voir.» Le marié sourit. Évélina et Viateur, en retrait, observaient leur fille débordante d'une euphorie qu'elle voulait visiblement partager avec tous et toutes. «Ça y est! Je l'ai perdue pour de bon, ma fille!» Mais le père sut toutefois continuer de sourire comme il se l'était promis.

Les mariés rejoignirent à la grande maison d'autres invités qui les attendaient impatiemment: des oncles, des tantes, des cousins et des cousines. Dès qu'ils mirent les pieds dans la maison, Armelle fut présentée à gauche et à droite, embrassée, félicitée. Nolan échangea plusieurs poignées de main, certaines un peu trop vigoureuses à son goût. Dans le brouhaha des conversations, il crut reconnaître à ses éclats de voix son frère exilé, Aubin, qu'il n'avait pas vu depuis des années. «Salut, mon petit frère, où as-tu déniché une aussi jolie jeune femme?» demanda celui-ci. «Au magasin général d'Aubrey», répondit le marié. «Ç'a été ton meilleur achat de la journée, ça s'est sûr, hi hi hi!» s'esclaffa l'autre. «Mon frère, je n'aime pas plus ton humour déplacé aujourd'hui que dans le temps», répliqua Nolan d'un ton irrité. «Pourquoi te fâcher, mon frère, c'est entre hommes!» Froissé par cette blague de mauvais goût et ne voulant pas perdre sa bonne humeur, le marié ne releva pas cette dernière remarque, il se tourna vers un autre invité. Il était heureux, fier de sa femme, il la voyait belle, éblouissante de bonheur, souriante, entourée, admirée, jetant souvent un coup d'œil en sa direction. «Je gage que mes frères et mes beaux-frères voudraient bien être à ma place aujourd'hui.»

Firmin reconnut Viateur, il alla le trouver. «Pas facile de perdre sa dernière, pas vrai, père Priaux?» dit le père du marié. «Ouais, vous avez ben raison», acquiesça Viateur, essayant de camoufler ses sentiments. Firmin lui demanda s'il connaissait le vallon. «Moi, non, mais mon père, oui, il venait chercher son eau sacrée ici dans le ruisseau au printemps quand j'étais enfant», raconta celui-ci. «Y a encore du monde qui vient chaque printemps; vous, vous allez ailleurs maintenant?» demanda l'hôte. «Non, je dois vous avouer que j'ai laissé tomber cette vieille coutume.» Surpris et déçu, Firmin n'osa pas commenter de peur de faire connaître son désaccord de façon un peu raide. Heureusement deux de ses fils apportèrent une diversion à propos: «Son père, venez nous jaser un peu, y a si longtemps qu'on s'est pas parlé.»

Firmin prit grand plaisir à serrer la main à tous ses fils présents pour la noce. Quelques-uns n'étaient pas venus à la grande maison depuis plus d'un an. Même l'exilé était venu, il avait reçu son invitation assez longtemps d'avance. Son cœur de père vibra quand ses filles, excepté une, l'approchèrent pour le saluer tendrement. L'absente, c'était Blanche, la plus jeune. Pourquoi est-ce qu'elle n'assistait pas à la fête? Firmin ne comprenait toujours pas pourquoi elle restait éloignée des siens. Elle avait reçu son faire-part, c'est sûr, elle n'habitait pas si loin. « J'espère que tu ne nous oublies pas en ce jour de réjouissance. Toute la famille a une pensée chaleureuse pour toi. » Firmin chassa ses idées tristes, il voulait fêter avec ses fils et ses filles.

Après le repas bien arrosé, on débarrassa le centre de la cuisine d'été. Les deux violoneux, Axel et son frère Honoré, debout dans un coin se préparaient à jouer. Les invités réclamèrent à cor et à cri les mariés pour la première danse. « Les mariés, les mariés sur le plancher de danse ! » Nolan hésitait, Armelle lui prit la main, il la suivit. « Laisse-toi aller, suis mes pas, pense seulement à notre bonheur d'être ensemble », lui chuchota-t-elle à l'oreille. Ils dansèrent, ils se débrouillèrent. Nolan arriva à oublier ses faux pas, ses mouvements un peu raides. Ils étaient beaux à voir. Quand les violons se turent, ils restèrent figés sous un tonnerre d'applaudissements. On nageait déjà dans l'allégresse générale.

La musique reprit et tous les couples vinrent entourer les mariés qui se remirent à danser. Et l'on dansait… et l'on dansait… Firmin et Emma regardaient les leurs se réjouir. Ils ne dansaient plus depuis plusieurs années, mais ils participaient néanmoins à la joie collective. Nolan leur semblait si heureux. La parole en bouche, il avait parlé avec l'un et l'autre, lui d'habitude si silencieux. Il avait l'air si sûr de lui comme si le mariage l'avait fait s'épanouir. En regardant tous ces couples virevolter, Emma et Firmin eurent un flash-back. Ils revirent leur fille la plus jeune dansant à en perdre haleine sur ce même plancher lors de ses noces. Les vieux époux se regardèrent et comprirent qu'ils avaient revu la même scène. Le cœur gros, ils reprirent leur participation à la fête : Firmin de servir à boire, et Emma de ramasser les verres et les tasses vides, puis d'offrir de petites bouchées sucrées. « Il me semble que c'était hier, j'espère que t'arrives à te débrouiller », s'inquiétait sa vieille maman.

Et l'on dansait… et l'on dansait… La musique ne s'arrêtait pas. Les couples se formaient, puis on changeait de partenaire. Tout un chacun riait, chantait, scandait le rythme endiablé des rigodons. Au milieu de la place, Mignonne dansait tout son soûl. Passant près d'Armelle, elle s'arrêta net. « Cousine, je t'enlève ton beau cavalier, il va danser avec les autres femmes aussi », dit-elle gaiement. « Mais je ne danse… » Nolan voulait lui dire qu'il dansait couci-couça, mais il n'eut pas le temps de finir sa phrase que Mignonne l'entraînait déjà. Le mari de Mignonne s'offrit avec empressement pour faire tourbillonner la belle mariée. La cousine était inépuisable. Après un long moment, Albertine, l'aînée des filles, dut l'arrêter. « À mon tour de danser avec mon frère. » Aubin, l'exilé, voulut à son tour enlacer la jeune épouse. Nolan la lui enleva vivement. « Il ne mettra pas les pattes sur ma femme », se dit-il en se rappelant sa plaisanterie idiote.

Viateur et Évélina étaient restés assis. Ils regardaient la joyeuse assemblée s'en donner à cœur joie. Viateur causait peu, jonglait surtout, et buvait les verres que lui servait Firmin. La danse ne lui plaisait plus. Il gardait son sourire, le bonheur éclatant de sa fille l'y aidait. Évélina, elle, songeuse, voyait sa fille resplendissante de joie comme jamais auparavant. Néanmoins elle eut de la compassion pour sa plus jeune qu'un homme posséderait ce soir. La maman avait du mal à s'imaginer qu'un homme de la campagne puisse être attentif au plaisir d'une femme. « Mais je n'en ai connu qu'un seul... » Nolan lui semblait bien gentil et attentionné. Mais elle restait craintive. « Ce qui va se passer dans la chambre à coucher, on ne le saura jamais. »

À mille lieues de tout ce qui se disait et tramait autour d'elle, Armelle, profondément heureuse, nageait dans l'euphorie de son mariage et de sa journée de noces, visualisant romantiquement sa première nuit avec son homme. Nolan, d'une danse à l'autre, ajustait de plus en plus ses pas au rythme de la musique. Il commençait à se détendre et à s'amuser. Il était si fier de se faire voir avec sa belle Armelle que ça ne le vexait presque plus s'il manquait un pas ou deux.

Le frère exilé dont la femme ne dansait plus depuis longtemps — elle perdait l'équilibre — les regardait aller, tourner. « Nous autres aussi, on pensait que d'être mariés et heureux, ça empêcherait le malheur de frapper. » Il avala une autre gorgée de boisson. « La vie nous réserve souvent de bien mauvaises surprises. » Peu après leur mariage, sa femme Aurélie tomba malade. Alitée, elle perdait connaissance, avait des visions. Les docteurs firent de leur mieux pour la soigner, mais ils n'avaient pas pu diagnostiquer le mal qui l'avait terrassée. Elle prit du mieux, mais elle resta marquée. Le regard fixe, elle ne parlait presque plus et elle affichait un air hébété. On se moquait d'elle dans la région. Voilà pourquoi ils avaient déménagé dans une grande cité où elle pouvait passer incognito. Là-bas, les gens n'en faisaient pas de cas.

Armelle et Nolan dansaient, se regardaient, se souriaient, ils voguaient au-dessus de tout le brouhaha de la fête. Ils se sentaient seuls au monde comme tous les amoureux. Ils avaient la conviction qu'eux sauraient le garder vivant, cet amour qui leur donnerait la force et le courage d'écarter les obstacles que la vie ne manquerait pas de mettre sur leur route. L'avenir s'annonçait radieux.

La fête continuait, le temps filait, on arrivait à la fin de l'après-midi. Plusieurs durent partir. Ou bien ils habitaient loin ou bien ils avaient un train à faire. Emma servirait un souper à ceux et celles qui prolongeraient la fête. Un peu éméché et toujours souriant, Viateur préféra partir avant le souper. « Armelle, toi et Nolan, vous viendrez dîner avec nous le dimanche », lança comme invitation Évélina. « C'est promis, ma mère. » Aubin et Aurélie resteraient à coucher. Ils partiraient tôt le lendemain matin.

Les deux époux mangèrent peu. Ils avaient autre chose en tête et dans le corps. Par leurs allusions gaillardes, certains noceurs leur firent comprendre qu'il était temps pour eux de se retirer. Nolan et son épouse montèrent à leur chambre où, enfin seuls, ils pourraient donner libre cours à cette passion brûlante qui les habitait. Nolan referma la porte derrière eux. Ils entraient dans leur chambre bien à eux : le grand lit avec ses deux tables de nuit, la garde-robe, une grande commode avec miroir, un grand vase et un pot à eau, les quatre tiroirs dans lesquels se trouvaient leur linge de corps et leurs vêtements de nuit, deux chaises droites et à côté de la commode, le coffre en cèdre de la mariée.

Armelle se dirigea vers la fenêtre. Les derniers rayons du soleil s'éteignaient lentement à l'horizon. Elle ferma les rideaux. La chambre baignait dans une apaisante pénombre. Nolan s'approcha, l'enlaça, attisant encore un peu plus son désir. « Nolan, je vais aimer notre petit coin d'amour », soupira-t-elle toute chavirée. « Oui, on va être bien ici », acquiesça-t-il serrant contre lui celle qui l'excitait tant.

— Laisse-moi me préparer à aller au lit et, je t'en prie, Nolan, ne me regarde pas enlever mes vêtements, puis enfiler ma robe de nuit, lui demanda-t-elle éprouvant soudainement une pudeur qui la fit rougir.

— Oui, je vais me dévêtir de mon côté du lit ; de toute façon, c'est déjà la brunante.

— Oh Nolan ! Je suis si heureuse ! Notre plus belle journée s'est passée sans incident, chuchota Armelle tout excitée et troublée de se retrouver sous les minces couvertures blottie contre son homme. Tu es content ?

— Oui, beaucoup. Tout le monde a bien fêté sans exagération.

— Notre prochain beau jour sera la venue de notre premier enfant.

— Mais chaque jour va être une belle journée pour nous, non ?

— Ah oui ! Chaque jour va nous apporter du bonheur.

Nolan embrassa sa femme comme il rêvait de le faire depuis longtemps, et cette flamme ardente qui les habitait, ils purent enfin lui donner libre cours. Le jeune époux, tendre et un peu malhabile, enlaça sa femme. Ses caresses d'abord hésitantes, puis de plus en plus enflammées, Armelle les recevait avec un ravissement étonné dans son corps de femme qu'elle connaissait si peu. Elle caressait à son tour et découvrait un corps d'homme à la virilité forte et ferme, impatient de l'aimer. Tremblotante d'un désir croissant et impatient, Armelle se sentait défaillir et s'abandonnait aux mains de plus en plus gourmandes de son homme. Les sensations qu'elle goûtait dépassaient toutes ses attentes. Nolan serra sa femme tout contre lui et leurs corps s'unirent fougueusement. Et Armelle, enivrée des plus exquises voluptés, s'envola vers le monde mystérieux de l'amour…

4

Chez les Bouïos, la vie reprenait son cours. La famille comptait dorénavant un membre de plus. Le nouveau couple logerait à la grande maison jusqu'à ce que leur propre maison et leurs bâtiments de ferme soient construits. Armelle serait l'assistante de sa belle-mère et Nolan continuerait son travail à la ferme avec son père et son frère cadet. La construction débuterait le plus tôt possible.

La première journée de travail d'Armelle se passa sans difficulté. Elle avait été habituée très jeune chez ses parents aux tâches ménagères. Mais assez vite, sa belle-mère se mit à tout régenter, laissant peu de place aux initiatives personnelles de sa bru. Et cette relation correcte qui s'était installée commença à se détériorer peu à peu.

Un soir, au lit, Armelle sentit le besoin de s'ouvrir à son homme, mais pas pour se plaindre, car elle ne voulait pas créer de querelle dans la famille. Elle espérait qu'il l'écouterait et la comprendrait.

— Nolan, j'ai fait un rêve pendant notre première nuit ensemble. Je n'avais pas encore osé t'en parler.

— Ah oui ! C'est quoi ?

— Je me voyais mettre au monde un petit garçon au développement précoce sur tous les plans. Il nous procurerait beaucoup de surprises, de joies, de bonheur, puis une grande peine.

— Est-ce qu'il faut toujours croire nos rêves ? Regarde les Bouïdon. Ah, tu les connais pas. Ils règlent leur vie d'après ce qu'ils voient en rêve. Pas sûr que ça donne toujours les meilleurs résultats.

— Non, ce rêve ne va pas changer notre vie, lui assura Armelle, mais c'était si insolite que je ne pouvais plus garder ça pour moi. Ne t'inquiète pas, ça ne va pas me trotter dans la tête tous les jours. Mais j'ai bien hâte d'avoir notre premier bébé. On verra bien si c'est un garçon.

— Ouais, mais en plus de tout ce que t'as dit, j'espère qu'il aura de bons bras pour aider aux travaux de la ferme dès son jeune âge, on en aura besoin.

— Oui, je suis sûre qu'il aura une bonne santé et qu'il sera fort dans son corps et son âme comme dans sa tête et son cœur.

— Voilà qui est bien. Bon, dormons, on a une grosse journée demain, bonne nuit, ma femme.

— Bonne nuit, Nolan, de beaux rêves…

Armelle tomba enceinte durant les premiers mois de leur mariage. Elle espérait que le bébé qui naîtrait serait le petit garçon qu'elle avait entrevu dans son rêve, mais elle garda cette pensée pour elle. Elle n'en reparla pas à son mari. « Je ne vais pas l'ennuyer avec mes rêves et mes attentes, il a assez de préoccupations comme ça. »

Les jours, les mois s'écoulaient. Et les tâches qu'Emma imposait à sa bru se faisaient de plus en plus nombreuses, de plus en plus éreintantes sinon accablantes. Comme Armelle ne se lamentait pas, Emma abusait. La belle-mère ne semblait pas priser la forte personnalité qu'elle pressentait chez sa bru.

Durant ce temps-là, la construction de la maison et des bâtiments de ferme avait débuté. Firmin Bouïos avait eu les moyens de défrayer les coûts de la noce de son fils. Il pouvait aussi lui offrir maison, bâtiments, la plupart des animaux et des instruments agricoles ainsi que les moyens de transport essentiels pour l'été et l'hiver. Les dernières années avaient été prospères dans le canton. En effet, la demande pour le foin avait été exceptionnellement forte. On s'était concentré sur la culture de cette herbe qui s'accommodait bien du sol pauvre des terres du vallon. Ce fut une courte période faste plus que bienvenue chez ces paysans habitués à tirer le diable par la queue. Nolan appréciait beaucoup cette aide pécuniaire accordée par son père. Il aurait moins à emprunter pour se procurer ce qui lui manquerait pour bien mettre en route son exploitation agricole.

L'automne fut sans histoire. Il y eut peu de grain à moissonner et à faire battre. C'était surtout du foin qu'on avait récolté. Axel, en amateur et par plaisir, s'adonnait à l'apiculture. Il avait une douzaine de ruches et cet automne-là, le miel fut d'une qualité supérieure. Une petite gâterie pour adoucir le prochain hiver qui serait sûrement long et dur comme on y était habitué.

Au début de l'année suivante, l'hiver qui était venu tôt en saison battait son plein : la neige, le froid, la poudrerie. La grossesse d'Armelle était avancée, son terme approchait. Ce fut à cette période que la relation entre la bru et la belle-mère s'envenima. Elles furent plus ou moins à couteaux tirés. Armelle avait besoin de repos, mais Emma ne voulait rien entendre. C'était elle la patronne et l'on ne devait pas discuter ses ordres. « Porter un enfant n'empêche pas de trimer dur. J'ai eu douze enfants et j'ai toujours fait ma besogne jusqu'à la veille de l'accouchement », répétait-elle souvent.

Armelle avait beau être forte, son énergie la fuyait, elle se sentait défaillante, vidée, abattue, mais elle ne protestait pas et n'en parlait pas à son mari. Après des mois de ce régime, elle ployait sous le fardeau imposé si bien que l'enfant porté était inutilement né, mort-né... Armelle pleura, elle pleura amèrement en pensant à la surcharge de travail qui lui avait été imposée. « Je ne pourrai pas lui pardonner. Jamais plus personne n'abusera de moi et de l'enfant que je porterai. Ça ne se reproduira plus jamais. Nous allons quitter cette maison », se jura-t-elle. C'était un garçon. « Que le Ciel fasse que ce ne soit pas le petit être unique que j'ai pressenti en rêve à ma première nuit de femme mariée. » Après une courte période de récupération, Armelle fit comprendre à son mari qu'ils devaient, pour sa santé à elle et celle du prochain enfant à naître, aller vivre ailleurs. « Je suis bien d'accord, je vais m'en occuper », lui avait-il promis.

Ce jour-là, Nolan était en route vers le bourg de Clodey en début d'après-midi. Il conduisait toujours le même poulain. C'était la mi-mars, le temps était doux, la neige fondait sous un soleil agréablement persistant. La saison des sucres allait débuter d'un jour à l'autre. Le mari pensa avec tristesse à son premier-né mort à la naissance. « On ne saura jamais si c'était le petit qu'elle avait vu dans son rêve. » Et il y avait ce conflit entre sa mère et sa femme. Il se sentait coincé. Nolan fut submergé par un flot de pensées. « C'est bien triste d'avoir à choisir entre sa mère et sa femme. Je n'ai pas le choix. On va partir en attendant que soit construite notre maison. Quand est-ce que je pourrai revoir ma mère ? Armelle ne voudra pas revenir à la grande maison. Où est-ce qu'on va trouver du travail ? Armelle pourra-t-elle avoir d'autres enfants ? Moi aussi, j'aurais bien aimé l'avoir, ce petit. Quand on s'est rencontré, fiancé et marié, la vie s'annonçait belle, facile et fabuleuse... Pourquoi est-ce qu'elle n'a rien dit ? J'aurais dû m'apercevoir de quelque chose. »

Nolan fut envahi d'un sentiment nouveau, inquiétant. Il se sentait abattu. « Pourquoi est-ce que je n'ai rien vu venir ? » Il ne savait pas comment composer avec ce trouble intérieur tout à fait nouveau pour lui. Les fils Bouïos avaient pourtant appris de leur père, par l'exemple, que les problèmes n'étaient là que pour être résolus. « À nous de trouver les solutions », leur disait-il. Nolan resta un long moment prostré dans cette douleur qui le tenaillait. Puis il pensa à ses vieux parents qui ne s'étaient jamais découragés. Ils avaient connu la misère noire. Les enfants tout de suite, la petite maison de planches. Ils avaient dû peiner d'une étoile à l'autre. Les peaux de rats musqués qui ne rapportaient presque rien. Il se produisait trop de sirop d'érable dans la vallée, les acériculteurs arrivaient à peine à faire leurs frais. De mauvaises récoltes de céréales une année sur deux. Mais Firmin et Emma avaient travaillé d'arrache-pied et ils s'en étaient sortis. Ils avaient ajouté un deuxième étage à leur petite maison et construit une grande cuisine d'été en partie ceinturée par une galerie de bois.

Nolan se dit alors spontanément à voix haute pour mieux s'en convaincre: « Nous aussi, on va s'en sortir... » Il se sentait déjà un peu mieux. Il claqua les rênes sur la croupe de son poulain qui s'élança dans un galop puissant. La route était mauvaise, peu importait, ce train d'enfer lui faisait du bien... Après un long moment, Nolan ralentit la cadence de sa monture et il se replongea dans ses réflexions avec un esprit plus calme, plus clair. Dans trois mois, Axel allait se marier. Lui et son épouse habiteraient à la grande maison. « Nous devrons alors avoir déménagé ». Armelle y tenait et il était bien d'accord. Armelle ne voudrait pas venir au mariage de son beau-frère et lui ne viendrait pas sans elle. « Bien triste tout ça... »

À l'ouest du bourg de Clodey, dans la montée aux Castors, vivait une famille de paysans à l'aise qui comptait vingt et un enfants, les Bouïdon. C'était une famille un peu particulière, avec des opinions, des croyances que peu de gens partageaient. Ces Bouïdon pouvaient, prétendaient-ils, prédire l'avenir. Ils communiquaient avec l'Au-delà et c'est dans leurs rêves qu'ils recevaient, soutenaient-ils, les réponses à leurs questions.

La jeune Pépa Bouïdon, dix-neuf ans, la dernière des filles soupirait après son prince charmant, elle aussi. Or, une nuit, elle eut en songe la révélation qu'elle le rencontrerait le jour suivant au bourg de Clodey. Le lendemain, elle trouva un prétexte pour aller au magasin général de Clodey. Elle s'arrangea et endossa une robe du dimanche. Les parents, habitués aux excentricités de leur fille Pépa, autonome et entreprenante, après une vive discussion, la laissèrent partir. Un de ses frères attela au boghei le poulain le plus docile.

Au bourg, Pépa attacha sa monture devant le magasin général et se mit à marcher sur la grande avenue en direction est. Son rêve disait que c'était en marchant qu'elle le croiserait. À mi-chemin, elle aperçut un jeune homme qui sortait de la graineterie. En le voyant, elle ralentit sa marche. Ce jeune homme lui plut. « C'est sûrement celui qui m'est destiné. » Celui-ci la vit venir. « Qui est cette jolie fille tout endimanchée et bien coiffée un jour de semaine ? » Il alla déposer son sac de semences dans son boghei. N'écoutant que sa hardiesse, il décida d'aller à sa rencontre.

— Bonjour, mademoiselle. J'ai affaire au magasin général, est-ce que vous m'y accompagneriez ? lui demanda-t-il avec son sourire charmeur.

— Oui, monsieur, répondit-elle avec le même sourire, j'ai un achat à y faire. Je m'appelle Pépa Bouïdon et vous ?

— Axel Bouïos du rang du Ruisseau sacré.

— Dans le vallon ?

— Oui, c'est ça, entre les deux collines.

— Il paraît qu'il y a beaucoup de manifestations occultes à différents moments de l'année. C'est un lieu que j'aimerais bien visiter.

— Si vous vouliez bien qu'on se fréquente, osa-t-il proposer, je vous y amènerais un jour.

— Vous me semblez une personne respectable, j'accepte votre invitation, répondit-elle sans gêne, lui offrant un sourire enjôleur. Donnons-nous rendez-vous à la ferme de mes parents dimanche prochain si vous voulez bien.

— Oui, je veux bien. Est-ce que votre ferme est difficile à trouver ?

— Non, très facile. Dans la montée aux Castors, vous verrez deux gros silos à grains rouges, c'est notre ferme.

— Vous pouvez compter sur moi, j'y serai, dit Axel souriant et tout enthousiaste.

Ils marchèrent côte à côte. À cette époque, une femme honnête ne se permettait pas une telle familiarité. Mais chez les Bouïdon, on était au-dessus de ces conventions et de ces contraintes. Sans fausse honte ni feinte modestie, elle le regarda, le laissa poser son regard sur sa personne, l'encouragea à lui parler, à lui sourire. Ils commencèrent à se tutoyer en entrant au magasin général…

Cette heureuse rencontre avait eu lieu peu après le mariage d'Armelle et de Nolan. Les parents d'Axel étaient bien contents que leur fils cadet ait enfin fait une rencontre sentimentale même si c'était une Bouïdon. Emma ne connaissait les Bouïdon que de réputation. Elle se demandait si elle allait pouvoir s'entendre avec une Bouïdon sous son toit. Mais son fils semblait bien envoûté par cette femme. C'était lui qui décidait, il était maintenant propriétaire des lieux.

Pépa, dix-neuf ans, était une jolie femme. De taille moyenne, une silhouette gracieuse, un corps charmant et bien galbé, mais elle aurait voulu être un peu plus grande et un peu plus mince. Sa démarche vive et assurée, à la fois harmonieuse et féline, laissait pressentir une forte personnalité. Dans un désir de plaire, Pépa apportait un grand soin à sa tenue vestimentaire. Elle confectionnait elle-même ses vêtements. Le noir, sa couleur préférée, lui seyait très bien. C'est ce qu'elle portait la plupart du temps.

La jeune Bouïdon avait un visage charmeur, des joues roses, des yeux pers, un regard ardent. De longs cheveux noirs qu'elle attachait quand elle faisait la cuisine ou s'adonnait à la couture. Des lèvres charnues ajoutaient une touche de sensualité à son joli visage expressif. Pépa s'efforçait de sourire. Sa mère lui avait souvent répété qu'elle avait un air sévère quand elle ne souriait pas. Le verbe haut, elle émettait son opinion de façon directe et autoritaire. On lui avait plus d'une fois reproché de ne pas écouter assez ce qu'on essayait de lui expliquer. Elle déguisait mal ses impatiences et il lui arrivait d'avoir des sautes d'humeur. Réfractaire à toute autorité depuis sa tendre enfance, la jeune fille avait souvent eu maille à partir avec ses parents qui souvent, pour avoir la paix, la laissaient faire à sa tête.

Travaillante, Pépa assistait sa mère à la cuisine et dans l'entretien de leur grande maison. Souvent, elle prenait des initiatives pour améliorer l'organisation de leur ouvrage. Sa mère, contente de l'allégement de leurs tâches, la laissait faire. La jeune femme avait hâte de fonder une famille et d'avoir sa maison bien à elle. Pépa aimait la vie. Le côté mystérieux des choses la passionnait. Elle voulait explorer ce qui devait rester voilé et discuter des choses qu'on devait garder secrètes. Elle croyait que l'Au-delà intervenait dans la vie des gens.

Axel et Pépa se fréquenteraient pendant un an, puis ils se marieraient. Le couple s'installerait à la grande maison où Pépa saurait prendre sa place dès le premier jour. Elle ne laisserait jamais sa belle-mère lui imposer des tâches trop sévères à son goût. Et Emma n'eut d'autre choix que de lui laisser le champ libre. Et petit à petit, Pépa deviendrait l'âme dirigeante de la grande maison. Quand elle se sut enceinte, elle fit une demande à sa belle-mère qui prit cette dernière au dépourvu.

— Madame Bouïos, dit Pépa sur un ton direct, Axel et moi, nous voulons occuper la chambre du rez-de-chaussée.

— Et pourquoi donc? demanda celle-ci, outrée par cette exigence et surtout par le ton employé.

— Je suis enceinte et je ne veux pas avoir à monter et descendre l'escalier plusieurs fois par jour. Je veux m'éviter cet effort.

— Mais quand j'étais enceinte, je le faisais, répliqua Emma d'un ton acerbe.

— Oui, je veux bien croire, mais je ne veux pas qu'il m'arrive ce qui est arrivé à ma belle-sœur.

Piquée au vif, Emma arriva difficilement à contenir sa colère. Elle venait de comprendre qu'elle ne gagnerait pas contre une Bouïdon. Elle et son mari prendraient la chambre qu'avaient occupée Nolan et sa femme Armelle.

— D'accord, d'accord, concéda celle-ci pour s'éviter une confrontation avec sa bru, confrontation qu'elle perdrait, elle en était sûre.

Un an plus tard naîtrait la seule fille du couple que Pépa nomma Élodie. Les cinq autres enfants seraient des garçons.

Au bourg de Clodey, Nolan irait au magasin général. Le propriétaire était une source quasi intarissable de renseignements. Il aimait aller à Clodey, ce gros village qu'on nommait bourg. Mais les gens disaient indépendamment bourg ou village. Clodey, c'était le gros village ou le bourg dont dépendaient tous les plus petits villages de la grande région pour leurs approvisionnements en denrées de toutes sortes. Un gros village où l'on habitait toute sa vie sans jamais se demander, pour la grande majorité de ses résidants, s'il pouvait exister ailleurs des contrées plus attrayantes. Tous les citoyens se connaissaient, se respectaient ou bien s'ignoraient afin de ne pas se quereller ouvertement.

Toutes sortes de croyances mythiques circulaient dans la grande région de Clodey. Il y venait jadis des bohémiens dont on n'entendait plus parler. Les vieux racontaient que chaque année, ils s'arrêtaient quelques jours au bourg durant l'été. Mais les ministres du Culte, intransigeants, les avaient chassés à jamais. Ces derniers prétendaient que ces nomades représentaient un danger pour la morale et les bonnes mœurs. Des suppôts de Satan qui incarnaient le mal, qu'ils disaient. Les anciens, quant à eux, soutenaient que leur venue créait toujours un émoi des plus joyeux dans le bourg.

Une avenue principale nommée « Trésor enfoui » traversait le bourg d'est en ouest. Des rues secondaires coupaient cette avenue. Des commerces et des maisons privées se côtoyaient de chaque côté de cette grande artère. Et c'est en plein au centre qu'on trouvait le magasin général où l'on allait faire ses emplettes et glaner nouvelles et potins. C'était le lieu privilégié où prenait naissance la plupart des rumeurs. Son propriétaire était un dénommé Gwenn Poncelet. Il avait une forte personnalité. C'était un meneur. Ça se sentait dans le ton de sa voix, il savait faire entendre son point de vue. Quand un sujet lui tenait à cœur, il tonnait, on l'écoutait, on ne l'interrompait pas. L'intensité de son regard surprenait au premier abord. Il ne baissait jamais les yeux devant l'intrus ou le frondeur. De nature calme, sa voix était agréable à écouter et elle pouvait se faire douce quand il s'adressait à une dame.

Les gens l'avaient surnommé le gentil géant. Il dominait tout le monde d'une tête. Un homme aux larges épaules, aux membres musclés, agiles et puissants. Il présentait une silhouette agréable. La première fois qu'on le rencontrait, sa prestance imposante impressionnait. Mais

Gwenn Poncelet n'avait jamais essayé d'intimider quiconque. Les cheveux roux toujours portés courts, quelques taches de rousseur parsemées ici et là sur le visage et sur les mains, de grands yeux pers et un regard taquin. Il avait le sens de l'humour, on le faisait sourire et rire facilement, mais il pouvait s'emporter, s'enflammer si l'on attaquait les valeurs auxquelles il croyait. Il était respecté et aimé dans toute la communauté. On venait lui demander conseil. La quarantaine avancée, encore célibataire, fils unique, Gwenn avait toujours travaillé avec ses parents. Ces derniers décédés, il avait pris la relève. Homme à la générosité spontanée, il avait toujours tenu à partager avec les plus démunis les fruits de son commerce assez florissant. Son chiffre d'affaires augmentait d'année en année.

Le propriétaire du magasin général ne fumait pas. Il ne tolérait pas les fumeurs de pipe dans son établissement, ces retraités qui avaient des heures à écouler comme ils le faisaient à la forge et au salon du barbier. « Je ne veux pas de cette fumée âcre dans mon magasin, ce n'est pas bon pour les affaires. » Mais l'été, Gwenn mettait à l'extérieur, de chaque côté de l'entrée, un banc à la disposition de ces retraités qui pouvaient à leur guise s'adonner à leurs innocents plaisirs : fumer et taquiner les clients du magasin, les clientes surtout. Les gens prenaient plaisir à venir au magasin général. C'était un lieu convivial. On y venait pour faire ses achats, bien sûr, mais aussi pour se rencontrer, se parler, s'informer de ce qui se passait dans la communauté. Les paroissiens y socialisaient autant sinon davantage que sur le parvis du temple le dimanche après le service religieux.

Nolan avançait sur le chemin partiellement glacé, absorbé par ses réflexions. Pas besoin de guider son cheval, celui-ci connaissait le chemin. À Clodey, il se renseignerait auprès du propriétaire du magasin général sur les possibilités d'embauche dans les fermes du canton. Toutes les informations de la région circulaient et aboutissaient, à un moment ou l'autre, chez Gwenn Poncelet. Nolan aurait peut-être une réponse positive.

C'était un époux triste et inquiet qui arrivait au bourg. À sa gauche se dressait la forge. Le forgeron se nommait Mélusin Evrard, un type solide, court sur jambes, de larges épaules. Mi-chauve, teint cuivré, de grands yeux, un sourire accroché aux lèvres. Une bonne bouille, quoi ! Dans la cinquantaine, grand-père, toujours vaillant, dur à son corps, résistant comme les métaux qu'il martelait à cœur de jour. La proximité du feu ardent du fourneau de l'atelier l'amenait à garder les yeux mi-clos et à froncer le front et les sourcils. Un artisan bien apprécié dans la communauté pour son savoir-faire.

Nolan s'arrêta d'abord à la forge. Il attacha sa monture. Les portes à grands battants étaient closes. Le forgeron les ouvrait l'hiver uniquement pour laisser entrer et sortir les chevaux à ferrer. Nolan entra par la porte de côté avec quelques outils sous le bras. Le maréchal-ferrant était en train de marteler sur l'enclume une pièce de métal qu'il venait de retirer des braises fumantes du haut-fourneau. Cette bruyante manœuvre faisait jaillir un nuage d'étincelles multicolores. Le maître de forges donna un dernier coup de marteau sur le métal qui commençait à refroidir, puis leva les yeux et aperçut celui qui venait d'entrer.

— Salut, Nolan, dit-il en allant remettre la longue pièce de métal dans les braises. Tu m'apportes un peu d'ouvrage.

— Ouais, nos haches, deux scies, la scie tronçonneuse. On s'en est beaucoup servi cet hiver et ça va servir encore durant le temps des sucres. Ces outils ont besoin d'être effilés.

— Ça va aller à la semaine prochaine. J'ai beaucoup d'ouvrage en ce moment et mon homme engagé est malade.

— Pas de problème, mon père ou mon frère viendra les chercher. Vous n'avez pas de compagnie cet après-midi ?

— Non, les fumeux de pipe ont pris congé, ç'a ben l'air. Mais je te regarde, Nolan, dit le forgeron, je te trouve pas en grande forme.

— Ah, c'est ma femme et l'enfant mort à la naissance, balbutia-t-il d'un ton las et préoccupé.

— Mille regrets ! Mais vous êtes encore jeunes, vous aurez d'autres enfants, c'est sûr, dit le forgeron sur un ton jovial dans le but d'égayer son client.

— Ouais… Et puis on doit déménager, ma femme et moi. Vous ne connaîtriez pas un fermier qui cherche de la main-d'œuvre ?

— Moi, non, mais tu vas peut-être trouver réponse à ta question au magasin. Gwenn Poncelet est au courant de tout ce qui se passe dans la région.

Nolan n'avait pas le cœur à la conversation banale. Il ne trouverait rien d'intéressant ni de drôle à raconter. Il avait seulement envie d'aller rencontrer le propriétaire du magasin général.

— Excusez-moi, monsieur Evrard, je pense que je vais y aller. J'ai hâte d'aller parler à monsieur Poncelet.

— Pas de problème, Nolan, bonne chance et à la revoyure.

— À bientôt.

Nolan sortit, détacha son cheval, le prit par la bride et se dirigea à pied vers le magasin général. « Je reverrai peut-être pas ces lieux de sitôt. » En face de la cour de la forge, le grand parc toujours vide même l'été. Du même côté de la forge, se trouvaient la grosse maison du docteur, la Maison de la Poste, l'imposant temple et son presbytère cossu, et au centre du bourg, de l'autre côté de l'avenue, le magasin général. « Et dire qu'Armelle n'y a pas encore mis les pieds. » Nolan attacha sa monture, entra et se retrouva face à face avec le propriétaire.

— Salut ! s'exclama Gwenn Poncelet, toujours content de le revoir. Je t'ai pas vu dans les parages depuis un bon bout de temps.

— Ouais, c'est vrai, enchaîna Nolan, c'est surtout mon frère Axel qui venait faire les commissions depuis un certain temps.

— J'ai appris la triste nouvelle. Je t'offre mes condoléances les plus sincères. Comment est-ce que vous allez maintenant, toi et ta femme ?

— Pas facile… Ma mère, ma femme dans la même cuisine, vous comprenez ?

— Oui, je peux m'imaginer. Et qu'est-ce qui t'amène aujourd'hui ?

— Deux choses. La première, c'est les emplettes, dit Nolan en tendant la liste à Gwenn qui la déposa sur le comptoir à l'intention de son employé qui viendrait s'en occuper.

— Et la deuxième ?

Nolan expliqua sa situation. Lui et sa femme cherchaient du travail. Ils aimeraient être embauchés par un gros fermier de la région. Sa visite d'aujourd'hui avait comme objectif premier de trouver de l'information à ce sujet.

— Ça tombe bien, mon Nolan, fit Poncelet. Il y a tout juste une semaine, on me demandait si je connaissais un couple pour du travail à la ferme. C'est une famille dénommée Joyandet qui habite sur la route qui mène d'Aubrey à Howick. Ça serait bien, ça serait près de tes beaux-parents.

— Je vous remercie du renseignement. On va s'y rendre dimanche prochain en allant chez le beau-père. Vous en aurez des nouvelles par mon frère ou mon père. Merci encore.

Et Gwenn expliqua à Nolan que si l'emploi était déjà pris ou que ça ne convenait pas, il aurait peut-être autre chose d'intéressant. Puis il s'informa de ce qui se passait dans le vallon.

— Et la chasse aux rats musqués, ça vaudra la peine de la faire cette année ? demanda Nolan pour ne pas avoir à répondre à la question du propriétaire.

— Pour une deuxième année de suite, ça ne s'annonce pas très payant.

Sur ces entrefaites, le commis vint déposer la commande sur le comptoir.

— Voilà, M. Bouïos, tout est là, annonça l'employé.

— Merci bien, dit Nolan.

— Et ce sera porté au compte de ton père, enchaîna le propriétaire.

— Merci. Je vous trouve, Gwenn, fatigué et votre commis un peu débordé de travail. Le printemps, la saison des sucres, c'est une période bien occupée pour vous. Vous ne pensez pas que vous devriez avoir un deuxième commis du moins pour cette période ?

— Ouais, t'as bien raison, mais pas facile de trouver un bon employé pour le travail à faire ici. J'en ai eu un il y a quelques années qui faisait bien mon affaire, mais il a quitté la région.

— Ah oui, je me rappelle de lui, dit Nolan. Il avait l'air heureux ici, tout le monde avait l'air de bien l'aimer. Comment est-ce qu'il s'appelait déjà ?

— Alexan DéMouy, répondit le propriétaire d'un ton triste. Je l'aimais beaucoup. Il a travaillé ici pendant un an. C'était un bon employé. Tout le monde l'appréciait, il était dévoué, il souriait, il écoutait, il répondait gentiment aux questions qu'on lui posait. Je lui faisais confiance assez pour lui donner certaines responsabilités. Il est parti et il me manque beaucoup ainsi qu'à notre communauté.

— Est-ce qu'il a dit pourquoi il partait, et pensez-vous qu'il va nous revenir ?

Gwenn raconta ce que son employé lui avait donné comme raison de partir, mais il avouait bien sincèrement ne pas avoir trop bien compris. Le jeune homme lui avait paru bien résolu de s'éloigner de son milieu. Ce dernier lui avait cependant promis de donner signe de vie un jour.

— Bien mystérieux tout ça, commenta Nolan. Merci bien pour l'information. Bon maintenant, je dois y aller.

— C'est bien correct, dit celui-ci en lui serrant la main. Au plaisir de te revoir et je vous souhaite que ça marche dimanche prochain à la ferme Joyandet. Puis, un jour, j'espère bien que tu vas me la présenter ta femme. Les belles femmes, tu sais, il ne faut pas les garder cachées.

— Oui, je suis bien d'accord. Un jour, ça viendra. Merci encore. Au plaisir !

Nolan prit ses paquets et sortit. Son poulain, qui l'attendait patiemment depuis un bon moment, le regarda venir. « Oui, oui, on y va », dit-il à l'intention de sa bête préférée. Celle-ci agita la tête de haut en bas. Il déposa ses sacs dans le fond du traîneau, détacha son poulain, monta, s'installa. « Hue, allez, hue. » Le cheval se mit en branle vers la ferme.

« Un après-midi fructueux », se dit Nolan. Il avait hâte d'arriver à la grande maison. Armelle verrait dans ses yeux qu'il avait une bonne nouvelle. Et le soir venu, au lit, à voix basse, la tête dans le creux de son épaule, elle l'écouterait la lui raconter. « Ah oui ! Je les connais de réputation. On dit que ce sont de bonnes gens.» Et l'époux retrouverait dans les yeux de sa femme ce regard chaud et épanoui qu'elle avait toujours eu et qui s'était éteint ces derniers mois. «Tu vois, il ne fallait pas se décourager, tout va aller pour le mieux, tu verras», dit-il d'une voix chaude. «Merci, mon homme, j'ai hâte d'être dimanche», exprima-t-elle en l'enlaçant...

Et vint le dimanche. Nolan et sa femme se rendirent à Aubrey assez tôt. Ils s'arrêtèrent chez les parents d'Armelle. Ils passèrent un peu de temps à bavarder. Les deux sœurs, Georgette et Imelda, y étaient. Puis tous les six se rendirent à Howick pour la grand-messe. Viateur Priaux conduisait les siens dans son traîneau. En revenant, Nolan et Armelle s'arrêtèrent à la ferme Joyandet. Un couple affable, accueillant, souriant, début cinquantaine, les reçut. Ils avaient eu seulement deux garçons qui avaient préféré exercer un autre métier. Leur santé était encore bonne, mais ils avaient besoin d'aide, leur tâche de travail était devenue trop lourde. Le poste était toujours libre. On s'entendit sur les conditions. Ils pouvaient venir s'installer dès le lendemain. «Nous serons ici demain dans la matinée comme vous nous le demandez», promit Nolan. «Nous allons vous attendre, avec plaisir», dit monsieur Joyandet, heureux, certain d'avoir embauché deux bons employés.

Le lendemain matin à la grande maison, l'atmosphère n'était pas à la fête pendant le déjeuner. Nolan et sa femme allaient quitter tout de suite après le repas. Leurs maigres possessions étaient empaquetées et déjà à bord du boghei qu'ils pourraient utiliser, la route s'étant assez asséchée. Firmin laissait à Nolan un de ses bogheis à deux sièges et son poulain préféré.

Armelle observait discrètement sa belle-mère qui resta de glace durant tout le déjeuner qu'elle avait préparé et servi seule. «Je ne la comprends pas, songeait-elle, son fils part, elle ne sait pas quand elle le reverra, nous n'assisterons pas au mariage d'Axel, et elle ne manifeste aucun chagrin.» La bru n'arrivait pas à s'expliquer l'attitude de sa belle-mère. Elle comprendrait plus tard. C'est Firmin qui était le plus bouleversé même si ça ne paraissait pas. Après le déjeuner, on se salua poliment et le couple se mit en route.

Chez les Joyandet, Armelle et Nolan s'installèrent dans la grande chambre mise à leur disposition, moins luxueuse que celle de la grande maison, mais propre et bien éclairée. Il y avait tout ce qu'il leur fallait. Ils seraient à l'aise. Enthousiastes, les nouveaux engagés avaient hâte de se mettre au travail. Tout de suite, une bonne relation s'établirait entre eux et les propriétaires. Armelle et Nolan se sentaient bien, ils allaient pouvoir à nouveau gagner leur pain et leur sel dans la bonne humeur.

Peu après leur arrivée, Armelle se retrouva enceinte. Cette fois-ci, elle entendait mener à bien sa grossesse. L'ouvrage était accaparant, mais dans des limites acceptables. Après neuf mois d'une gestation normale, Armelle accoucha assistée de la sage-femme du canton. C'était une fille qui porterait le nom de Maïa.

Durant ce temps-là, la construction de la maison dans le vallon avançait. De temps en temps, Nolan se rendait au chantier pour voir où en étaient les travaux et pour transmettre les préférences d'Armelle quant à la disposition des pièces de la maison. Cette dernière préférait ne pas l'accompagner, elle ne se voyait pas entrer à la grande maison. « C'est trop tôt, je ne suis pas encore prête », lui avoua-t-elle ouvertement.

Firmin prenait des notes. « Ça va être fait comme elle veut. » Il avait engagé quelques bons ouvriers. Il estimait que tout pourrait être prêt dans deux ans au plus tard. Alors, les nouveaux propriétaires prendraient possession des lieux et se prépareraient à la venue du petit être qui deviendrait le centre de leur vie…

Quand il venait voir où en étaient rendus les travaux à sa ferme, Nolan rentrait toujours à Aubrey un peu triste. À chacune de ses visites, il s'arrêtait quelques minutes à la grande maison pour dire bonjour à sa mère. Et ça se limitait toujours à de brèves salutations et à de courts échanges d'information générale. C'est lors de ces rencontres que Nolan prit conscience qu'il n'avait jamais eu d'échanges intimes avec sa mère comme il en avait maintenant avec sa femme. Quand il habitait à la grande maison, il était toujours près d'elle, il n'y avait pas besoin de mots.

Emma Bouïos était une femme complexe qui ne comprenait ni ne contrôlait ses états d'âme. Elle regrettait ce qui s'était passé avec Armelle, mais elle n'arriverait jamais à l'exprimer. Emma aimait ses enfants. Elle était contente, bien sûr, de revoir son fils Nolan. Elle s'informait de sa santé sans plus. Il faut dire que la présence de sa belle-sœur Pépa n'aidait pas. Cette dernière monopolisait la conversation la plupart du temps.

Et Nolan rentrait à Aubrey retrouver sa femme chez les Joyandet, habité par un sentiment d'impuissance face à une situation avec laquelle il lui faudrait apprendre à vivre. « Ma mère n'a même pas demandé des nouvelles d'Armelle… »

5

— Enfin ! Ma dernière nuit dans cette chambre trop étroite pour quatre garçons.

Alexan, les mains croisées sur l'abdomen, était étendu tout habillé sur sa paillasse, son baluchon sous le lit. Il ne fermerait pas l'œil de la nuit, à la fois excité et inquiet. Il n'osait pas bouger de peur de faire craquer son petit lit et de réveiller son frère Loïs, seize ans, qui, lui, aimait les travaux de la ferme. Au fond de la chambre, dormaient ensemble ses deux frères jumeaux, Renaud et Alexis, treize ans, qui en étaient à leur dernière année du primaire à l'école du rang.

La lumière de cette nuit étoilée et de pleine lune entrait par la petite fenêtre à carreaux et traversait le rideau de coton usé par de trop nombreux lavages. Alexan regardait les murs nus de sa chambre, excepté celui d'en face où était suspendue à un vieux clou une grande croix qui avait veillé sur son sommeil à la ferme. Alexan avait laissé la porte de la chambre ouverte. Tous les bruits de la maison ainsi que la hâte de partir le garderaient éveillé toute la nuit. Il y avait la respiration de ses frères et le ronflement de son père dans la chambre d'en avant. « Comment faitelle pour arriver à dormir ? »

Le fils aîné écoutait, fasciné, le bruit sec et répété de cette horloge murale qui avait marqué les heures, les minutes, tous les instants qu'il avait passés dans cette maison. Cette maison, devenue, ces dernières années, davantage une prison qu'un havre de paix où il aurait pu faire bon y vivre. « J'ai pourtant été heureux ici, enfant. » Alexan avait eu une enfance facile, enjouée. Quand il eut l'usage de la parole, son jeu préféré était de questionner sa mère Cunégonde sur le pourquoi des choses. Il disait souvent son envie d'aller à l'école.

Le premier jour où sa mère le conduisit à la petite école du rang de la Rosée céleste, le nouvel élève eut l'impression qu'un monde nouveau s'ouvrait à lui, différent et plus attrayant que celui de la ferme. Sa mère le présenta à celle qui serait sa maîtresse, Cora Ingmar, pour les sept prochaines années. Cette dernière aima tout de suite son nouvel élève. « Il a un regard si éveillé. » Elle sentait qu'il aimerait venir à l'école. Mû par un ardent désir d'apprendre, Alexan assimilait tout rapidement. Il était insatiable.

Ses années sur les bancs de l'école primaire, Alexan les vécut comme des années de rêve. Il sentait la vie battre en lui. Sa vieille institutrice sut stimuler son désir de découvrir. Et pour satisfaire cette passion d'apprendre, elle lui prêtait des livres de lecture pour enfants de sa bibliothèque personnelle. À la fin de son primaire, Alexan avait lu tous ses livres. La vie, sa vie, s'annonçait belle et riche. Le lundi matin, le jeune élève partait joyeux pour l'école. Il chantonnait les vieux airs du pays tout le long du chemin. Les étés, il les trouvait longs, ces étés durant lesquels certains travaux de la ferme lui étaient imposés.

Puis arriva la fin de son école primaire. Alexan était décidé à poursuivre ses études. Un soir, à table, il annonça son intention à ses parents. La réponse négative de son père fut encaissée comme un coup d'autant plus dur qu'inattendu.

— Il n'en est pas question, répondit Elphège, son père, sur un ton qui ne prêtait pas à discussion.

— Mais pourquoi ? demanda Alexan surpris et déçu.

— On n'en a pas les moyens, répliqua celui-ci.

— Mais je vais vous rembourser quand je travaillerai.

— Non ! On a besoin de tes bras ici à la ferme.

— Je suis trop jeune, je ne serai pas très utile.

— Tu commenceras par faire ce que tu peux.

— Si vous me forcez à rester à la ferme, à mes dix-huit ans, je vais m'en aller faire ma vie, annonça Alexan sur un ton déterminé.

— Ne parle pas comme ça, mon garçon, tu as encore ben des années devant toi pour changer d'idée. Et rappelle-toi que tu seras l'héritier de cette exploitation agricole.

— Mais je ne veux pas être paysan toute ma vie comme toi, rétorqua l'écolier.

— Tu verras, tu apprendras à aimer le noble travail du paysan, conclut son père.

Alexan se tut. Il resta coi durant le reste du repas. On le laissa encaisser le coup en silence. Il était triste et désenchanté, il en resterait aigri et blessé. Les mots de son père renforceraient sa décision de partir le jour où il atteindrait ses dix-huit ans. Au cours des mois qui suivirent cet échange, une rancœur tenace et douloureuse s'installa en son for intérieur, ce qui rendrait sa traversée de l'adolescence encore plus difficile. Il lui en tiendrait rigueur, à son père, car celui-ci brimait son désir de grandir intellectuellement et humainement.

Le grand garçon saurait garder intact ce rêve qui l'habiterait jour après jour. Il ne se laisserait pas enterrer sous le poids de la quotidienneté insipide de sa vie présente. Sa voie future, il la voyait dans un engagement social pour apaiser la détresse de ses pairs et paradoxalement, à ce moment-là, c'est lui qui souffrait de cette intolérable attente. Alexan alimenterait cette flamme intérieure durant toute son adolescence. Sa vie d'adulte ne lui serait pas imposée par les traditions. Il choisirait sa vie, il ne savait pas encore ce qu'elle serait, mais il était ouvert à ce qui lui était prédestiné. Il ne serait pas de ceux qui, plus tard dans leur vie, diraient: « J'aurais donc dû, si j'avais su. » Cet appel, il le garderait bien vivant. Ça l'empêcherait d'être emmuré dans sa vie présente. Ça lui donnerait la force et la patience de tenir jusqu'à ses dix-huit ans. À ce moment-là, il se mettrait en marche à la recherche de sa vérité. Alors, il commencerait à goûter la saveur de l'existence…

« Dans peu de temps, je serai libéré de ce joug parental qui m'opprime depuis des années. »

Alexan, immobile, étendu sur sa paillasse, était hypnotisé par le son cuivré du tic-tac monotone et régulier de l'horloge murale de la cuisine. Résonnait dans sa tête chacun des tic-tac qui avaient scandé, ces dernières années, cette marche monotone et sans hâte du temps. Son heure approchait, son jour allait se lever.

Tic-tac, tic-tac, tic-tac… Et sonnèrent les douze coups de minuit! Alexan venait d'avoir ses dix-huit ans. « Enfin, ma voie s'ouvre, à moi de m'y engager. » Il se sentait libéré, soulagé, mais aussi inquiet.

Alexan était grand, bien bâti, et avec les travaux imposés à la ferme, il était devenu un jeune homme fort avec de puissants membres. Il venait de se jurer que plus jamais personne ne lèverait la main sur lui, fût-il son père, plus jamais personne, d'une voix sèche et froide, ne lui donnerait des ordres, fût-il son employeur. « Je pourrai dorénavant aller où bon me semble et faire ce que je choisirai de faire. » Il s'éloignerait de ce père qui exigeait l'obéissance en tout temps.

Alexan DéMouy allait quitter la ferme familiale, il n'y remettrait peut-être plus jamais les pieds. Sa respiration était profonde et accablante, il retenait difficilement ses larmes. Il pensait à sa mère qui l'avait toujours bien traité et que son départ allait faire souffrir. « Mais je dois partir si je veux, un jour, réussir ma vie et être heureux. » Le fils aîné partirait avant que son père se lève pour aller faire le train. Il éviterait ainsi à sa mère une scène avec son père qui ne pourrait être que violente.

Les heures passèrent, interminables, à la fois angoissantes et enivrantes. Le moment venu, Alexan se leva sans bruit, ramassa son baluchon ainsi qu'un petit sac de toile contenant ses effets personnels. Il sortit de la chambre. Dans la cuisine, il déposa sur le buffet une lettre à l'intention de sa mère. Près de la porte d'entrée, il endossa son pardessus, l'attacha solidement. Il ferait sûrement frisquet, c'était la fin d'avril. Il sortit et referma doucement la porte derrière lui. Alexan prit son bâton de marche qu'il avait dissimulé sous la galerie la veille. C'était une solide branche de chêne coupée en forêt l'été d'avant. Elle avait séché cachée dans la grange, puis débarrassée de son écorce, Alexan l'avait polie. Ce bâton l'accompagnerait dans tous ses déplacements.

Alexan DéMouy se retrouva à l'air libre dans le rang de la Rosée céleste. Il faisait frisquet en effet. La lune s'éloignait lentement à l'horizon. Cet enfant du pays entamait sa longue marche qui l'amènerait à découvrir sa voie. Il se mit en route vers le bourg de Clodey à pas de géant, son bâton de randonnée dans la main droite. Il redressa les épaules. « Plus jamais, elles ne s'affaisseront. » Il jeta un dernier coup d'œil à la petite maison qu'il l'avait vu naître. « Y reviendrai-je un jour ? Je ne crois pas, mon père ne me pardonnera jamais d'avoir abandonné la ferme. » Et lui aurait bien du mal à oublier son adolescence tissée de frustrations et de rêves brisés.

Alexan fonçait vers Clodey. Il respirait à pleins poumons l'air frais du matin. Le premier-né DéMouy était un jeune homme au physique vigoureux, à la silhouette agréable et élancée. L'épreuve de l'attente imposée à la ferme l'avait rendu moralement fort et déterminé. Il avait les yeux bleu foncé, un regard qui attirait l'attention, et les cheveux châtain foncé trop courts à son goût. À la ferme, lui et ses frères devaient avoir les cheveux courts comme leur père. Il les laisserait allonger. Alexan donnerait dorénavant libre cours à son besoin de sourire. Près de son père, le sourire était souvent perçu comme suspect.

À la ferme, Elphège et son fils Loïs étaient à l'étable, les jumeaux encore au lit. Cunégonde se leva et c'est le cœur serré qu'elle pensa à l'anniversaire de son fils aîné qui tombait ce jour-là. « Va-t-il nous quitter aujourd'hui ? » Elle brossa ses cheveux, refit ses longues tresses. En entrant dans la cuisine, elle aperçut la lettre sur le comptoir. Son cœur de mère saigna. « Mon fils aîné nous a quittés, comme il l'avait juré, sans avoir pu me dire adieu en personne. Il a voulu m'épargner une autre réaction violente de son père. »

C'est une mère tourmentée qui ouvrit et lut la lettre. « Ah mon Dieu ! J'ai perdu mon fils aîné. Je te comprends, mon enfant, je ne t'en veux pas, je te souhaite d'être heureux. J'espère seulement te revoir un jour. » Cunégonde était bouleversée, un pan de sa vie de mère s'envolait. Mais elle s'y attendait, au départ d'Alexan. À chaque anniversaire de naissance de son aîné, c'était toujours avec un pincement au cœur qu'elle voyait la date de son départ annoncé se rapprocher d'un an. Le cœur broyé, la larme à l'œil, Cunégonde déposa la lettre et se mit douloureusement en devoir de commencer à préparer le déjeuner. Les jumeaux allaient se lever et les deux autres rentrer de l'étable.

Cunégonde DéMouy, quarante ans, était de petite taille. Ses longs cheveux bruns étaient parsemés de poils gris, elle en faisait des tresses qu'elle laissait pendre dans son dos et qu'elle défaisait le soir pour les brosser avant d'aller au lit. Ses jolis yeux bruns laissaient voir un relent de tristesse au fond des prunelles. Un visage peu ridé en dépit de tous les soucis de sa vie de femme et de mère : un mari devenu avec les années aigri et coléreux, son fils aîné qui s'était refermé à l'adolescence et toujours la même difficulté, mois après mois, à joindre les deux bouts.

D'un physique potelé, Cunégonde avait pris du poids au cours des ans. Elle s'était négligée comme femme. Elle avait perdu le goût de s'arranger. Pourquoi une femme continuerait-elle de faire des efforts pour rester attrayante quand son homme ne la regarde même plus. La mère d'Alexan faisait preuve d'une grande force morale. Elle se consacrait à l'éducation de ses enfants. Ils étaient le centre de sa vie. Peu loquace, soumise, elle avait toujours tenu à éviter les confrontations avec son mari.

Les jumeaux venaient de se mettre à table. Ils attendaient le déjeuner que leur mère était en train de préparer. « Maman, tu as pleuré ? » demanda Alexis. « Mais non, c'est mes yeux qui sont fatigués. » Ce matin, ils mangeraient des galettes de sarrasin. Sur ces entrefaites, le père, d'humeur massacrante, et leur fils Loïs rentraient de l'étable.

Elphège DéMouy, la mi-quarantaine, était de petite taille, trapu, robuste, les mains noueuses, le dos légèrement courbé. Il présentait un visage fermé, un front haut, un menton carré, des traits durcis. Il avait les cheveux sel et poivre courts, taillés en brosse. Ses lèvres closes ne souriaient plus souvent. Il était devenu bourru avec les années. Des yeux qui révélaient rarement ses pensées lui donnaient un air impénétrable. Quand il était contrarié, ce qui arrivait de plus en plus souvent, il sortait de ses gonds. Il avait depuis longtemps perdu la joie de vivre. Trop de malheurs s'étaient acharnés sur lui et sa famille : les sécheresses, les sauterelles, les mauvaises récoltes et un fils aîné qui n'aimait pas les travaux de la ferme.

Elphège regarda sa femme, les yeux méchants.

— Tu l'as vu le grand flanc mou ? Où est-il passé ? rageait-il.

— Il est parti, répondit-elle d'un ton triste.

— Quoi ! Parti au bourg, je suppose, le sans-cœur, je vais aller le chercher, moi, rugit le père.

— Tu vas pas aller le relancer au village, martela Cunégonde en haussant le ton comme elle n'avait jamais osé le faire.

— Et pourquoi pas ?

— Parce qu'aujourd'hui, il vient d'avoir ses dix-huit ans, il pourra vivre sa vie comme bon lui semble dorénavant.

— Je vais quand même aller lui faire savoir ma façon de penser à ce déserteur, ce lâche. Pas une manière de décamper, ça !

Cunégonde en avait gros sur le cœur. Son mari avait toujours brimé son fils aîné. Il était toujours sur son dos. Il n'était jamais satisfait de ce qu'il faisait. Jamais assez, jamais assez vite. Alexan devait se cacher pour lire, pour avoir un peu de paix. Mais avec ses autres fils, il était moins sévère. Son fils aîné était différent des autres, il n'était pas porté sur les travaux de la ferme, ce qui irritait son père au plus haut point.

— C'était la seule manière de partir parce que tu aurais encore gueulé après lui. Je te défends d'aller l'importuner, tu vas le laisser tranquille. C'est un homme maintenant. Et je pense qu'il n'a plus envie de te voir, répliqua Cunégonde en élevant encore le ton.

— Tu prends sa défense maintenant !

— Il t'avait averti, mais tu ne l'avais pas cru, puis tu as oublié.

— Quand ça ?

— À ses treize ans, quand tu lui as refusé la permission de continuer ses études.

— Il va faire quoi maintenant ? Il va traîner ici et là à faire des petits travaux. Il ne sait rien faire de ses dix doigts ! continua le père sur un ton acerbe.

— Arrête-moi ça ! clama Cunégonde, Alexan va trouver ce qui lui convient, il va réussir, lui. Je ne m'inquiète pas pour lui.

Elphège, démonté par les propos de sa femme et surtout le ton employé, alla se laver les mains en essayant de maîtriser sa colère.

Les jumeaux avaient arrêté de manger, ils attendaient que la colère de leur père passe. « Renaud, Alexis, mangez, ça va être froid », leur dit leur mère avant d'aller verser d'autres cuillerées de sarrasin sur les ronds chauds du poêle. Puis elle servit les galettes chaudes, mais elle ne mangea pas. Cette prise de bec lui avait coupé l'appétit. Elle avait parlé fort, elle s'était emportée, elle s'était vidé le cœur, elle en avait des sueurs. Cunégonde n'avait jamais osé parler ainsi à son mari. Mais elle avait trop vu son fils aîné souffrir. Pour une fois, elle l'avait défendu. « J'aurais dû parler avant, se reprochait la mère éplorée, il ne voudra plus jamais remettre les pieds dans cette maison et affronter son père. » Cunégonde était cependant convaincue qu'Alexan se débrouillerait et trouverait le bonheur…

Alexan approchait du bourg de Clodey. « Où est-ce que je vais coucher ce soir, demain soir ? » Mais il y avait plus urgent : rencontrer la bonne personne qui l'écouterait et l'aiderait à faire ses premiers pas d'homme libre. Le fils DéMouy entrait dans un bourg endormi. Un silence paisible enveloppait les lieux. Les premiers rayons d'un soleil frileux apparaissaient à l'horizon devant lui. Alexan arpenta lentement l'avenue principale, la rue du Trésor enfoui. Il observait les maisons et les commerces. Il lui semblait les voir pour la première fois. Tout prenait un nouveau visage, celui de la liberté...

À sa droite, un premier commerce, une boutique d'articles de cuir. Au rez-de-chaussée, le magasin, et à l'étage, le logis des propriétaires. Un peu plus loin du même côté, l'imposant temple et le jouxtant, le presbytère cossu. Alexan n'irait plus, le dimanche, entendre les prêches des ministres du Culte trop souvent sur le même thème : l'homme était sur terre pour souffrir et en arracher tous les jours de sa vie, il trouverait la félicité de l'autre côté à condition qu'il ait assez souffert. « Le bonheur est refusé à l'humble citoyen. » Alexan ne voyait pas les choses ainsi. « Il y a sûrement moyen de trimer dur et d'avoir des loisirs sains afin de connaître un peu de bonheur ici-bas. »

Les premiers rayons du soleil commençaient à se faire sentir. Les rues étaient encore désertes. Au bout de l'avenue, le marcheur revint sur ses pas. Le parc, le magasin général, d'autres commerces et quelques maisons aux couleurs vives.

Le promeneur solitaire recommença un deuxième tour du bourg. Il lui fallait marcher pour se garder au chaud et réfléchir. Arrivé devant l'école, il s'arrêta spontanément, et il pensa à sa vieille maîtresse d'école du rang de la Rosée céleste, Cora Ingmar. Il ne l'avait pas revue depuis cinq ans. Le reconnaîtrait-elle ? Avait-elle beaucoup changé ? Son ancien élève la revoyait en classe. Pas grande, énergique, mince, elle l'avait été toute sa vie. Elle préconisait la frugalité en tout. Elle était toujours mise correctement même si elle attachait plus d'importance à sa vie intellectuelle et spirituelle qu'à son apparence. Bien coiffée, cheveux la plupart du temps attachés, souvent une mèche défaite qui frisait à la base du cou. Les enfants aimaient son visage harmonieux, son air à la fois sérieux et décontracté, son regard allumé et présent. Ses sourires réconfortaient les plus faibles comme les plus forts d'autant plus qu'ils étaient brefs. C'était la récompense du travail bien fait et l'encouragement à continuer. Une voix calme dont le timbre apaisait. Un élève turbulent ? Un regard suffisait pour le ramener à l'ordre. Elle n'utilisait pas la règle pour punir comme c'était la coutume dans le temps.

Elle était toujours restée célibataire. Elle fut entièrement dévouée à sa mission. Ça l'avait comblée. Sa famille, c'était ses élèves. Son lieu d'enseignement ne comptait qu'une grande pièce sans division. S'y côtoyaient les enfants de tous les niveaux, de la première à la septième année. Elle avait son logement à l'étage. Sa vie, elle l'avait passée à faire s'épanouir l'intelligence, le sens commun et moral des jeunes de sa communauté.

« C'est elle que j'aimerais rencontrer en ce premier jour de liberté. » Alexan l'avait tant aimée. Elle était retraitée depuis deux ans. Ses frères jumeaux en avaient parlé, ils trouvaient leur nouvelle maîtresse trop sévère. Il espérait qu'elle se soit retirée à Clodey sur la rue des retraités, la ruelle du Temps enfui, cette petite rue cul-de-sac s'étendant vers le sud à partir de l'avenue principale. Mais il ne pouvait quand même pas aller frapper à toutes les portes de cette ruelle.

Le jour se levait, ce serait une belle journée. Alexan s'adressa au tout premier piéton qu'il aperçut emprunter la rue principale. « Oui, elle habite bien la ruelle du Temps enfui, la troisième maison du coin, côté est », dit l'homme, pressé de se rendre au travail. « Merci bien », répondit Alexan. Quoiqu'il fût impatient de revoir sa vieille maîtresse d'école, Alexan jugea quand même bon de marcher encore un peu pour ne pas se présenter trop tôt chez elle.

Le moment venu, l'ancien élève frappa à sa porte. Elle vint répondre.

— Oui, monsieur ? fit-elle.

— Bonjour, madame Ingmar, je me présente, je…

— Mais je te reconnais, toi, l'interrompit-elle, tu es le jeune DéMouy, Alexan, du rang de la Rosée céleste.

— Vous vous souvenez de moi ? s'exclama-t-il, ravi d'avoir été reconnu.

— Mais toi, que fais-tu ici au village si tôt un jour de semaine ; ne devrais-tu pas être à la ferme en train d'aider ton père ? s'enquit-elle, à la fois étonnée et enchantée de le revoir.

— Aujourd'hui, c'est le jour de mes dix-huit ans, j'ai quitté la ferme pour de bon, je m'installe ici à Clodey. Vous êtes la personne que j'ai pensé rencontrer en premier.

— Bon anniversaire, Alexan. Heureuse de te recevoir. Entre, viens manger une bouchée avec moi. Je viens de préparer mon déjeuner.

— J'accepte avec plaisir, madame.

Alexan, souriant et retrouvant peu à peu son calme, entra. Ils se retrouvèrent dans un petit salon joliment décoré. Elle l'invita à s'asseoir. Elle lui offrit de partager ce qu'elle s'était préparé. Ça tombait bien, il n'avait encore rien avalé.

— Merci de vos souhaits de bonne fête.

— J'avais toujours senti que tu n'étais pas fait pour le travail de la ferme, formula la maîtresse retraitée. Tu étais animé d'une telle soif d'apprendre.

— Je n'en pouvais plus à la ferme, j'étouffais. Ce qui me fait le plus de peine, c'est d'avoir dû partir sans avoir pu dire adieu à ma mère et à mes frères.

— Il y a des décisions douloureuses à prendre parfois, tu sais, c'est ça devenir adulte, commenta Cora Ingmar.

— Je ne vais pas le regretter. Je veux connaître un autre genre de vie, ici ou ailleurs, et je viens de me mettre en marche pour trouver cette nouvelle voie.

— Tu as bien fait d'écouter cet appel intérieur. Je vais t'encourager du mieux que je pourrai. J'imagine que tu vas chercher du travail et une place où loger.

— Oui, ce sont mes deux priorités dans l'immédiat.

— Ça tombe bien. La jeune veuve du village, Priana Pingault, offre la pension à bon prix. Elle a des chambres de libres qu'elle me disait tout dernièrement. Tu lui diras que c'est moi qui t'envoie, nous sommes en bons termes. Et aussi, tu devrais aller voir le patron du magasin général, Gwenn Poncelet. Je crois qu'il est à la recherche d'un autre commis. La saison des sucres, c'est toujours plus occupé pour lui. Mentionne-lui que tu m'as parlé. Et je te conseille aussi de rencontrer ce jeune paysan qu'on surnomme le paysan-poète. Il pourra sûrement te guider dans ton cheminement.

Madame Ingmar prit plaisir à décrire le personnage pittoresque qu'était ce paysan-poète. Il s'appelait Éloï Coignaud, et il habitait avec sa femme Thélya et leurs deux enfants une ferme très fertile située à la frontière ouest de Clodey, dans le rang de la Rivière cachée. Ce jeune agriculteur y cultivait, en plus des produits courants, des herbes inconnues jusqu'ici dans le pays. Son tour de force fut de se procurer les boutures et les graines. Aîné de la famille Coignaud, il avait hérité du domaine familial, et il avait choisi d'être cultivateur en acceptant la succession. Ses parents étaient retraités au village de Clodey. Éloï avait fait des études primaires. Il était curieux, il demandait toujours de nouvelles choses à lire. Il voulait apprendre plus que ce que le programme offrait. À l'adolescence, sa maîtresse lui avait conseillé de rencontrer le maître de la Maison de la Poste qui lui dénicha des adresses outre-mer d'où il put faire venir les livres convoités. Avec la lecture, la réflexion, la découverte de nouveaux produits à cultiver chez lui, sa conception de l'univers et de la vie avait changé ainsi que son vocabulaire. Ses idées originales et les mots nouveaux pour les exprimer lui avaient valu, dans le coin, le surnom de paysan-poète.

Éloï Coignaud était un homme solide, élancé, aux longs cheveux bruns. Il présentait un visage à la fois viril et délicat, un regard animé, un sourire souvent énigmatique. Sentimental dans ses amitiés comme dans ses amours. Distingué, fier et élégant, il aimait être bien vêtu en tout temps. Avec la belle éducation qu'il tenait de ses parents, il avait une allure légèrement aristocrate, mais il était resté humain et généreux, toujours enclin à secourir les plus faibles de sa communauté. Ce jeune paysan avait eu la chance de rencontrer une fille, belle, vive et intelligente, tout aussi articulée que lui, la fille d'un artisan d'un village voisin, Thélya Chassagne. Cette dernière voulut tout de suite partager les idéaux qui animaient l'homme qu'Éloï était devenu. Grande, très féminine, elle aimait, tout comme lui, être bien mise même pour les tâches domestiques. De longs cheveux châtains, et un visage rond qui transpirait la joie de vivre. Elle avait de jolis yeux pers. Son regard plein de chaleur répandait du bonheur autour d'elle. Éloï et Thélya formaient un beau couple. Les tâches agricoles et ménagères étaient effectuées avec enthousiasme. Ils se réservaient toujours du temps pour la lecture, la réflexion et la discussion. Imbus de justice sociale, ils consacraient de leur temps à différentes œuvres communautaires. Thélya enseignait aux paysannes et aux villageoises à avoir d'autres activités que leurs tâches domestiques. Les deux conjoints combattaient pour l'équité sociale.

Le paysan-poète s'était lié d'amitié avec Gwenn Poncelet, le propriétaire du magasin général. Ce dernier offrait à ses clients les nouveaux produits de la ferme de son ami : légumes, fruits, herbes et épices. Les deux hommes formaient une bonne équipe. Gwenn Poncelet aimait écouter son ami expliquer le monde avec tous ses mots nouveaux. Poncelet et Coignaud étaient ce genre d'hommes que les ministres du Culte n'aimaient pas croiser sur leur chemin, car ils pouvaient, par leur action concertée et soutenue, affaiblir leur emprise sur les prolétaires de leur communauté.

— Merci, madame Ingmar, dit Alexan après avoir pris une autre gorgée de ce délicieux thé qu'elle avait servi, je vais suivre votre conseil et rencontrer cet homme hors de l'ordinaire qu'est ce paysan-poète. En venant vous voir, je crois que j'ai frappé à la bonne porte. Ma bonne étoile m'a bien guidé.

— Tu viendras souvent discuter et me raconter où tu en es dans ta démarche, lui suggéra-t-elle.

— Oui, c'est ce que je vais faire, lui promit-il.

Après une deuxième tasse de thé, Alexan quitta son ex-institutrice pour se rendre chez la logeuse. Chemin faisant, il ne pouvait s'empêcher de penser à la grande dame qu'il venait de revoir et qui l'avait si bien reçu. Elle avait peu changé. Le débit un peu ralenti, le geste plus posé, la démarche légèrement fragilisée, mais le regard toujours aussi vif et la répartie encore juste et rapide. Elle semblait heureuse. Et elle voulait bien l'aider dans la mesure de ses moyens. « Voilà un premier pas de fait », pensa-t-il.

Priana Pingault, vingt-neuf ans, veuve sans enfant, avait perdu son mari cinq ans auparavant. Celui-ci avait connu une fin tragique lors d'une expédition de chasse dans une forêt nordique. Elle avait quitté la région pour venir s'installer ici à Clodey. Avec ses économies, elle avait acheté cette grande maison où elle offrait chambres et pension.

La jeune veuve était une grande femme, robuste, mais sans lourdeur, à la silhouette fière et séduisante. Un regard assuré, une démarche volontaire et empressée projetaient l'image d'une femme forte, confiante et organisée. Entière, il lui arrivait quand un sujet l'interpellait d'élever sa belle voix chaleureuse pour émettre une opinion, ce qui intimidait parfois. Mais elle savait se rétracter de bonne grâce quand elle se rendait compte de ses prises de position trop hâtives.

Toujours vêtue sobrement, mais avec goût, elle aimait porter des vêtements qui soulignaient son côté grande dame. La logeuse affichait un visage au teint rosé. Ses yeux bleus rayonnaient de joie de vivre. Souvent elle chantonnait tout en travaillant. Elle avait gardé toutefois un regard empreint de nostalgie. Elle attachait ses longs cheveux châtains en queue de cheval dont elle tortillait le bout avec les doigts de sa main gauche durant ses rares moments de répit. Sous des dehors sérieux vibraient une âme généreuse et un cœur compatissant. Forte moralement, elle avait su faire face aux durs coups de la vie. La parole facile, elle voulait que ses mots répandent du bonheur autour d'elle. Les gens avaient beaucoup d'importance pour elle.

Priana Pingault tenait cette maison de chambres et pension pour gagner sa vie, bien sûr, mais c'était aussi sa façon d'être près des gens ordinaires. Elle était aussi engagée dans certaines œuvres de charité de la communauté. Priana faisait désormais partie du tissu social de Clodey. Elle était connue et aimée dans la région.

À la pension, Alexan expliqua à la dame Pingault qu'il s'établissait au bourg, qu'il cherchait une chambre avec pension et qu'il espérait trouver du travail ici à Clodey. La logeuse lui montra une chambre qui lui convenait très bien. Ils s'entendirent sur le coût de la pension et sur les modalités de paiement. Elle le mit au courant des heures de repas et de ce qu'il en coûtait pour le lavage et le repassage des vêtements.

Seul dans sa chambre, Alexan déposa ses choses sur le lit. Debout, il examinait son nouveau chez-soi. Cette pièce était aussi grande que celle qu'il occupait avec ses frères à la ferme. Un lit plus confortable que la paillasse qu'il avait toujours connue. Il remarqua la commode à trois tiroirs, un gros bol, un pichet à eau, des crochets au mur de chaque côté du meuble et une grande fenêtre avec un joli rideau. Sa chambre jouxtait la cuisine, le tuyau de poêle la traversait pour se rendre à la cheminée à l'avant de la bâtisse. « Tout cet espace pour moi tout seul et je ne gèlerai pas l'hiver comme à la ferme. » Alexan s'y sentait déjà chez lui.

La pension Pingault était une maison d'un étage, tout en longueur, perpendiculaire à l'avenue principale. Le toit de bardeaux percé de quelques lucarnes avait dû être refait un an après l'achat de la propriété. Les murs extérieurs avaient pris une teinte grise avec le temps. La nouvelle propriétaire avait fait peindre en mauve les murs avant et arrière. Un sous-sol creusé sous la cuisine servait de chambre froide. Deux marches avec leurs rampes menaient à l'entrée principale. On entrait en ouvrant une large porte en bois franc massif et verni, ornée d'une grande fenêtre de forme ovale finement décorée. Un long couloir traversait la maison sur la longueur en son centre. De chaque côté se trouvaient les pièces. En entrant, côté gauche, on comptait trois chambres, puis une grande cuisine ouverte. De l'autre côté de ce couloir, un salon ouvert, trois chambres dont celle de la propriétaire occupaient l'espace. Chaque pièce avait une grande fenêtre excepté les deux d'en avant qui en bénéficiaient d'une deuxième donnant sur la rue. La chambre de Priana jouissait elle aussi d'une deuxième fenêtre avec vue sur la cour arrière. La nouvelle propriétaire avait fait venir de sa région d'origine des tableaux illustrant des scènes de la vie nordique. Elle les avait suspendus avec goût aux murs nus du couloir.

La cour arrière était très grande. On n'y avait jamais construit de galerie. Une allée longeant la maison menait à cette cour en terre battue ouverte aux quatre vents. Priana l'avait fait recouvrir d'un fin gravier pour que le vent ne soulève plus de nuages de poussière qui se déposait partout et s'infiltrait même jusque dans la maison. Une longue remise occupait le fond de la cour, assez grande pour une voiture d'été et d'hiver. Il y avait aussi une stalle pour un cheval. Cette grande remise servait d'entrepôt pour le bois de chauffage et les divers outils pour l'entretien et le jardinage. La logeuse ne possédait ni cheval ni voiture. Elle n'en avait nul besoin pour le moment.

Priana avait fait aménager près de la maison derrière sa chambre un coin de verdure : du gazon, de petits sentiers en pierres des champs, des plantes qui fleurissaient à différentes périodes de la belle saison. Un trio de jolis bouleaux blancs et, dans un autre coin du jardin, un duo de lilas agrémentaient l'ensemble. Une table ronde assez lourde pour qu'elle ne s'envole pas à la moindre bourrasque pouvait accueillir huit personnes. Durant la canicule, la propriétaire aimait venir se rafraîchir dans son jardin. Les pensionnaires y étaient aussi les bienvenus. Quand le soleil tapait dru, le jardin se trouvait alors à l'ombre vu l'orientation sud-nord de la maison. Priana invitait la vieille maîtresse, la sage-femme et Thélya Coignaud à venir se joindre à elle. La présence de Gwenn Poncelet était toujours appréciée.

Après ses réflexions sur le confort de sa chambre, Alexan sortit de la pension et fila vers le magasin général où il n'avait jamais mis les pieds. Il entra, s'immobilisa, impressionné par cet espace ouvert : une seule grande pièce, le haut plafond, de grandes fenêtres sur les murs latéraux et de chaque côté de la porte d'entrée et quelques chaises mises à la disposition des clients. Des comptoirs longeaient trois des murs du magasin. Sur celui du fond, au milieu, une section se relevait pour laisser un passage. Derrière, une porte donnait accès au bureau du propriétaire. Au bout, à gauche, l'entrée de l'entrepôt. Sur le long comptoir de droite, perpendiculaire à la rue, on remarquait divers objets et surtout une balance dont le fléau et le plateau étaient ternis par l'usage.

Ce qui impressionna le plus Alexan, c'étaient sur le mur du fond toutes ces étagères chargées de gros bocaux remplis de fines herbes, de racines séchées, de cornichons salés et de poudres brillantes. On voyait aussi des boîtes métalliques de différents formats contenant d'autres produits et portant une étiquette identifiant le produit. Sous les comptoirs s'alignaient des tonneaux de différentes grosseurs et étaient empilés avec soin des sacs de sucre, de farine, de thé, etc. Sur les murs latéraux étaient accrochés divers articles.

Alexan remarqua un homme derrière le comptoir du fond penché sur un grand cahier ouvert. Il semblait vérifier de longues colonnes de chiffres. Le jeune homme s'avança vers lui.

— Excusez-moi, monsieur, êtes-vous le propriétaire ? s'informa-t-il.

— Oui mon jeune. Qu'est-ce que je peux faire pour toi ? demanda Gwenn Poncelet sur un ton légèrement intrigué.

— Je cherche du travail. Madame Cora Ingmar m'a conseillé de venir vous voir.

— Mais toi, qui es-tu ?

— Alexan DéMouy.

— Le plus vieux des fils d'Elphège DéMouy du rang de la Rosée céleste ?

— Oui, monsieur.

— Que fais-tu ici ? s'exclama celui-ci encore plus intriqué.

— Aujourd'hui, c'est le premier jour de mes dix-huit ans. J'ai quitté la ferme familiale pour de bon. Je veux vivre ma vie à moi, et ça commence ici à Clodey. J'ai ma chambre chez la veuve Pingault. Je suis bon travaillant.

— Ça, j'en doute pas. Bien bâti comme tu es et un DéMouy en plus. Tu peux commencer tout de suite si tu es prêt, lui proposa Poncelet.

— Oui, répondit Alexan, surpris et ravi de cette offre inattendue.

— Tu rejoindras, à l'entrepôt, mon employé Loïc Bouïdon. Lui aussi a quitté la ferme familiale à ses dix-huit ans pour faire sa propre vie, il y a deux ans déjà. Tu l'assisteras dans le travail qu'il est en train de faire. Viens, je vais te présenter.

— Merci. Une autre question, monsieur, osa Alexan.

— Oui, je t'écoute, dit-il en fronçant les sourcils.

— J'aimerais rencontrer Éloï Coignaud.

— Tu tombes en plein sur le bon gars avec qui parler. Lui, il s'est toujours intéressé au vaste monde, mais il ne veut pas partir, il se trouve bien parmi nous.

— L'institutrice m'a dit qu'il venait ici de temps en temps.

— Exact ! Quand il viendra, peut-être aujourd'hui même, ça me fera plaisir de te le présenter.

— Merci, monsieur, dit Alexan tout enchanté de la tournure des événements.

Poncelet emmena Alexan dans l'entrepôt.

— Loïc, viens ici que je te présente ton nouveau compagnon de travail, Alexan DéMouy. Tu vas lui montrer le travail à faire ici et dans le magasin. Et comment accueillir les clients.

— Bonjour, Alexan, salua l'employé en lui tendant la main.

— Content de te rencontrer, enchaîna le nouveau venu serrant la main du commis.

— Bienvenu dans la famille. Je vais tout t'enseigner, ce n'est pas sorcier.

— Bon bien, je vous laisse, dit le propriétaire en retournant dans le magasin.

Ce matin-là, il fallait sortir la marchandise des boîtes du dernier arrivage et tout placer. Alexan apprendrait vite : la place des divers articles, les prix, le service à la clientèle, l'usage de la balance, etc.

Loïc Bouïdon était le frère de Pépa Bouïdon qui deviendrait la femme d'Axel Bouïos. Une taille moyenne, une forte carrure, des membres solides faits pour le travail de la terre, mais ça ne lui convenait pas, Loïc était trop distrait, trop rêveur. Il avait les cheveux noirs, courts et touffus, toujours en broussaille. Visage rond, le regard absent. Taquin, il aimait rire. Ce qui frappait chez lui, c'était son imagination débridée. Peu porté sur le bavardage. Respectueux, il disait toujours monsieur, madame aux clients, clientes du magasin. Altruiste, il pouvait élever la voix quand il avait ouï-dire d'une injustice commise envers les plus démunis de la communauté. Le jeune commis avait besoin de temps libre pour satisfaire sa passion d'imaginer, puis dessiner et redessiner de nouveaux outils et engins qui pourraient simplifier la vie quotidienne de ses concitoyens. Au moment de sa rencontre avec Alexan, il travaillait sur un projet qui lui tenait à cœur: un mécanisme qui tirerait l'eau potable du sous-sol. Il avait bien d'autres esquisses dans ses cartons.

Tout en plaçant des boîtes sur les étagères de l'entrepôt, Alexan revoyait son premier contact avec Gwenn Poncelet. « Pour la première fois de ma vie, on m'a parlé d'homme à homme. » C'était tout nouveau pour lui et très valorisant. Dans l'après-midi, Alexan eut la chance de rencontrer le paysan-poète au magasin. Gwenn fit les présentations. Les deux hommes se serrèrent la main. Une sympathie réciproque s'installa entre eux. Éloï Coignaud invita le nouveau commis à passer chez lui en début de soirée. Il habitait le chemin de la Rivière cachée à l'ouest du bourg.

Après un léger souper chez sa logeuse, Alexan DéMouy se rendit chez le paysan-poète. Un bon marcheur pouvait s'y rendre à pied en moins d'une heure. Il se hâta, c'était déjà la nuit tombante. Il faisait beau, Alexan se sentait bien, il respirait à pleins poumons cet air frais de fin d'avril. En arrivant chez les Coignaud, il frappa, Éloï vint lui ouvrir.

— Salut! Entre, viens que je te présente ma femme Thélya et nos deux grands enfants.

Ils allèrent rejoindre Thélya à la cuisine. Éloï fit les présentations.

— Bonsoir, heureuse de faire votre connaissance, lui dit-elle en lui offrant la main. Installez-vous dans la bibliothèque. Les enfants vont monter dans leur chambre, puis je prépare le thé. On vous attendait, monsieur DéMouy.

— Merci, c'est gentil, articula-t-il d'une voix faible, tout ému d'avoir été appelé monsieur pour la première fois.

Les deux hommes se retrouvèrent assis confortablement dans la pièce où Éloï s'était aménagé une bibliothèque dans un coin. Au fil des ans, le paysan-poète s'était monté un cabinet de lecture humaniste, c'est-à-dire qui traitait de la vie, de l'être humain et de sa mission sur terre. Thélya servit le thé.

— Alors, raconte ce qui t'arrive, jeune homme, lança Éloï d'entrée de jeu.

— Je viens d'avoir dix-huit ans, commença Alexan ; j'ai quitté ce matin la ferme familiale. Je ne veux plus de cette vie-là qui m'étouffe. Je veux chercher et trouver ma destinée, ici ou ailleurs. Vos conseils et vos suggestions de lecture me seront d'une grande inspiration, je crois.

— Toute une démarche que tu entreprends !

— Oui, j'en suis conscient, je me sens appelé à une autre vie où je me sentirais vraiment utile.

— Je te comprends, mais c'est nouveau tout ça ?

— Non, j'y pense tous les jours depuis que mon père m'a refusé la permission de continuer mes études après le primaire. J'ai toujours eu en moi le pressentiment que quelque chose de beau et de valorisant m'attendait quelque part.

— Je te félicite de ne pas avoir laissé tomber ton idéal.

— J'attends beaucoup de vos conseils et de ceux de la maîtresse d'école retraitée.

— Je vais t'encourager et t'éclairer du mieux que je pourrai.

— Vous allez peut-être me trouver un peu écervelé, dit Alexan d'une voix mal assurée.

— Pas du tout, le rassura ce dernier. Moi aussi, j'ai eu ce genre questionnement à ton âge. J'avais d'abord cru entendre l'appel des pays lointains, mais avec les lectures, la réflexion et la méditation, j'ai compris que c'était dans ce coin-ci de pays que je serais le plus utile. Ma vie est dans cette communauté maintenant.

— Je suis bien content que vous me compreniez.

C'est alors qu'Éloï se leva, alla à sa bibliothèque, en sortit un livre, revint vers son invité et lui tendit le livre.

— Tu amorceras ta réflexion avec la lecture de ce premier livre — la Vie, en trouver le Sens —, lui suggéra-t-il. Un soir par semaine, disons le lundi soir, tu viendras en discuter.

— Merci, je n'y manquerai pas, lui promit Alexan en prenant le livre.

Éloï parla un peu du contenu de ce livre et de la démarche proposée. Thélya apporta une deuxième tasse de thé. « Ce thé est le plus savoureux que j'aie goûté », complimenta le jeune invité. « Merci, fit l'hôtesse, ce sont nos fines herbes qui en relèvent le goût. »

Après un moment, Alexan se leva, remercia ses hôtes, les salua. « Je dois rentrer, il commence à se faire tard », dit ce dernier. « On t'attend lundi prochain », lui rappela Éloï. « Je serai là, n'ayez crainte. »

Il y avait un beau ciel bleu pour une deuxième nuit de suite. Les étoiles lui souriaient, la lune éclairait sa route. Il marchait lentement, goûtant le nouveau bonheur qui l'emplissait. Il se sentait dorénavant appuyé d'en haut et d'en bas. « Une première journée bien réussie et ce ne sera pas la dernière. » Le jeune homme retrouvait déjà un peu de cette confiance ingénue qui l'avait habité, enfant. Il ne regrettait nullement son départ précipité et définitif de la ferme, la vie s'ouvrait devant lui…

6

Les jours, les semaines, les mois passaient. Et Alexan s'acclimatait bien à sa nouvelle vie et à son travail au magasin général. Son compagnon de travail, Loïc, lui avait enseigné les rudiments de sa tâche et il avait appris rapidement : l'emplacement et le prix des divers articles, le coût à la livre de certaines denrées et l'utilisation de la balance. Il ne fut pas nécessaire de lui répéter les mêmes explications. « J'ai pu constater, Alexan, que tu te débrouilles bien avec la clientèle », lui avait dit un jour le propriétaire, « lâche pas, mon jeune homme. » Ce compliment l'avait touché et l'avait encouragé à mettre encore plus de cœur à l'ouvrage.

Alexan s'était vite familiarisé avec la marche à suivre pour inscrire clairement dans un grand cahier noir le montant des ventes à crédit. Le débiteur devait apposer ses initiales à côté du montant du crédit accordé pour son dernier achat. Certains clients comme les Bouïos, le docteur et le notaire n'avaient pas à se soumettre à cette règle.

L'employé novice se sentait de plus en plus à l'aise avec la clientèle. Il arrivait qu'on attende, surtout la clientèle féminine, pour être servi par lui. Cette marque d'estime lui faisait bien plaisir et l'aidait à rebâtir sa confiance. « Je dois faire quelque chose de bien ici puisqu'on demande d'être servi par moi », se répétait-il souvent. Le propriétaire voyait ça d'un bon œil. Des clientes s'attardaient parfois et allongeaient la liste de leurs achats. Elles voulaient profiter un peu plus longtemps de la présence de ce charmant commis qu'elles disaient.

— Bon travail, mon Alexan, le félicitait le propriétaire à la fin d'une journée bien occupée en lui donnant une tape amicale sur l'épaule.

— Merci, monsieur Poncelet, je suis bien content de travailler pour vous, répondait celui-ci, gêné, peu habitué qu'il était aux compliments.

Alexan avait commencé à changer depuis son départ de la ferme. Il avait toujours le sourire aux lèvres à part les moments où remontaient les souvenirs déchirants de ses cinq dernières années. Il n'avait plus à penser à redresser les épaules, c'était désormais une habitude acquise. Ses beaux cheveux blond foncé allongeaient. Il les voulait aux épaules.

L'employé apprenti s'entendait bien avec son compagnon de travail, Loïc Bouïdon. Il aimait bien son côté rêveur et engagé dans la défense des droits des démunis. Ils avaient souvent de longues discussions après le travail ou lors d'une marche après le souper. Loïc avait chambre et pension chez un couple de retraités dans la ruelle du Temps enfui. Mais c'était sa relation avec son employeur qui réjouissait le plus Alexan. Ce dernier n'avait jamais eu l'impression d'avoir affaire à un patron qui lançait, d'une voix froide et forte, des ordres à un subalterne qui devait se soumettre sans rien dire. Ça ressemblait davantage à une relation égalitaire. Gwenn Poncelet n'avait jamais dit: « Aujourd'hui, tu vas faire... » Mais plutôt: « J'aimerais que tu... et après, si tu veux bien... » Une leçon d'humanisme qu'Alexan n'oublierait jamais.

Une hantise avait accompagné Alexan un bout de temps depuis son embauche au magasin général: se retrouver face à face avec son père. Il se refusait à imaginer ce qui pourrait arriver. « Je ne tolérerai plus jamais qu'il m'apostrophe comme il le faisait.» La meurtrissure était toujours aussi présente, toujours aussi douloureuse. Mais Alexan s'était inquiété inutilement. Son père avait décidé de ne plus remettre les pieds au magasin général de peur d'y rencontrer son fils déserteur comme il l'appelait. Il craignait de s'emporter et de faire une scène en public. Accompagné des autres membres de la famille, la messe du dimanche serait sa seule sortie à Clodey.

Le père DéMouy envoyait désormais son fils Loïs faire les commissions une fois par semaine avec la recommandation de ne pas donner de nouvelles de la famille à son frère. Mais les deux frères s'étaient rencontrés au magasin et ils s'étaient parlé. Le plus jeune avait accepté de répondre aux questions de son aîné au sujet de sa mère et des jumeaux. Quand Alexan apprit que son père ne viendrait plus au magasin aussi longtemps qu'il y travaillerait, ça lui avait enlevé tout un poids des épaules.

L'été tirait à sa fin, les jours rapetissaient. Au magasin, le travail ne manquait pas. Alexan devait souvent sortir pour aller porter un sac dans le boghei d'une cliente. Et ce faisant, il écoutait distraitement ce que racontaient les fumeurs de pipe assis sur le banc mis à leur disposition. Un jour, Alexan avait dû transporter un gros sac de farine.

— Il est fort notre jeune DéMouy, vous trouvez pas, père Paillé, commenta le vieux Virard la pipe à la main.

— Ouais, c'est à la ferme qu'il s'est fait de bons bras comme ça, rajouta celui-ci.

— Mais il paraît qu'il aimait pas ça, le travail de la ferme, et qu'il rêvait d'une autre vie.

— Ce qui fait que Poncelet est ben content de l'avoir, il met de la vie dans le magasin. Regardez-moi toutes ces dames qui arrivent avec le sourire aux lèvres, ironisa Paillé.

— C'est ben vrai. D'après moi, Poncelet a dû augmenter son chiffre d'affaires, en conclut le vieux Virard.

— Ouais, je gagerais ma chemise là-dessus, approuva l'autre.

Alexan les saluait, se contentant de leur sourire. « Bonne pipée, messieurs. »

Paillé et Virard étaient les deux fumeurs de pipe les plus assidus du magasin général. Le père Paillé était le doyen. Il dépassait les soixante ans. Il avait de la difficulté à se déplacer si bien que l'hiver, il ne sortait pas. L'été, les jours de beau temps, on le trouvait sur le banc du magasin général. Son sourire occasionnel laissait paraître les quelques dents qu'il lui restait. Il avait le cheveu rare, mais la moustache blanche bien fournie. Une cicatrice discrète courait sur sa joue droite. Il n'avait jamais voulu expliquer où et comment il s'était infligé cette blessure. D'habitude, c'est lui qui prenait d'abord la parole. On le laissait donner son opinion avant d'intervenir.

Le père Virard, plus jeune, pouvait se déplacer encore assez bien pour son âge. On l'avait surnommé midi moins cinq à cause d'une infirmité de naissance : sa tête penchait à droite. Ça lui avait pris des années à s'habituer à son défaut de naissance et encore plus, à ce sobriquet. Il avait encore beaucoup de cheveux tout blancs. Ventru, il mangeait et buvait trop depuis sa retraite. Son seul exercice était de venir au magasin général. Il aimait bien parler avec le père Paillé. Ils s'entendaient comme larrons en foire.

Un jour, Alexan s'était arrêté pour écouter ce que racontait le doyen fumeur de pipe, le père Paillé. Ce dernier disait que, dans le temps, on savait s'amuser à Clodey, qu'il y avait des fêtes d'organisées. Alexan voulut en savoir plus.

— Qu'est-ce que c'était ces fêtes organisées ? demanda celui-ci.

— Dans le grand jardin communautaire, les gens fêtaient en juin le Solstice d'été et fin septembre, l'Équinoxe d'automne. C'était aussi la kermesse agricole. Les producteurs maraîchers et les artisans montaient leurs kiosques et offraient leurs produits. Mais c'est ben loin tout ça.

— Et pourquoi est-ce que ça s'est arrêté ? demanda Alexan, surpris.

— Nos robes noires ont tout fait fermer, répondit le doyen d'un ton emporté.

— Mais de quel droit ?

— Au nom de la moralité publique et des bonnes mœurs, fit le vieux Paillé avec une moue dédaigneuse.

— Puis on a laissé faire ça ! réagit Alexan d'une voix courroucée.
— Pas n'importe qui peut s'opposer à ces maîtres des consciences.
— Et personne n'a osé, dit Alexan, désillusionné.
— Ouais, c'est ça, mon jeune. Personne n'a eu le courage de se tenir debout, approuva d'une voix forte le père Virard.

Alexan ne s'attarda pas, il en avait assez entendu. Il rentra, du travail l'attendait. « Ces ministres du Culte se croient permis d'interdire au peuple de s'amuser un peu, même innocemment. Bien injuste ça ! » s'indignait le jeune employé en montant les quelques marches menant à la galerie longeant le devant du magasin.

Puis vint la première chute de neige : de beaux gros flocons tombant tout doucement. Cette première neige réjouissait immanquablement les enfants, mais inquiétait toujours les vieux. Ces derniers ne pouvaient s'empêcher de penser à ce qui les attendait : le long et dur hiver avec tous ses ennuis.

Au grand bonheur de son compagnon de travail qui pouvait avoir plus de congés, Alexan travaillait sept jours par semaine. Il mettait de l'argent de côté. Ses économies étaient déposées chez le notaire à la fin de chaque mois. Gwenn Poncelet lui faisait maintenant assez confiance pour lui donner des responsabilités telles que fermer le magasin le soir ou l'ouvrir le matin de temps en temps. Cette responsabilité entre autres aidait Alexan à rebâtir sa confiance. « Je dois être capable de bien faire les choses contrairement à ce que me disait mon père puisque le propriétaire me confie les clés du magasin », prenait plaisir à se répéter le jeune homme.

Alexan rencontrait régulièrement la vieille maîtresse et son conseiller, Éloï Coignaud, qui lui suggérait de nouvelles lectures. Après le souper à la pension, il allait marcher et méditer. Parfois Loïc, son compagnon de travail, l'accompagnait. Ils partageaient leurs réflexions.

La période des fêtes approchait. L'atmosphère était des plus joyeuses au magasin. Gwenn Poncelet avait reçu les arrivages de la période des fêtes : des oranges, des confiseries et une grande variété de petites douceurs. Toute cette ambiance de grande gaieté attristait Alexan. Ça lui rappelait un souvenir bien douloureux. Ces dernières années, lui et ses frères n'avaient reçu ni cadeaux ni douceurs. Il n'y avait que les desserts de leur mère. « On en a plus les moyens », disait leur père. « Mais, lui, il fumait toujours », se rappelait le fils aîné.

Alexan n'avait nulle envie d'aller dans sa famille même s'il recevait une invitation par l'entremise de son frère Loïs. Ça le peinait pour sa mère qui aimait bien avoir tous ses enfants près d'elle à cette occasion. S'il se présentait, Alexan savait qu'il y aurait de la chicane qui pourrait dégénérer et il voulait éviter ça à sa mère. « Après tout, ça sera une seule journée à passer, difficile, oui, mais une seule journée », se répétait-il en essayant de se convaincre que ce ne serait pas trop pénible. Mais ça l'avait été. « Ça doit être ça devenir un homme : être capable d'être seul et souffrir sans s'écrouler. »

Le nouveau commis faisait de longues heures au magasin. Ses nombreux et joyeux échanges avec la clientèle l'aidaient à chasser ses pensées tristes. Et à la pension, la logeuse avait décoré et annoncé un menu différent. Il y aurait du cidre. Quelques pensionnaires allaient rester durant cette période. Alexan ne se sentait pas isolé. La veille du Premier de l'an, c'est la vieille maîtresse qui l'avait invité à souper. Elle avait décoré sa petite maison et elle avait cuisiné comme elle ne l'avait pas fait depuis des années. La présence de son ancien élève fut son plus beau cadeau. Celui-ci avait apporté des petites douceurs. Elle avait été très touchée par le mot qu'il avait composé à son intention sur cette carte qu'il s'était procurée au magasin général : *Merci à celle qui jadis a éclairé mes premiers pas dans la découverte de la connaissance et qui est encore un phare dans la recherche de ma voie.*

Éloï Coignaud et sa femme invitèrent Alexan à leur souper familial du Premier de l'an. Les vieux parents du paysan-poète y étaient. L'invité apporta des friandises aux enfants. Il offrit à la maîtresse de maison un joli peigne de corne de la couleur de ses yeux. Il avait remarqué que Thélya en avait de différentes formes et de différentes couleurs qu'elle utilisait pour attacher ses longs cheveux. Cette délicatesse avait beaucoup touché l'hôtesse. Elle n'oublierait pas. Chez les Coignaud, Alexan avait pu observer une famille heureuse. Il avait compris ce que pouvait être une fête de famille joyeuse où tout se passait dans la joie et le respect de l'autre. « Si j'ai une famille, un jour, et je l'espère, c'est ainsi que ça va être chez moi. »

Le lendemain, la logeuse eut trois pensionnaires à sa table pour le souper, dont Alexan. Cette dernière était bien contente, car elle n'aimait pas, elle non plus, être seule durant cette période de l'année. Après le repas, tous se retrouvèrent au petit salon, bien décoré pour l'occasion, pour prendre un thé et puis continuer à boire à petites gorgées du cidre d'automne.

Priana Pingault avait fait rénover et remeubler à son goût cette pièce pour la rendre accueillante. Un lieu où elle venait se relaxer, réfléchir, se remémorer les moments heureux vécus avec son défunt mari. Elle pouvait le faire maintenant sans amertume. Elle s'y adonnait à ses passe-temps favoris : la lecture, le tricot, le crochet, la conversation.

On entrait dans le salon par deux portes vitrées de bois franc gardées ouvertes. Un grand miroir de forme ovale avec bordure argentée habillait chacun des murs de côté. Ce qui accrochait d'abord le regard, c'était le foyer que Priana avait fait construire, une belle structure de briques rouges qui se prolongeait en une cheminée qui traversait le plafond et sortait par le toit en pente. L'âtre était assez grand pour y entretenir un bon feu durant les soirées d'hiver. Devant le foyer se trouvait une plaque de métal protégeant le plancher de bois franc. D'un côté, il y avait le bac à cendre avec sa pelle. De l'autre, un anneau de métal fixé à la structure dans lequel on insérait les outils : le tisonnier et la pince à bûche. Un tablier métallique refermait l'entrée du foyer quand il était éteint afin d'éviter les courants d'air qui soufflaient la cendre et la suie. Sur la tablette de la cheminée, la maîtresse des lieux avait posé quelques bibelots et, au centre, un grand vase en terre cuite, œuvres artisanales trouvées à la boutique d'art du bourg de Clodey.

Deux grandes fenêtres, une de chaque côté de la cheminée, laissaient entrer plein de lumière. Les jolis rideaux confectionnés par Priana tamisaient les chauds rayons du soleil de l'après-midi. De chaque côté du foyer, un fauteuil, et le long du mur de droite, un canapé à trois places avec accoudoirs rembourrés invitait les visiteurs. En face du canapé, de l'autre côté de la pièce, sous le miroir, on pouvait admirer un imposant buffet vitré en noyer. Enduit d'un vernis transparent, son bois avait conservé sa couleur naturelle. La propriétaire y gardait son argenterie et quelques plats de porcelaine hérités de sa grand-mère. Sur le meuble, trônait sur un joli napperon blanc finement crocheté une horloge sur pied dont le ronron apaisant scandait les moments heureux passés en ce lieu.

Au centre de la pièce était étendue une carpette de forme ronde que Priana avait confectionnée elle-même. Ses couleurs chaudes se mariaient bien à celles des boiseries et des meubles. Une petite table où trônait une lampe à l'huile occupait le centre de cet espace. Dès la tombée de la nuit, cette lampe était allumée pour faire comprendre que le salon était ouvert à tous. À l'entrée, à droite, il y avait un autre fauteuil. Dans le coin gauche, c'était là que la propriétaire avait sa berçante des plus confortables si bien que, certains soirs, il lui arrivait de fermer l'œil sur sa lecture. Près de chaque siège, une petite table où l'on trouvait une chandelle fixée sur son bougeoir et un éteignoir. Le bougeoir sur la table de la propriétaire était muni d'une assiette métallique brillante devant laquelle brûlait la chandelle, ce qui intensifiait sa luminosité.

Ce salon, c'était la pièce préférée de Priana, là où elle venait se détendre et s'évader un moment de son quotidien…

L'hôtesse versa encore du cidre. Des bûches d'érable s'embrasaient dans le foyer et laissaient entendre un joyeux crépitement. Après un deuxième verre, Alexan se retrouva seul avec la logeuse, les deux autres s'étant retirés.

— Vous avez fui la ferme, vous n'aimiez pas ce travail, je crois. Vous n'en avez jamais parlé, mais les rumeurs, vous savez... Est-ce que vous aimeriez en parler ce soir ? demanda Priana.

— Oui, je veux bien, répondit-il, en confiance et détendu par ces quelques verres de cidre.

— Vous êtes resté ici pendant la période des fêtes. Vous en voulez encore beaucoup à votre famille ?

— À mon père. Il m'a gardé prisonnier pendant cinq ans. Je voulais continuer mes études, il a refusé.

— Et votre colère à son égard est toujours aussi vive. Et je présume que vous aimeriez vous libérer de ce sentiment que vous arrivez de plus en plus difficilement à refouler.

— Oui, c'est bien ça. Mais comment est-ce qu'on se libère d'un tel poids ? Je ne me vois pas traîner ça toute ma vie. Ça va m'empêcher de me réaliser comme personne.

— Ça serait sûrement un frein. Et vous n'êtes pas le genre d'homme à être commis de magasin toute votre vie.

— Non. Je veux faire autre chose, mais je ne sais pas encore quoi.

— Mais pour trouver votre voie, il vous faudra voir clair en vous, et avant tout, vous débarrasser de ce fardeau émotif qui vous écrase.

Priana raconta une tranche douloureuse de sa vie. Elle s'était sortie de son enfer émotif en s'exilant à Clodey, à sept jours de route de chez elle. Là-bas, dans son village, elle devait côtoyer ceux dont la négligence flagrante avait causé la mort de celui qu'elle aimait, celui qui était le centre et la lumière de sa vie. C'était horrible. Chaque jour ressurgissait le même souvenir qui lui transperçait le cœur. Elle aurait voulu pardonner, oublier. Impossible, elle baignait jour après jour dans les mêmes émotions déchirantes. La veuve éplorée vivait avec la haine au cœur et le désir de vengeance au ventre.

Puis un jour, un vieil homme, qui avait survécu à presque tous les malheurs qui pouvaient s'abattre sur l'être humain, lui avait conseillé de partir, seule, vers le Sud et de refaire sa vie. Il lui fallait selon lui mettre de la distance entre elle et le lieu où le malheur l'avait foudroyée. Elle l'avait écouté. Et à Clodey, elle avait acheté cette maison et elle avait fini par retrouver la joie de vivre.

— Si je vous comprends bien, reprit Alexan, vous me suggérez de m'exiler pour arriver à m'extirper de ces émotions qui m'étouffent.

— Je vous ai fait part de mon vécu. Je vous vois, c'est vrai, un peu plus épanoui qu'à votre arrivée ici, mais selon moi, vous ne serez jamais libéré de ce poids moral qui vous hante si vous restez dans la région où vous avez accumulé pendant des années tant de frustration et de rancœur. Il vous faudra pardonner, pas oublier, car on n'oublie jamais, mais accorder votre pardon.

— Je me demande si j'y arriverai un jour, soupira Alexan.

— Sûrement pas si vous restez ici à ruminer trop souvent ce que vous avez vécu. Remarquez que je n'aimerais pas perdre un de mes meilleurs pensionnaires.

— Merci, pour tout, madame : le bon repas, le cidre et surtout la conversation. Si vous permettez, je vais me retirer. Je veux aller marcher un peu, réfléchir à tout ça, puis me coucher pas trop tard. J'ouvre le magasin demain matin.

— Allez, Alexan, laissez votre tasse et votre verre, je m'en occupe. Bonne nuit.

— Bonne nuit à vous aussi et merci encore.

Alexan se leva, alla dans sa chambre s'habiller et se chausser chaudement pour aller marcher au froid, un froid mordant qui l'aiderait à faire passer l'effet de l'alcool et à mettre un peu d'ordre dans ses idées qui tourbillonnaient un peu trop à son goût. « M'exiler au loin pour me libérer et trouver ma voie. Je n'avais pas encore pensé à ça. J'ai des économies, je pourrais travailler chemin faisant. Une fois guéri, je trouverais le coin où m'établir pour bâtir ma vie et fonder une famille. »

Le jeune pensionnaire fit le tour du bourg qui s'endormait. Les lumières, les unes après les autres, s'éteignaient aux fenêtres. Il rentra, il espérait pouvoir s'endormir rapidement. Tout se bousculait dans sa tête...

Les fêtes passées, la vie reprit son cours à Clodey. On retrouvait sa routine, cette routine parfois monotone, mais rassurante. Alexan se remit au travail, ce travail qui lui apparaissait de plus en plus comme temporaire. Les propos de sa logeuse sur l'exil lui trottaient en tête et ça le préoccupait. « Est-ce que j'aurai d'autres décisions difficiles à prendre dans un futur proche ? » Alexan, toutefois, aimait bien son travail. Ce travail, qui l'obligeait à côtoyer les gens, avait fait naître et grandir en lui ce désir d'aider ses semblables. Mais aider davantage que de simplement trouver un produit manquant. Il lui faudrait être mieux outillé pour accomplir cette mission. « Là est ma destinée, je le sens, mais où trouver les outils requis ? » Il en discuterait avec le paysan-poète.

Un matin de février, Alexan se réveilla en sursaut. Il avait mal dormi, d'un sommeil non réparateur. Un long cauchemar. Il avait vu et revu sa mère, sa vie difficile, ses rares occasions de réjouissances. Et lui, en quittant la ferme, avait alourdi son douloureux fardeau. Elle était résiliente, elle allait sûrement tenir le coup. Elle s'occupait avec cœur de sa famille, tenait bien maison, sans relâche. Mais où était sa récompense pour tant d'efforts ? Alexan repoussa les couvertures, s'assit sur le bord du lit, le visage dans les mains, les coudes appuyés sur les cuisses. « Pardonnez-moi, maman, je ne serai pas là aujourd'hui pour vous souhaiter bonne fête et les autres ne vont pas y penser. »

Ce jour-là, c'était l'anniversaire de naissance de sa mère, elle aurait quarante et un ans. Personne ne lui souhaiterait *bonne fête, maman*. Et pourtant, elle soulignait l'anniversaire de chacun de ses enfants. Quant à son mari, il ne voulait plus rien savoir de ces attentions. Alexan avait pensé lui écrire, mais son père s'en rendrait sûrement compte et lui ferait une scène. C'étaient les jumeaux qui ramassaient le courrier dans la boîte aux lettres au chemin. Et quand il y avait du courrier, ils revenaient vers la maison en criant chaque fois : « Papa, maman, papa, maman, on a une lettre, on a une lettre ! »

Ce matin-là, Alexan se demanda l'espace d'un instant s'il avait bien fait de quitter la ferme. Il avait causé à sa mère une grande souffrance et il lui en imposerait une bien plus grande s'il décidait de s'exiler encore plus loin. Quant à son père, il ne pourrait pas être plus enragé contre lui qu'il ne l'était déjà.

Alexan se leva d'un bond. « Non, j'ai fait pour le mieux, je ne reviendrai plus jamais sur ma décision. J'ai le droit de vivre ma vie. Ma mère était déçue, je l'ai vu dans ses yeux quand mon père m'a refusé la permission de poursuivre mes études, mais je suis sûr qu'elle approuve mon choix. » Le jeune pensionnaire fit un brin de toilette. L'eau froide le calma et le ramena à la réalité. De bonnes odeurs lui parvenaient de la cuisine par les interstices de l'ouverture où passait le tuyau de poêle. Il s'habilla pour aller prendre son déjeuner. Les quatre autres pensionnaires étaient déjà attablés. « Assieds-toi, Alexan, on t'a gardé ta place », lança le doyen des pensionnaires, Modeste Desmet.

Modeste Desmet était un homme de taille moyenne, puissant de poitrine, les mains et les bras noueux. Chauve sur le dessus de la tête, il laissait allonger les cheveux gris qui lui restaient pour couvrir ses trop grandes oreilles. Ses yeux globuleux retenaient l'attention. Il avait un tic nerveux — il clignait trop souvent de l'œil droit — et ça dérangeait ses interlocuteurs. Quand on n'était pas habitué à son tic, on avait du mal à se concentrer sur sa conversation. La peau du visage plissée par l'ennui. Modeste Desmet était resté célibataire. Jeune, il n'avait jamais attiré les filles. « Et quant à marier une pas belle, aussi bien rester vieux garçon », s'était-il toujours répété. Ça l'avait rendu un peu amer, mais il s'efforçait d'être sociable. Homme à tout faire, il vivait de petits travaux. Il n'avait jamais manqué d'ouvrage. Il avait déjà été engagé par Gwenn Poncelet et la logeuse. L'homme était devenu bavard, un bavard intarissable. Il croyait qu'un flot de paroles ferait oublier son apparence rebutante. Son plaisir était de faire parler et de commenter sans gêne et sans restriction ce qu'on lui racontait. Il était un peu frustré de ce temps-là. Les trois autres pensionnaires nouvellement arrivés à Clodey, gênés, s'exprimaient peu. Et Alexan n'avait pas envie d'étaler sa vie devant des étrangers. Priana, heureusement, savait habilement changer le sujet d'une conversation.

— Merci, dit Alexan en prenant sa place.

Ce dernier s'efforça de s'intégrer à la joyeuse conversation matinale, animée ce matin-là, par la logeuse. Celle-ci avait préparé une omelette au jambon. Alexan mangea avec appétit. Après le déjeuner, le commis alla au travail avec le sourire. Les gens en avaient besoin, de son sourire, lui le premier. Et ses épaules restaient bien droites.

Cette année-là, dame Nature avait été généreuse. Le beau temps s'était installé en février et il persista si bien que dès la mi-mars plusieurs acériculteurs commencèrent à entailler leurs érables. Le seul souvenir qu'Alexan gardait du temps des sucres, c'était quand il veillait à la cabane à sucre. Il n'avait alors qu'à entretenir le feu sous le grand réservoir. À chaque fois, il avait été émerveillé par la transformation de la sève en sirop, par la lente évaporation de l'eau que celle-ci contenait. Plus on le chauffait, plus ce sirop devenait épais, foncé et sucré. Quand il lui arrivait par courts moments d'être seul devant le grand réservoir, il avait l'impression d'être plongé dans un monde irréel où les dieux venaient distribuer quelques douceurs aux humains. Mais ces moments sublimes ne duraient que de quatre à six semaines. Après, c'était le retour à l'amère réalité. Il lui fallait alors s'enliser à nouveau dans sa routine impitoyable et sans âme.

Alexan n'irait pas à la cabane à sucre l'année de ses dix-huit ans…

Durant le temps des sucres, c'était bien occupé au magasin général. Gwenn Poncelet achetait une bonne partie de la production de sirop d'érable de la région. Il offrait toujours un bon prix et payait comptant. Il retenait cependant un montant à ses clients dont la balance de crédit était un peu trop élevée. Le sirop d'érable, c'était une manne providentielle pour les paysans qui en produisaient. Gwenn Poncelet pouvait se permettre d'acheter le sirop à bon prix parce qu'il l'exportait vers les centres urbains du sud où c'était considéré comme un produit de luxe.

C'était très lucratif, ça lui permettait de consentir beaucoup de crédit à ses clients.

La saison des sucres amenait un surcroît de travail harassant et des journées de travail plus longues. Il fallait charger et décharger de lourds contenants. Après le souper, Alexan n'avait plus assez de temps pour se rendre chez son conseiller, Éloï Coignaud. Une marche aller-retour de presque deux heures.

C'est au début d'avril qu'Alexan connut des nuits hantées par les souvenirs malheureux de ses cinq dernières années à la ferme. Cauchemar récurrent. Toutes ses émotions refoulées tant bien que mal à l'état de veille ressurgissaient dans toute leur rigueur durant ces nuits cauchemardesques. Il y avait la déception amère, la rancœur tenace, la colère sourde et inassouvie, le désir inavouable et obstiné de vengeance, la peur de rater sa vie. Et ce qui était le plus déchirant : la honte de porter au fond de lui toutes ces émotions extrêmes. Ces images nocturnes lui transperçaient le cœur et l'épuisaient. Il se voyait dans un cul-de-sac. « Je ne m'en sortirai jamais. » À chaque fois que cette phrase assassine résonnait, Alexan se réveillait en sursaut, agité, couvert de sueur, brûlant de fièvre, le souffle court. Il se levait, marchait dans sa chambre, prenait de grandes respirations pour se calmer. Après un long moment, il se recouchait, il arrivait difficilement à se rendormir. Parfois, c'était l'insomnie.

Durant ces semaines d'enfer, Alexan se jeta à corps perdu dans son travail. Il s'efforçait de ne rien laisser paraître. Le soir, épuisé, il se couchait, mais toujours avec la même hantise de ce qui pourrait survenir durant la nuit.

Quelques semaines plus tard, durant une de ces nuits orageuses, Alexan fut arraché de son sommeil par cette même phrase cruelle. Il se redressa péniblement sur sa couche. La tête entre les mains, les coudes appuyés sur ses genoux relevés, Alexan pleura… et pleura… Et puis, tel l'éclair qui frappe, la solution, sa solution, s'imposa. Ce fut un cri intérieur : « Assez ! C'en est assez ! J'en peux plus ! Je vais partir, quitter ce lieu. J'irai au bout du monde s'il le faut. Je vais plus m'enfoncer davantage dans cet abîme. Je cheminerai jusqu'à ce que je trouve la guérison. » En quittant la ferme, Alexan avait ressenti une certaine libération, mais là, il réalisait qu'il devait s'éloigner davantage pour s'affranchir de ses démons. Cette décision lui fit du bien, il put se rendormir cette nuit-là.

Dès le lendemain matin, Alexan sentait déjà un mieux-être s'installer en lui. Au déjeuner, Modeste Desmet le remarqua au premier coup d'œil. Les trois autres pensionnaires le regardaient, lui souriaient.

— Alexan, t'as meilleure mine ce matin que ces derniers temps, dit celui-ci.

— Vous trouvez ? Heureux que ça paraisse, se réjouit Alexan.

— Je suis de cet avis moi aussi, ajouta la logeuse qui s'apprêtait à servir deux œufs jambon à son jeune pensionnaire.

— Vous avez sûrement raison, je crois que je vais passer de meilleures journées dans les semaines qui viennent.

— Bravo, jeune homme ! Il faut, comme on dit, prendre sa vie en main, prendre le taureau par les cornes, fit remarquer le pensionnaire bavard.

— Oui, je suis bien d'accord. Merci de vous intéresser à ma santé, rajouta Alexan.

Priana rejoignit ses pensionnaires à table et ils mangèrent tous avec appétit. La maîtresse de maison affichait un chaud sourire. Elle était contente de voir que son pensionnaire préféré avait pris un peu de mieux. « J'espère que ça va durer », se disait-elle en elle-même.

Ce jour-là, Alexan travailla avec entrain. La journée lui parut moins dure, moins longue. En fin d'après-midi, il alla trouver Gwenn Poncelet pour lui annoncer tout de go son départ prochain. Ça lui laisserait le temps de trouver un remplaçant. Il partirait dès que les chemins seraient le moindrement praticables.

— Bien, voyons ! Qu'est-ce qui se passe ? T'es plus bien ici avec nous ? demanda Gwenn, pris de court par cette annonce.

— Non, ce n'est pas ça, vous êtes le meilleur des patrons.

— Alors, c'est quoi ? s'enquit ce dernier, bien intrigué.

— C'est moi, expliqua Alexan, je suis de plus en plus troublé par ce que j'ai vécu durant mes cinq dernières années à la ferme. J'en fais des cauchemars. Je dois partir pour oublier, chasser tout ça de ma mémoire.

— Bon ! Qu'est-ce que le paysan-poète dit de ça ?

— Je lui ai pas encore annoncé ma décision.

— Bon, puisque tu dois partir... Tu donneras signe de vie de temps en temps si tu peux. On va pas t'oublier ici à Clodey.

— Merci, merci de comprendre. C'est sûr que je vous donnerai des nouvelles un de ces jours. Je vous dirai la date exacte de mon départ.

— O.K. On a encore de l'ouvrage avant la fermeture, tu veux bien nous donner un coup de main pour rentrer ces derniers bidons.

— Bien sûr.

Gwenn et ses deux employés rentrèrent les derniers contenants de sirop d'érable et ils s'assurèrent qu'ils étaient bien identifiés. Le lendemain, un gros chargement partirait pour un grand centre urbain du Sud.

— On a assez travaillé pour aujourd'hui, les jeunes, dit Gwenn, vous pouvez rentrer chez vous, je vais fermer, à demain matin.

— À demain, répondirent les deux employés en détachant leur tablier pour aller le ranger dans leur casier.

Alexan rentra à la pension. « Si j'avais eu comme père un homme tel que monsieur Poncelet, je n'en serais pas à la veille de mon deuxième exil », se faisait-il comme réflexion. Ça ne servait à rien d'adresser des reproches à la vie, telle était la sienne qu'il se disait. « Un jour, les plaies se refermeront et la douleur s'endormira », espérait-il. Ce soir-là, Alexan mangea avec appétit. Après le souper, il trouva un moment pour rendre visite à sa vieille maîtresse qui fut bien peinée d'apprendre son prochain départ.

— Tes visites vont me manquer, dit-elle.

— Un jour, je vous donnerai des nouvelles, lui promit-il.

Alexan revint à la pension. Sa logeuse était assise seule dans le petit salon en train de lire tout en dégustant un thé. Le jeune pensionnaire lui annonça son départ de Clodey. « Ah oui ! C'est triste et heureux à la fois, dit-elle, mes pensées vont vous accompagner dans votre quête du bonheur. » Alexan la remercia de ses souhaits, alla à sa chambre, fit sa toilette et se coucha. Le commis du magasin général, fatigué, passa une bonne nuit.

Le petit matin se levait sur le bourg de Clodey. C'était le début mai. Alexan avait dix-neuf ans depuis une semaine, et il quittait, à la barre du jour, le village qui l'avait hébergé pendant un an. Le soleil se montrait à l'horizon, ce serait une belle journée. L'ex-employé du magasin général avançait à grandes enjambées sur une route en partie asséchée, son bâton de marche à la main droite. Son baluchon attaché à son dos, un sac porté en bandoulière pour ses effets personnels : le dernier livre prêté par Éloï Coignaud, son extrait de baptême, ses économies, quelques effets personnels et un sac de victuailles offertes par sa logeuse.

Alexan fila vers le sud-est, car c'était de ce côté qu'il rencontrerait son premier port de mer. À sa dernière visite chez Éloï, ils avaient étudié le recueil de cartes géographiques de ce dernier afin de trouver le meilleur itinéraire pour arriver à ce premier port de mer.

— Voilà la meilleure route à suivre, avait indiqué Éloï, pas la plus courte, mais elle t'amènera à traverser plusieurs bourgs et villages.

— Je suis bien d'accord, avait approuvé Alexan, qui avait tout noté dans un cahier.

— Et n'oublie pas le dernier livre que je t'ai passé : *Se libérer par le pardon.*

— Non, ce sera mon livre de méditation, de chevet.

— Écoute, Alexan, il ne faut pas simplement t'éloigner pour guérir, il te faudra rencontrer sur ta route de vieux sages qui sauront te guider vers la Lumière.

— Oui, j'en suis bien conscient, avait acquiescé celui-ci.

— Et c'est dans les pays exotiques qu'ils se trouvent, ces authentiques vieux sages.

— J'y arriverai, n'ayez crainte. Ma bonne étoile m'a guidé jusqu'ici, elle me guidera encore.

— Je te souhaite bonne chance. Tu penseras à nous. Écris si tu peux.

— Moi aussi, je vous souhaite de trouver ce que vous cherchez, était intervenue Thélya. Nous ne vous oublierons jamais.

— Je ne vous oublierai pas, soyez-en assurés. Un jour, je vous ferai signe.

Ce soir-là, Alexan et les Coignaud se quittèrent sur ces paroles.

Alexan marchait à grands pas vers le sud-est. La route était praticable. Il se sentait bien. Il avait passé une bonne nuit sans cauchemar. Après une heure de marche, son patelin lui semblait déjà bien loin. Il revoyait derrière lui tous ces gens qui l'avaient tant aimé. « Je ne vous oublierai pas, je vous emporte avec moi. » Et il entrevit le visage de sa mère… « Maman, je vais penser à vous souvent, je vais vous écrire un jour, c'est certain et j'espère vous revoir. » Et Alexan hâta le pas, il allait à la rencontre de son destin.

Un oiseau solitaire vint tournoyer au-dessus de la tête d'Alexan DéMouy pour lui faire entendre son chant matinal en guise d'adieu. Clodey reverrait-il ce fils qui le quittait en ce jour ?

7

« Je vais enfin entrer dans ma maison. Fini le temps où je devais prendre des ordres. Je serai maîtresse dans ma propre demeure. »

Armelle avait entretenu, avec fierté, cette pensée durant toute la matinée. Nolan, sa femme et leur fille Maïa roulaient dans le rang Croche vers la grande maison. Ils étaient invités à dîner avec les parents de Nolan, Axel et sa femme. Armelle avait accepté pour ne pas déplaire à son mari. Elle était nerveuse, elle n'avait pas mis les pieds chez sa belle-mère depuis trois ans. « Comment est-ce que je vais me sentir ? » Elle appréhendait ses réactions.

Deux ans et demi s'étaient écoulés depuis la naissance de Maïa. C'était l'été. Armelle était à nouveau enceinte. Nolan et sa femme avaient fourni un travail honnête chez les Joyandet et ils avaient fait des économies en vue de leur emménagement dans leur ferme. C'était avec regret que leur employeur les avait vus partir. Des liens d'amitié s'étaient créés entre eux. La construction de leur maison et des bâtiments était achevée, les instruments agricoles étaient déjà sur place. Le jour du déménagement avait été arrêté un dimanche fin juin. Le printemps avait été assez maussade jusque-là, mais le beau temps était au rendez-vous pour cette journée tant attendue.

Après la messe basse, au village d'Howick, les époux, enthousiastes, entassèrent dans leur boghei à deux sièges, leurs maigres avoirs : des vêtements, des bibelots, des effets et des papiers personnels. Armelle avait ajouté ses derniers achats faits au magasin général d'Howick. Ses derniers gages y étaient passés. Ils firent un bref arrêt à Aubrey pour saluer les parents et les sœurs d'Armelle. Puis ils prirent la route vers la ferme des parents de Nolan où ils étaient attendus. La petite Maïa commençait à faire savoir qu'elle avait faim :

— Maman, maman, on va manger bientôt ?

— Oui bientôt ! Reste tranquille, lui dit sa mère en la prenant sur ses genoux.

Nolan, sa femme et sa fille filaient à une bonne allure dans le rang Croche. Croisant le rocher à Lucifer, le poulain s'énerva comme ça ne lui était jamais arrivé. Nolan dut lui crier les mots que l'animal connaissait et qui le calmaient. « Qu'est-ce qui lui arrive aujourd'hui ? Ce n'est pas la première fois qu'il passe par ici. Il n'y a rien de changé ici et aux alentours », se dit-il intérieurement.

Mais Nolan avait grand tort de penser ainsi, car tout le royaume des ombres de la petite vallée serait en émoi durant ce jour de déménagement et d'emménagement à la maison construite pour la venue de cet enfant qu'attendait Armelle…

Le poulain s'était calmé, et avait repris un rythme normal. À peine une demi-lieue plus loin, Maïa s'écria :

— Maman, maman, qu'est-ce que c'est là dans le ciel ?

— Je ne sais pas, ma fille, je ne me rappelle pas avoir jamais vu ça. Regarde, Nolan, dit Armelle, à la fois intriguée et alarmée.

— Oui, je vois, répondit calmement celui-ci.

Un oiseau d'un noir d'encre, d'une taille énorme, volait à tire-d'aile à basse altitude. Il virevolta pendant quelques minutes au-dessus de leurs têtes, puis il prit de l'altitude et disparut à l'horizon. Il ne fit entendre aucun cri. Pendant ces minutes interminables, la petite famille, médusée, resta sans mot dire. C'est Maïa qui sortit la première de son état d'ahurissement :

— Papa, papa, s'exclama-t-elle, il est méchant l'oiseau qui est parti ?

— Méchant ? Je ne sais pas, mais c'est surtout son cri qui fait peur.

— Qu'est-ce que c'est ? demanda Armelle, pas encore sortie de son émoi. C'était affolant de le voir déployer ses longues ailes quand il volait au-dessus de nos têtes.

— C'est un corbeau géant. Ça me surprend d'en voir un ici, répondit Nolan, parce que c'est juste dans le vallon que, parfois, on en aperçoit un, solitaire, traversant le ciel en croassant.

— Est-ce qu'il va revenir, papa ? s'enquit la petite, fixant les yeux de son père pour y trouver un certain apaisement.

— Non, répondit celui-ci, il est parti, il va nous laisser tranquilles. Pense à ta maison que tu vas voir pour la première fois.

— Oui, papa, fit Maïa, rassurée.

La visite-surprise de ce corbeau n'était pas le fruit du hasard…

Ils continuèrent leur route. Maïa oublia cette scène qui dépassait son entendement vu que son père ne semblait pas effrayé. Armelle se demandait ce que signifiait l'apparition de cet énorme oiseau au-dessus de leurs têtes. « Est-ce que ce serait une façon, particulièrement étrange, de marquer notre emménagement dans notre nouvelle maison dans la vallée ? » La petite famille fit le reste du trajet sur le qui-vive, s'attendant à d'autres présages préoccupants. On passa la maison hantée, toujours aussi trouble dans son silence froid et oppressant, puis la source murmurante et enchanteresse.

— Papa, papa, regarde l'eau toute blanche qui fait un drôle de bruit, d'où elle vient toute l'eau ? demanda la petite, émerveillée devant ces jets d'eau tourbillonnants.

— Elle vient du ventre de la terre, toute cette eau, répondit Nolan.

— La terre a beaucoup d'eau dans son ventre ?

— Oui, ma fille, beaucoup.

Maïa semblait satisfaite de l'explication de son père. Elle tourna la tête pour continuer de l'admirer. « Qu'est-ce qui m'attend dans cette petite vallée verdoyante et mystérieuse ? » se demanda Armelle avec une certaine inquiétude. Elle se rappela les questions de sa belle-mère lors de sa première visite à la grande maison, avant son mariage, à savoir si elle était superstitieuse. Pour la première fois de sa vie, elle se demandait si elle l'était ou si elle ne devrait pas l'être.

À la grande maison, Nolan attacha sa monture. Ils entrèrent, Maïa dans les bras de son père. Cette dernière n'avait jamais vu ses grands-parents paternels ni son oncle Axel. Armelle salua son beau-père, à peine sa belle-mère. Axel présenta sa femme à Armelle. Les deux femmes ne s'étaient pas encore rencontrées. Pépa souhaita la bienvenue à sa belle-sœur. Elle était bien contente, elle allait avoir une jeune voisine qu'elle pourrait visiter de temps en temps. Celle-ci leur présenta fièrement sa fille âgée de deux ans comme Maïa.

L'atmosphère du dîner ne fut guère joviale. Armelle ne parla pas sinon à Pépa. Elle regardait de temps en temps dans la direction d'Emma. C'est alors qu'Armelle prit conscience qu'elle portait toujours, au fond du cœur, cette sombre meurtrissure causée par la perte de son premier-né. Elle eut de la difficulté à dissimuler sa profonde rancœur. « Est-ce que j'arriverai, un jour, à pardonner ? » se demandait-elle.

Le repas terminé, Armelle ne s'offrit pas pour débarrasser et faire la vaisselle. Elle alla plutôt servir le thé aux hommes sur la galerie et elle resta avec eux. Puis Pépa et Emma sortirent et vinrent prendre leur thé avec les autres. Les deux petites cousines s'amusaient sur la grande galerie. Elles semblaient déjà bien s'entendre. Les conversations restèrent à un niveau assez général et impersonnel. Après un deuxième thé, Nolan annonça : « Merci bien, sa mère, pour le bon repas, mais je crois qu'on va y aller, on a beaucoup d'ouvrage qui nous attend. » Armelle n'ajouta pas sa voix à celle de son mari. Elle ne pensait qu'à sa maison qu'elle allait voir pour la première fois. Après son thé, Nolan attela un cheval plus docile à leur boghei. Le poulain complice traînerait la petite charrette lors du transfert des animaux et des autres possessions. On se salua poliment. « Je vais aller te rendre visite bientôt », dit Pépa en s'adressant à sa belle-sœur. « Tu seras la bienvenue, Pépa », l'assura celle-ci.

Firmin accompagna sa bru jusqu'à son boghei. Il lui remit la clé de sa maison, clé qui ne servirait qu'une fois, car on ne verrouillait pas son domicile à cette époque.

— Voici la clé de la petite maison grise, dit Firmin.

— Petite maison grise, vous dites, beau-père ? s'étonna Armelle.

— Oui, parce qu'au contact de l'air, la couleur naturelle du bois de construction a déjà commencé à prendre une teinte grise.

— Ah oui ? Alors, c'est comme ça que je vais appeler notre maison : la petite maison grise. Vous y serez toujours le bienvenu, beau-père.

— Merci, je suis ben content que vous soyez revenus pour de bon dans le vallon, dit celui-ci.

— À bientôt, beau-père ! Maïa, dis au revoir à ton grand-papa.

— Au revoir, grand-papa, dit la petite, gênée, les yeux baissés.

— Oui, au revoir, ma p'tite fille, balbutia le grand-père d'une voix émue.

Armelle monta dans son boghei avec sa fille. Elle mit sa monture en marche. Elle avançait lentement, ondulant sur un nuage d'anticipation, enivrée par la pensée de poser le pied pour la toute première fois dans sa maison. « On s'en va dans notre maison, Maïa, dit Armelle, tu es contente ? »

— Oui, maman. Une vraie maison juste pour nous autres ?

— Oui, ma fille, juste pour nous autres.

Depuis le jour béni où les dieux avaient mis sur sa route celui qu'elle aimerait et marierait, Armelle croyait avoir été gâtée par la vie, exception faite de l'épisode de l'enfant mort-né. La vie n'avait pas toujours été facile avec des parents qui se parlaient peu. Elle avait toujours été à l'étroit dans cette maison : un espace restreint à partager avec ses deux sœurs. Ce manque d'intimité lui avait toujours pesé. « Fini ce temps, j'aurai maintenant ma maison à moi », se plaisait-elle à penser. Elle se sentait bien. Sa fille l'accompagnait. Un autre enfant en gestation naîtrait durant l'hiver.

Passé la grande forêt, Armelle arrêta sa monture, elle venait d'apercevoir la façade nord de sa maison, dont la couleur se mêlait au gris lointain de l'horizon. Elle était là, modeste certes, mais majestueuse à ses yeux, à l'ombre du pin géant. Une grande fenêtre donnait du côté du chemin. La vue de sa maison l'emplit d'une joie débordante.

— Maman, maman ! Pourquoi tu pleures ? s'écria Maïa, surprise et inquiétée par les larmes coulant sur les joues de sa maman.

— Parce que maman est très contente de voir notre maison, répondit Armelle.

— On pleure aussi quand on est content, maman ?

— Oui, quand on est très, très content.

— Tu es très, très contente de voir notre maison. Moi aussi, et je veux entrer dedans tout de suite.

— Oui, Maïa, on y va, dit sa maman qui, sous l'effet des mots simples et chauds de sa fille, avait séché ses larmes.

Armelle remit sa monture en marche. Elle s'engagea dans l'entrée qui menait à la petite maison grise. Le gros cheval avait à peine fait quelques pas qu'il s'arrêta net. Armelle eut beau faire claquer les rênes sur son dos, il refusait de bouger.

— Maman, maman, regarde ! Il y a un chien couché sur le perron devant la porte de notre maison, s'exclama Maïa.

— Ce n'est pas un chien, fit Armelle, troublée à la fois par cette bête qui les fixait de ses yeux brillants et par son cheval qui refusait d'avancer.

— Qu'est-ce que c'est maman ? balbutia la petite, empruntant une voix faible et bouleversée.

— Je ne sais pas, je n'ai jamais vu un animal comme ça.

— Ah non, maman ! Encore le gros oiseau ! s'écria-t-elle avec effroi tout en se blottissant contre sa mère.

— On ne va pas bouger, dit celle-ci, effrayée, entourant sa fille de ses deux bras.

Surgi de la grande forêt, ce corbeau géant avait la nuque blanche. On n'entendait que le bruissement de ses grandes ailes battant l'air chaud de cette fin de juin. Il vola lentement à tire-d'aile, sans un cri, au-dessus et autour de la maison plusieurs fois. Puis le grand oiseau à nuque blanche vint planer au-dessus de la mère et de sa fille pour ensuite reprendre la direction de la grande forêt.

L'animal silencieux assis sur le perron qui, de ses yeux jaunes, fixait Armelle, était un coyote de la grande forêt. Il était venu au nom de tous les habitants de la forêt saluer celle qui portait l'enfant attendu depuis longtemps dans la petite vallée et dans la grande forêt en particulier. Le coyote resta dans sa position assise encore quelques minutes. Armelle et sa fille n'osaient pas bouger. Ces minutes leur parurent interminables. Puis la belle et noble bête se dressa sur ses longues pattes fines, descendit les marches lentement, regarda une dernière fois dans la direction d'Armelle et de sa fille, puis se mit à trottiner vers la grande forêt d'un pas léger et cadencé. Cette bête sauvage au beau pelage roussâtre, grâce à son corps svelte et musclé, était la plus rapide de la forêt. Elle avait une queue épaisse et étroite qui pendait à ras le sol. Chasseur solitaire et nocturne, le coyote empruntait souvent les mêmes sentiers année après année. Silencieux le jour, son cri déchirait parfois la nuit.

La mère et la fille restèrent recroquevillées et silencieuses un bon moment tellement ce qu'elles venaient de vivre les avait déstabilisées. Armelle était tiraillée entre sa hâte d'entrer dans sa maison et son besoin d'aller se réfugier auprès de son mari à la grande maison. Mais elle savait très bien qu'elle devrait alors affronter le regard moqueur et malicieux de sa belle-mère qui semblerait lui dire : « J'avais bien raison, elle n'a pas l'étoffe pour s'installer dans le vallon. »

« Non et non ! Plutôt faire face à d'autres scènes insolites et affolantes que de subir cette humiliation », décida Armelle, déterminée. Elle n'était pas au bout de ses peines…

— Maman, maman, est-ce qu'on va chercher papa ? demanda Maïa, le visage crispé, la voix tremblante.

— Non ! Nous allons entrer dans notre maison toutes les deux, il n'y a plus rien pour nous faire peur maintenant.

— T'es sûre, maman ? balbutia la petite regardant sa mère dans les yeux dans l'espoir d'y trouver la lueur qui la calmerait.

— Oui, je suis certaine, répondit-elle d'un ton qui se voulait le plus calme possible. Bon, on va aller dans notre maison si tu veux bien.

— Oui, maman, fit Maïa, un peu rassurée par le ton calme et ferme de sa mère.

« Hue, hue donc ! » lança Armelle en claquant les rênes sur la croupe de son cheval. Ce dernier obéit, avança dans l'entrée d'un pas lourd et lent en direction de la petite maison grise. Arrivée, Armelle descendit du boghei, aida sa fille à descendre et attacha les rênes de son cheval au piquet près de l'escalier.

On accédait à la maison par un petit escalier assez à pic et sans rampes. Il fallait l'emprunter avec prudence, surtout en descendant, à cause du peu de profondeur de la marche. Ces marches menaient à un perron carré, sans garde-fou, fait de planches clouées. Une porte de bois présentant deux carreaux de forme allongée s'ouvrait vers l'intérieur. En entrant, à droite, on remarquait un petit meuble sur lequel reposaient un pichet à eau, une savonnette et un grand bol dans lequel on se lavait les mains. Et au-dessus, était accroché au mur un essuie-main suspendu à un rouleau.

À gauche de la porte d'entrée, adossée au mur latéral, une longue table de cuisine. Puis un peu plus loin, il y avait, accotée à l'autre mur, une armoire toute en hauteur. Derrière cette armoire murale se trouvait la chambre principale. Attenante à cette chambre, celle des enfants. Entre les deux chambres à coucher, appuyé au mur soutenant l'escalier, se trouvait un buffet où l'on rangeait nappes et linges à vaisselle et qui comptait deux tiroirs pour les différents ustensiles.

Face au buffet, sur le mur opposé, trônait le magnifique poêle à bois à multiples fonctions avec un réchaud orné d'un miroir qui s'avançait au-dessus de la plaque chauffante et un four des plus commodes. La surface chauffante pouvait accommoder quatre ou cinq chaudrons et casseroles à la fois. À la droite du poêle, intégré à l'ensemble, un réservoir d'eau chaude que la chaleur du poêle gardait à une bonne température.

Dans la grande cuisine, des chaises droites, une chaise haute, un parc pour enfants et une berçante complétaient ce rustique mobilier. Un escalier intérieur non fermé menait à l'étage où c'était ouvert. Dans un coin, Nolan avait installé son atelier avec ses outils et ses planches servant au tannage des peaux de rats musqués. Dans un autre coin avait été aménagée une chambre d'invités. Le reste de l'étage était utilisé comme débarras et espace de jeu pour les enfants les jours de pluie. On avait accès au sous-sol par un escalier étroit. Aucune division n'y avait été prévue. C'était toujours frais, vu que les fondations étaient en béton.

Un peu en retrait de la maison, un puits avait été creusé. L'eau potable qu'on y puisait était toujours fraîche. Une gouttière ceinturant la toiture de la maison recueillait dans un grand tonneau l'eau de pluie qui servait à arroser les légumes du potager, à nettoyer les planchers de la maison, le perron et les marches de l'escalier intérieur et extérieur. Un peu plus loin, caché par une haie de jeunes arbres feuillus, le cabinet d'aisances.

— Viens, Maïa, on va entrer dans notre maison.

— Oui maman ! s'exclama joyeusement celle-ci.

Sa petite dans ses bras, Armelle monta sur le perron et déverrouilla la porte. La mère et sa fille entraient pour la première fois dans leur maison. Elle déposa sa fille. Armelle se trouvait enfin dans sa demeure bien à elle, dans sa maison, dans son petit château. Une maison modeste, certes, mais solide et riante, rêvée et silencieuse.

Puis clouée sur place, Armelle fut envahie par un silence lourd et étouffant qui emplissait les lieux, silence qui n'était troublé que par les joyeux gazouillis de Maïa qui avait déjà commencé à explorer son nouvel environnement. Cette demeure habitable depuis un bout de temps avait attiré des entités indésirables du vallon qui y avaient élu domicile. Armelle sentait leur présence. Elle vivait, seule, sa première expérience énigmatique dans le vallon. Ça l'avait d'abord figée, puis elle reprit ses esprits.

Résolue, d'une voix forte et tremblante, Armelle s'adressa à ces intrus, leur ordonnant de quitter sa maison : « Je suis la maîtresse des lieux, vous n'y êtes pas les bienvenus, je vous enjoins de partir sur-le-champ. Je vais imprégner cette demeure de ma présence et de mon aura et n'y seront invités que les êtres dégageant des ondes positives. »

— Maman, maman, avec qui est-ce que tu parles ? Tu es fâchée ? demanda Maïa d'une voix saccadée et inquiète en courant se réfugier auprès d'elle.

— Nous ne sommes pas seules ici, répondit Armelle en baissant le ton de sa voix dans le but de ne pas trop effrayer sa fille.

C'est à ce moment-là qu'Armelle et sa fille, frappées de stupeur, entendirent et virent une colonie de corbeaux atterrir dans la basse-cour. Leurs ailes ouvertes couvraient une partie de la surface de la cour. Spectacle noir, occulte et hallucinant ! Le chef de la colonie, le corbeau à nuque blanche, s'était posé sur le perron. L'oiseau géant s'avança, oscillant gauchement d'un côté et de l'autre, et s'arrêta sur le seuil de la porte. Il fixa son regard sur Armelle et sa fille, figées qu'elles étaient dans une attente infernale. Son regard fit lentement le tour de la grande cuisine, puis revint se poser sur Armelle et Maïa qui avait enfoui sa tête dans les jupes de sa maman. Le gros corbeau laissa alors entendre un long cri, un croassement lugubre, sourd et inhumain. Puis se retournant, l'oiseau géant fit quelques pas sur le perron et prit son envol en direction de la grande forêt, entraînant à sa suite toute la colonie.

Pendant que les oiseaux géants s'éloignaient, un violent courant d'air s'engouffra par la porte, renouvelant du coup tout l'air des lieux. Ainsi donc, la maison fut plongée dans un nouveau silence, amical, paisible et accueillant, celui-là.

— Ils sont partis maintenant, maman ? demanda la petite.

— Oui, tu peux être tranquille, il y a juste toi et moi ici maintenant, tu pourras continuer ton exploration en paix.

— Merci, maman, dit Maïa, retrouvant un peu de son insouciance.

Les fées de la grande forêt avaient envoyé les corbeaux géants en mission de la plus haute importance : chasser ces entités indésirables de la maison où naîtrait l'enfant qu'on attendait dans la grande forêt. Ces intrus n'avaient pas osé résister à cet ordre d'éviction, ils avaient quitté les lieux et n'oseraient plus jamais y revenir. Armelle prit alors conscience que sa maison lui appartenait enfin. Elle avait affronté seule la tempête et elle avait triomphé avec le secours des bons esprits du vallon.

Armelle demanda à sa fille d'attendre après le souper pour raconter à son père ce qui leur était arrivé.

— Pourquoi maman ? fit Maïa, surprise par la requête.

— Parce que ton père a déjà assez de tracas comme ça.

— O.K. maman, consentit la petite qui reprenait déjà son exploration des lieux.

Armelle alla lentement au buffet de la cuisine, elle y déposa la clé de sa maison. La lampe à l'huile et des chandelles de différents formats y étaient déjà ainsi que quelques bougeoirs.

Armelle se sentait comme châtelaine en son château. Elle eut envie de faire le tour du propriétaire. Elle visita d'abord les deux chambres à coucher en commençant par la sienne. Spacieuse, cette pièce comptait une grande fenêtre, côté est, qui inviterait le soleil matinal. Elle voyait déjà le joli rideau qu'elle confectionnerait pour mettre devant cette belle fenêtre. Une grande commode à trois tiroirs, une table de chevet de chaque côté du grand lit, une garde-robe fermée par des portes coulissantes.

La maîtresse de maison retrouvait son calme et sa sérénité, elle se sentait remplie de joie, cette joie magique qu'on éprouve en déballant lentement le cadeau attendu depuis si longtemps.

La chambre des enfants était de moindre dimension que celle des parents. Le mobilier comprenait deux lits, deux petites commodes et une chaise devant la fenêtre. Il y avait quelques crochets aux murs pour suspendre serviettes et vêtements. Une grande fenêtre laisserait entrer les rayons du soleil. Armelle monta à l'étage où tout avait été aménagé selon les plans. Puis elle descendit à la cave qui servirait de chambre froide pour les légumes, les confitures et les marinades. La barrique pour la fermentation du cidre d'automne était déjà installée. « Ma cousine Mignonne va sûrement demander qu'on serve du cidre quand elle nous visitera », songea Armelle. Cette brève pensée nostalgique lui rappela les soirées animées par sa cousine chez ses parents à Aubrey. « Il y en aura sûrement d'autres. » Dans un coin, il y avait, dans de petites barriques, des victuailles salées telles que poisson, bœuf, porc et veau.

Pendant que Maïa continuait son jeu d'exploration, Armelle rentra ce qu'elle avait apporté et déposa tout sur la grande table de cuisine. Elle prit un soin particulier en déposant le violon de son mari. Il y avait aussi ce que Nolan avait déjà apporté lors de ses dernières visites à la propriété : de la vaisselle, une batterie de cuisine, des ustensiles, des accessoires de cuisine et des provisions telles que farine, céréales, condiments et épices.

— Maïa, où es-tu, appela Armelle ne voyant plus sa fille au rez-de-chaussée.

— Je suis en haut, maman.

— Tu fais attention pour ne pas te faire mal, ma fille.

— Oui, maman. Maman, est-ce que papa va jouer du violon ici? À l'autre maison, il jouait jamais.

— C'est qu'on n'était pas chez nous là-bas. T'as juste à le lui demander.

— Oui, maman, je vais lui demander de jouer ce soir.

— Bonne idée, ma fille.

La nouvelle maîtresse de maison se mit en devoir de tout inventorier: la literie, les nappes, les tissus pour les rideaux, les vêtements, les accessoires de cuisine, etc. Ensuite, elle rangea tout au bon endroit. Les dernières assiettes placées, Armelle, d'un geste lent et plein de chaleur, sortit de son sac à main un cahier aux coins abîmés dans lequel elle avait noté au cours des années de nombreuses recettes de cuisine. Elle alla le placer sous une pile de grandes assiettes dans la grande armoire murale. « Merci, ma mère, pour toutes ces bonnes recettes que vous m'avez patiemment enseignées. Je me demande si l'on aura encore l'occasion de cuisiner ensemble. J'ai hâte que vous voyiez ma maison, vous allez l'aimer. »

C'est la tête pleine de ces pensées enivrantes qu'Armelle sortit accompagnée de sa fille pour aller puiser de l'eau au puits creusé. Elle aurait besoin de cette eau potable pour préparer son souper. Pendant ce temps-là, à la grande maison, les cages contenant les poules, les oies et les canards avaient été chargées sur la grande charrette. Les animaux — veaux, vaches, chevaux — suivraient la charrette. On les conduirait à la ferme de Nolan.

Devant la petite maison grise s'étendait la basse-cour. De chaque côté se dressaient des constructions de faible hauteur. Du côté gauche, la laiterie dite cabane à lait où l'on écrémait le lait. La crème était conservée dans des bidons ramassés tous les jours par le fromager du village. Ces bidons étaient gardés au frais dans des bacs d'eau froide. Du côté droit, des bâtisses plus grandes et un peu plus hautes que la laiterie: un poulailler pour les oiseaux de basse-cour et jouxtant ce dernier, une grande remise pour les outils, les instruments aratoires, le boghei, le traîneau et la carriole. Et au fond, fermant cette cour, les grands bâtiments. Il y avait l'étable haute de deux étages, mais plafonnée à hauteur d'homme afin de mieux conserver la chaleur durant l'hiver. Cette étable abritait les chevaux, les vaches et les veaux. Dans un coin serait aménagée une porcherie qui compterait une dizaine de porcs et une truie. Attenant et communicant avec l'étable, la grange où les récoltes de foin et de paille seraient entassées. Cette grange était traversée par une allée centrale où entrait la grande charrette pleine de foin ou de paille pour être déchargée.

L'été, les vaches laitières et les chevaux étaient amenés paître dans un champ laissé en jachère près des bâtiments quand on sentait que c'était sécuritaire de le faire. Les vaches devaient être rentrées, matin et soir, pour la traite. Ce serait la tâche des enfants d'aller les chercher, de les faire entrer à l'étable et de les ramener à leur lieu de pâturage.

Arrivés à la ferme, les trois hommes, Nolan, Axel et leur père, installèrent les animaux et les volailles dans leurs quartiers respectifs. Nolan détela le poulain complice et le conduisit au pacage. Et le cheval qui avait amené Armelle fut attelé à la charrette. Nolan remercia son père et son frère qui retournèrent à la grande maison. Il rentra son boghei dans la grande remise. « Voilà une bonne chose de faite, enfin, je suis installé chez moi », se dit le maître des lieux avec un soupir de satisfaction.

Nolan alla s'assurer que tout était fin prêt pour son premier train à sa ferme. Il visita la cabane à lait, tout y était, le séparateur fonctionnait bien. Les bidons vides dans lesquels serait gardée la crème étaient déjà dans le bac en béton. Le jeune paysan alla chercher deux seaux d'eau au puits qu'il versa dans ce réservoir qui garderait cette eau fraîche.

Avant de se rendre dans ses champs pour évaluer le travail à faire dans les jours à venir, Nolan entra à la maison.

— Ah bonjour, papa, dit Maïa qui l'aperçut la première.

— Tout se passe bien ici dedans ? demanda Nolan s'adressant à sa femme. As-tu besoin d'un coup de main ?

— Non, tout va bien, merci.

— Et puis, la petite n'est pas trop dans les jambes ?

— Non, non, papa, s'empressa de répondre celle-ci, j'ai beaucoup aidé maman ; pas vrai, maman ?

— Oui, elle a été bien occupée à fouiner partout. Elle m'a accompagnée au puits. Dis-moi, où est-ce que je vais mettre ton violon ?

— Tu le mettras près de l'établi en…

— Papa, papa, tu vas jouer du violon, ce soir ? l'interrompit joyeusement sa fille.

— Euh…

— Maïa, intervint Armelle, ton père va être trop fatigué pour jouer ce soir ; il le fera un autre soir.

— Ah maman ! soupira celle-ci, déçue, levant et laissant tomber ses deux petits bras pour bien montrer sa déception.

— Ne crains rien, ma fille, je vais jouer souvent ici. Pas comme là-bas, on n'était pas chez nous. Tu peux comprendre ça ?

— Oui, papa, répondit Maïa qui retrouvait déjà un ton plus jovial.

— Bon bien, je vais aller voir mes champs, puis revenir faire le train et après on va prendre ici notre premier souper ensemble.

— Oui, papa, j'ai hâte, s'exclama la petite.

— À tout à l'heure, dit Nolan en sortant.

Nolan alla faire le tour de ses champs. Il nota l'ouvrage le plus pressant : des piquets de clôture à replanter, des bouts de clôture à refaire, le nettoyage des fossés, la fauche des mauvaises herbes et autres petits travaux moins urgents. Les pièces labourées, l'automne dernier, par son père et son frère avaient déjà été hersées et ensemencées pendant qu'ils étaient encore chez les Joyandet. La première coupe de foin était déjà faite. Nolan leur remettrait ces journées durant l'été et l'automne. Cette année, pour ce qui était du potager derrière la maison, on se limiterait aux légumes qu'on récoltait à la fin de l'été et en automne : carottes, navets, choux et diverses courges.

L'après-midi s'était écoulé. Nolan se dirigea vers l'étable où l'attendait son premier train. La jambe endolorie, son pas se faisait lourd, la journée avait été longue et chargée d'émotions intenses. Mais son cœur débordait de joie, sa tête était pleine de belles images, son horizon portait la couleur de l'espoir. Il savourait la pensée d'aller retrouver son épouse et sa fille pour leur premier souper. « Notre vie s'annonce belle, se dit Nolan, ma femme est enceinte, ce sera peut-être le petit qu'elle a vu en rêve. J'aimerais bien avoir un garçon... »

À la maison, Armelle avait allumé le poêle flambant neuf pour la première fois. Il y avait à côté du poêle un coffre à bois que le grand-père Firmin avait rempli la semaine d'avant. Le bois était bien sec. Armelle n'eut pas de mal à faire un bon feu pour préparer son premier souper.

Un peu plus tard, Armelle entendit le pas de son homme dans le petit escalier. Il entra, lui sourit, alla se laver les mains.

— Et puis, la première traite, ça s'est bien passé ? lui demanda celle-ci en le regardant s'essuyer les mains.

— Sans problème. C'est plus encourageant de travailler quand c'est pour nous autres qu'on travaille.

— Tu as faim, papa ? s'enquit Maïa toute contente de voir son père.

— Oui, j'ai une faim de loup, dit-il en la regardant avec de grands yeux ronds.

— Ah papa ! Tu vas pas me manger ! s'exclama-t-elle en serrant très fort ses deux petits poings sur sa poitrine.

— Oui, ma fille ! dit son papa la fixant avec des yeux agrandis, le regard menaçant. À moins que maman ait fait un bon souper...

— Ouf ! Maman fait toujours des bons soupers, chuchota la petite, les yeux rieurs.

— Bon, à table ! suggéra Armelle.

Armelle apporta les assiettes sur la table. Elle avait préparé du boudin avec des pommes de terre pilées. Comme dessert, il y avait du pouding au pain servi avec du sirop d'érable. Pendant qu'Armelle coupait le boudin de sa fille en petits morceaux, elle écoutait Nolan parler. Elle avait envie d'entendre son homme s'exprimer dans leur nouvelle maison. C'était comme leur baptême de la parole.

— Nous avons vécu toute une journée ! Pas vrai, ma femme ?

— Oui, c'est vrai, mais ça va mieux. J'espère que tu aimes mon premier souper.

— T'inquiète pas, je connais tes talents de cuisinière depuis un bout de temps. Le boudin est cuit exactement à mon goût, merci.

— Merci, mon mari. Je suis bien contente de travailler pour nous autres maintenant.

— Il ne te manque rien dans la cuisine ?

— Non, pas pour le moment.

Nolan avait entendu dire au village d'Howick que dans un grand centre au nord de Clodey, des compagnies embauchaient des travailleurs. Ça serait plus payant que le chantier. Ça aiderait à rembourser les dettes. Il en glissa un mot à Armelle. Cette dernière n'était pas d'accord.

— Je préférerais, dit Armelle, qu'on en reparle après la naissance du petit qui aura lieu cet hiver. Il ne faudrait pas que je perde un autre enfant à cause d'un surplus de travail si tu me laisses seule à la ferme.

— Oui, tu as raison, ma femme. Mais comment ça, le petit ? Ça pourrait être une fille, non ? dit-il d'un ton enjoué.

— C'est vrai, répondit Armelle, mais je sens très fort en moi que ce sera le garçon que j'avais entrevu dans ce rêve que je t'avais raconté.

— Tu m'inquiètes un peu, ma femme. Tu ne vas pas commencer à penser comme ces Bouïdon avec leurs histoires de visions et de rêves inspirés par l'Au-delà ?

— Non, non, il ne s'agit pas de rêveries, mais d'un sentiment profond qui m'envahit et m'assure que c'est ce qui va se passer.

— Parce qu'on a assez d'une Bouïdon dans la famille. Je t'en passe un papier, Axel va en voir de toutes les couleurs avec sa Pépa.

— T'alarme pas, insista Armelle. Je garde les deux pieds sur terre, mais c'est comme magique. Tu peux comprendre ça ?

— Ouais, je crois bien que oui, répondit-il, en pensant à ce qui lui était arrivé il y a un peu plus de cinq ans quand il fut guidé vers celle qui allait lui ravir son cœur.

Maïa, dans sa chaise haute, avait mangé toute son assiettée et elle chantonnait pour faire comprendre que c'était le temps de son dessert et de son verre de lait. Pendant qu'Armelle se levait pour servir la petite, elle demanda à Nolan s'il lui manquait quelque chose.

— Non, merci, lui assura celui-ci, finissons notre dessert, puis allons boire notre thé dehors. Il fait beau, la soirée va fraîchir lentement, on sera bien.

— Oui, d'accord, je dessers et nous te suivons.

Nolan sortit avec sa tasse de thé, s'assit dans les marches de l'escalier et se roula une cigarette. Armelle desservit rapidement, mit la vaisselle de côté. Elle la laverait plus tard ou le lendemain matin, puis elle rejoignit son mari avec la petite qui s'installa entre eux. La soirée était douce. Maïa ne tarda pas à s'endormir. Sa maman alla la mettre au lit et vint retrouver son mari.

— Il y a un petit lopin de fraises des champs au bout de la terre, annonça Nolan à sa femme, sachant qu'elle aimait en cueillir pour faire des confitures. La saison tire à sa fin, mais j'ai remarqué, cet après-midi, qu'il en restait encore beaucoup.

— Ah oui ! J'irai sûrement si je trouve un moment.

Un silence paisible et doux les enveloppait. Ils goûtaient tout simplement la joie d'être là ensemble. Nul besoin de paroles dans ces moments de silence, ce silence qui réchauffait le cœur, ralentissait un peu le temps et donnait la sensation de vivre plus intensément. Armelle et Nolan vivraient leur amour dans leur quotidien sans connaître le vocabulaire pour l'exprimer dans toutes ses subtilités, comme savaient le faire les gens instruits. Ma femme, mon mari seraient leurs mots tendres et quand ils auraient pris de l'âge, mon vieux, ma vieille. S'asseoir sur les marches de l'escalier extérieur avec leur thé serait une petite douceur toujours prisée.

Les minutes de ce paisible silence s'égrenaient lentement. Puis des cris féroces vinrent tout embrouiller, des cris de bêtes qui provenaient de la grande forêt. Figée un moment, apeurée, Armelle se tourna vers son mari.

— Qu'est-ce que c'est, tu penses, que ces cris-là ?

— Ça t'inquiète ? Des cris de coyotes, à ce qu'on dit, répondit-il, sur un ton calme. On les entend rarement. Quand nous étions chez mon père, ils ne se manifestaient pas. Ici, on s'est rapproché de leur habitat. Et quand ça crie, ces animaux-là, c'est pour nous faire comprendre de se tenir loin de leur milieu.

— Il est bien particulier, cet animal, tu ne trouves pas ?

— Ouais, c'est le seul qui agit comme ça, les autres s'accommodent de notre voisinage.

— Est-ce qu'on doit craindre pour notre sécurité ?

— Non, ils nous laissent tranquilles, la rassura-t-il, à condition qu'on n'aille pas les déranger dans la forêt, surtout la nuit.

Armelle raconta qu'elle avait aperçu assis sur le perron un animal qu'elle ne connaissait pas, qu'elle n'avait jamais vu auparavant.

— C'était peut-être un coyote, il avait l'air différent, il nous fixait en silence, dit-elle, le cheval ne voulait plus avancer.

— Ça m'étonnerait beaucoup. J'ai souvent entendu les vieux dire que ces animaux, les coyotes, nous détestaient, les humains, et qu'ils faisaient tout pour ne pas se trouver sur notre route.

— Nous étions effrayées, moi et la petite, mais l'animal n'avait pas l'air agressif.

— Ça me semble bien surprenant, mais, dans le vallon, il faut s'attendre à tout.

— Je m'en suis rendu compte cet après-midi.

— Bon, quoi d'autre vous est-il arrivé? demanda Nolan, fronçant les sourcils.

Armelle raconta leur mésaventure à leur entrée dans la maison.

— Bon, là, je ne sais plus quoi te dire. Des corbeaux qui viennent nous rendre service! Étrange! D'habitude, les corbeaux sont porteurs de mauvaises nouvelles. Souhaitons que les bons esprits continuent de protéger notre maison.

— Je suis heureuse, Nolan, dit Armelle en déposant sa tête dans le creux de l'épaule de son homme. J'ai réussi à traverser ma première journée dans le vallon et la petite ne semble pas troublée. Le petit que je porte va attirer la protection du Ciel sur nous et notre maison, je crois bien.

— Je ne demande pas mieux que de te croire, ma femme. Bon bien, notre thé est fini depuis un moment, rentrons, suggéra Nolan.

— Oui, allons nous coucher, cette journée m'a fatiguée.

Nolan et Armelle rentrèrent. Ils n'allumèrent pas la lampe. Leurs yeux se firent à cette douce pénombre de fin de jour qui invitait à se glisser sous les draps. Fatigués physiquement et mentalement, mais satisfaits et contents de leur journée, ils plongèrent dans un sommeil réparateur.

À leur deuxième journée, levés à l'aube, Armelle et Nolan avaient leur horaire de travail bien tracé: elle à la maison, lui aux champs. Il alla faire le train, elle s'affaira à préparer un copieux déjeuner: œufs, jambon, pain de ménage et fèves au lard. Maïa et Armelle ne mangeaient pas de fèves. Cette dernière préparerait de la pâte de sarrasin, elle ferait cuire des galettes sur la plaque chaude du poêle. La maman et sa fille les mangeraient avec de la mélasse.

Le train fait, les vaches reconduites à leur pâturage, Nolan mit de côté une quantité suffisante de lait pour leur consommation personnelle et il écréma le reste. Il garderait toujours un peu de crème pour la cuisine. Le reste serait versé dans les bidons que ramasserait le fromager au cours de la matinée. Le lait écrémé, le petit lait, nourrirait les veaux. Quand ceux-ci seraient rassasiés, le surplus irait aux porcs, ils en raffolaient. Son train terminé, Nolan rentra. « Ma femme m'attend avec un bon déjeuner. J'espère qu'elle a passé une bonne nuit. La petite doit avoir commencé à manger. » Ces pensées lui réchauffaient le cœur.

« Bonjour, vous deux », lança Nolan en rentrant. « Bonjour, papa. » Il alla se laver les mains et vint s'asseoir à côté de sa fille qui attendait impatiemment dans sa chaise haute que sa maman lui coupe sa galette en petits morceaux.

— Bon appétit, ma fille. T'as pas pu nous attendre ?

— Non, papa, j'avais trop faim.

— Et toi, ma femme, t'as passé une bonne nuit ? lui demanda-t-il d'une voix chaude.

— Je craignais de rêver de ce coyote et de ces corbeaux, mais je ne les ai pas vus ni entendus.

— Tant mieux ! Il faut les oublier, on s'habitue à leurs cris occasionnels. Après un bout de temps, tu verras, tu ne les entendras même plus.

— Merci, mon mari, c'est ce que je vais essayer de faire.

Nolan et Armelle mangèrent avec appétit, la petite redemanda de la galette. Les époux parlèrent de leur journée et de tout ce qu'ils se proposaient de faire. Ce serait une journée bien occupée. Ils étaient enthousiastes ; ils avaient hâte de se mettre au travail. « Il me semble que c'est moins dur quand on travaille pas pour les autres », dit Nolan en prenant son thé. « Oui, je suis bien d'accord avec toi, mon mari », ajouta Armelle.

Nolan sortit, se roula une cigarette, l'alluma, alla chercher les outils qu'il lui fallait et se dirigea vers ses champs. La grande faux pour les mauvaises herbes, une pelle pour dégager les fossés bouchés, un marteau, des crampillons, des bouts de fil de fer barbelé pour les clôtures endommagées. Il était équipé pour faire du bon travail. Tout en travaillant, Nolan songeait que c'était aux champs que le courage du paysan était mis à rude épreuve. Son travail était dur et exigeant et souvent il n'en voyait le fruit que beaucoup plus tard. À ce moment précis, surgit du fond de sa mémoire un souvenir douloureux qui illustrait bien que ce labeur, dans toute sa rigueur, pouvait de temps en temps faire plier le genou au plus fort.

Plus d'une fois, Nolan avait aperçu son père, assis au bord d'un fossé, la charrue délaissée, les guides du cheval autour de la cuisse, le dos courbé, sans bouger, la tête entre les mains, visiblement envahi par une grande lassitude. Le paysan abattu ressentait vivement tout ce qui l'accablait : les responsabilités, la ribambelle d'enfants, les dettes, les étés pourris qui diminuaient les rendements et grugeaient les maigres profits, etc. Puis, après un moment, une flamme intérieure ressurgissait. Firmin se relevait, remettait son cheval en marche et s'attelait à nouveau à la tâche interrompue. Encore une fois, empoigner la vie, sa vie, de ses mains noueuses.

Nolan pensait à son vieux père, encore solide et actif pour son âge. Il viendrait souvent lui donner un coup de main durant les grandes corvées de l'été. « Merci, mon père, pour tout ce que vous m'avez donné et tout ce que vous me donnez encore pour m'aider à m'établir. Comment vous remercier ? » se demandait-il. Il faudrait simplement lui dire : « Merci, son père, pour tout ce que vous faites pour moi. » Mais voilà, Nolan n'avait pas encore trouvé le bon moment...

Pendant que son mari était aux champs, Armelle plaçait, déplaçait, replaçait le mobilier. Elle voulait son intérieur à son goût. Maïa un peu turbulente ? Sa maman n'avait qu'à la menacer de la mettre dans son parc pour qu'elle se calme. Pendant qu'elle s'affairait, elle imaginait son homme seul aux champs. « Il sera ici pour dîner avec nous bientôt. » Cette pensée lui réjouissait le cœur et lui procurait un regain d'énergie.

Après le dîner, Nolan et Armelle s'employèrent à peu près aux mêmes tâches. À la fin de l'après-midi, Armelle prit un peu de temps avec sa fille pour aller faire rentrer les vaches à l'étable. Elles étaient toutes là, à la barrière, attendant d'être appelées à rentrer où elles trouveraient, dans leur mangeoire, un mélange de grains nourrissants. Cette petite gâterie leur changeait de cette herbe qu'elles broutaient à longueur de journée. « Il va avoir une surprise en voyant les vaches déjà rentrées, pensa-t-elle, ça va lui faire plaisir et alléger un peu toutes ses heures passées aux champs. »

Son train fait, Nolan rentra. Le souper était prêt. Il alla se laver les mains. Ils passèrent à table. Armelle avait déjà installé Maïa dans sa chaise haute.

— T'as fait rentrer les vaches, merci, dit Nolan.

— Moi aussi, papa, j'ai fait rentrer les vaches avec maman, lança Maïa.

— T'as pas eu peur, ma fille ?

— Un peu, mais je tenais la main de maman.

— Mais oui, elle était tout excitée de voir les vaches de si près. À la ferme Joyandet, elle ne s'était jamais approchée de l'étable.

— Toi et la petite, vous avez passé un bon après-midi ?

— Oui, papa, on a beaucoup travaillé.

— J'en suis sûr, ma fille.

— J'ai pu faire toute ma besogne. Et demain, annonça Armelle, je vais aller aux fraises, je vais emmener Maïa.

— Elle va en manger plus qu'elle va en ramasser, commenta le papa, mais elle va adorer.

— Oui, je vais adorer, papa. Je sais ce que c'est des fraises, maman m'a expliqué.

— C'est tant mieux, ma fille.

Au dessert, Nolan fit part à sa femme de l'idée qui lui était venue aux champs durant l'après-midi.

— Armelle, j'ai pensé à quelque chose et je voudrais te l'annoncer tout de suite.

— Oui ? Qu'est-ce que c'est ? J'aime bien les surprises.

— Un dimanche moins occupé, en septembre par exemple, on ferait garder Maïa par Pépa ou mon père, nous irions à la messe basse, puis je te ferais visiter le village de Clodey. Tu rencontrerais Gwenn Poncelet, le propriétaire du magasin général. On n'avait jamais eu le temps de le faire durant notre année passée chez mes parents, tu étais toujours trop occupée. Qu'est-ce que tu en dis ?

— Ah oui ! J'aimerais beaucoup, merci d'avoir pensé à ça, répondit-elle.

Après le souper, ils allèrent s'asseoir sur les marches de l'escalier, ce qui deviendrait une habitude quand le temps le permettrait. Ils prirent leur thé, Nolan fumait. Ils écoutaient Maïa fredonner des bouts des chansons que lui chantait sa maman quand elles étaient seules. Armelle et son homme allaient goûter de plus en plus ces moments de grâce.

Le lendemain après-midi, Armelle alla aux fraises des champs au bout de la terre. « Comme dans le temps avec ma mère et Mignonne », pensait-elle. Maïa se laissa trimballer, heureuse d'accompagner sa maman. Armelle en cueillit assez pour faire six petits pots de bonnes confitures. Pendant que sa maman ramassait et équeutait ces bons petits fruits rouges, la petite s'en gavait. Puis la panse bien remplie, elle s'endormit.

Et quand l'hiver viendrait et qu'il gèlerait à pierre fendre, la maîtresse de maison déboucherait un pot de cette confiture et ferait jaillir les effluves de l'été emprisonnés sous le couvercle. Toute la maison en serait embaumée…

8

Durant les deux mois suivants, les conditions météorologiques s'étaient améliorées si bien qu'on avait pu procéder à une deuxième coupe de foin. Il y eut peu de sauterelles. Les récoltes de céréales furent assez bonnes pour que ça vaille la peine de faire venir la batteuse à grains en septembre. On garderait une partie de la récolte pour la consommation domestique, le reste serait vendu au marchand de grains du bourg.

Septembre et octobre étaient les mois des grandes corvées comme les labours, entre autres. Tâche ardue et épuisante: le soc de la charrue butait souvent sur ces pierres qui remontaient à la surface. Ensuite, on procédait à l'épandage du fumier dans ces champs labourés. C'était aussi les mois de l'entretien. On devait s'assurer que tous les bâtiments étaient prêts à affronter l'hiver, que les haches, les scies et la scie tronçonneuse étaient bien affilées, les chevaux bien ferrés. Il devait y avoir assez de bois de chauffage pour l'hiver.

La fin septembre, c'était toujours un moment heureux pour l'apiculteur amateur qu'était Axel. Il récoltait son miel, une petite douceur pour les deux familles durant les longs mois d'hiver.

Durant leurs trois premiers mois à la ferme, Nolan et Armelle s'étaient installés dans leur environnement. Ils avaient trouvé l'horaire de travail qui leur convenait le mieux. Ils allaient en arriver à la routine quotidienne qui serait la plus efficace et qui n'exigerait pas d'efforts inutiles. Cette ferme deviendrait leur point d'ancrage. Ils la marqueraient de leur empreinte. Ils en feraient un havre de paix où il ferait bon y vivre.

Firmin Bouïos était bien content du retour de son fils dans le vallon. «Je le rencontrerai lors de nos échanges de journées de labeur et je pourrai saluer ma bru.» Mais son fils et son épouse n'iraient pas dîner le dimanche à la grande maison. «Ben triste tout ça, j'arrive à la fin de ma vie et encore d'autres arias.» Firmin se sentait un peu coupable depuis quelques années. À quelques reprises, durant l'année où Nolan et sa femme avaient habité à la grande maison, il avait remarqué qu'Emma abusait de sa bru alors enceinte. Mais il ne se voyait pas faire des remontrances à sa femme. Pourtant cette dernière avait jadis accepté de partager sa cuisine avec leur fille Blanche… « À quoi bon jongler à tout ça maintenant ? » Et Firmin se replongeait dans sa besogne, besogne qui ne manquait jamais. « Heureusement que je suis encore capable de travailler. »

Ce dimanche-là, après la messe basse, Nolan et sa femme roulaient lentement sur l'avenue principale de Clodey. Le grand-père avait accepté de garder Maïa. Depuis le matin, Armelle était impatiente de connaître son village et de rencontrer Gwenn Poncelet, le propriétaire du magasin général. Un peu à l'ouest du magasin général s'élevait une belle bâtisse, la Boutique de l'Ébénisterie. Son propriétaire, Fandor Verchon, était un citoyen engagé dans la vie de sa communauté. Il s'était lié d'amitié avec Gwenn Poncelet pour combattre l'injustice sociale.

Au bout de la rue, ils virèrent de bord.

— Regarde, à droite, le bâtiment vide à deux étages, dit Nolan.

— Qu'est-ce que c'est ? demanda Armelle.

— C'était un commerce d'articles de cuir : chaussures, sacoches et chapeaux, et plusieurs autres articles. Les propriétaires avaient leur résidence à l'étage.

— Qu'est-ce qui s'est passé ?

— Je ne sais pas trop. C'était un vieux couple. Ils ont tout liquidé, puis ils ont mis la clé sous la porte. Ils seraient partis vers le sud, paraît-il. C'est à vendre.

— C'est quand même triste un commerce fermé sur l'avenue principale d'un grand village, commenta-t-elle.

— Ouais, c'est bien vrai, fit Nolan.

Nolan et Armelle passèrent devant le presbytère et le temple de la religion, édifice imposant tant par ses dimensions que par son style majestueux et son haut clocher qu'on pouvait apercevoir des lieues à la ronde. Et quand les cloches sonnaient à toute volée, on les entendait jusqu'au fond des campagnes. La rue commençait à s'animer. Des voitures s'approchaient du temple. Les fidèles venaient pour assister à la grand-messe. Des paroissiens à pied se rendaient aussi vers le lieu de leur dévotion dominicale.

Armelle remarqua la Maison de la Poste un peu plus loin, un édifice assez modeste, de style ancien, en pierres grises. Chaque citoyen y possédait sa case personnelle. Les fermes avaient leur boîte aux lettres au chemin. Un postier livrait le courrier et ramassait celui à envoyer dans le grand pays. Quand on voulait poster une lettre ou un colis à l'étranger, il fallait passer par la Maison de la Poste.

— Nous sommes installés à la ferme depuis trois mois et nous n'avons pas encore reçu de lettres, fit remarquer Armelle. On ne va pas vérifier souvent notre boîte.

— Bon ! On va prendre l'habitude de le faire tous les jours un peu avant midi, suggéra Nolan. C'est dans la matinée que le postillon passe.

— Bonne idée ! Et quand les enfants seront assez grands, ce sera à eux de le faire.

Puis ils passèrent devant la maison de la sage-femme qu'on ne pouvait pas ne pas remarquer avec ses jolies jalousies jaunes.

— C'est la résidence de la sage-femme. Je lui ai parlé à ma dernière sortie au bourg. Elle sera présente à ton accouchement cet hiver, dit Nolan.

— Me voilà rassurée ! Je te remercie, mon mari.

Une des dernières maisons de l'avenue était celle du docteur. Nolan pointa du doigt une belle et grande résidence de briques rouges.

— Regarde la maison du docteur Gorond. Elle est jolie, non ?

— Oui. Très jolie. Est-ce qu'ils ont beaucoup d'enfants ? s'informa Armelle.

— Aucun. Sa femme s'occupe quasiment à temps plein des œuvres de charité de la communauté.

— Est-ce que tu as déjà dû consulter le docteur ?

— Consulter, non, mais il m'avait réparé une fracture de la jambe droite quelques années avant qu'on se rencontre.

— Qu'est-ce qui t'était arrivé ?

— J'avais fait une mauvaise chute lors d'une séance de dressage d'un poulain un peu trop fougueux.

— Est-ce que c'est le cheval qui nous mène aujourd'hui ?

— Non celui-ci ne nous a pas donné trop de fil à retordre. C'est mon père qui l'avait acheté tout jeune à l'encan. Il était habitué à notre présence quand nous avons commencé son domptage.

— Et maintenant, ta jambe, ça va ?

— Oui, comme tu peux voir. Ah, ça me fait penser qu'il y a deux semaines, mon père a amené ma mère chez le docteur.

— Pourquoi ? Qu'est-ce qu'elle avait ? s'enquit Armelle.

— Nous ne savons pas trop. Ma mère n'est pas une personne qui se plaint ou qui va parler de ses malaises. Mais pour qu'elle accepte d'aller rencontrer le docteur, c'est qu'elle devait souffrir. Je pense qu'elle endure en silence depuis des années, raconta-t-il d'une voix triste, ça peut expliquer bien des affaires.

« Ça peut expliquer bien des affaires, songea Armelle, est-ce que ça veut dire que ça excuse son comportement à mon égard lors de ma première grossesse ? Peut-être, je ne sais pas, mais je me demande si j'arriverai à oublier, à pardonner. »

— À quoi est-ce que tu penses ? demanda Nolan, toujours un peu intrigué par les silences occasionnels de sa femme.

— Que nous sommes chanceux, nous n'avons pas encore eu besoin des soins du docteur, répondit-elle, racontant un petit mensonge, car elle ne voulait pas ennuyer son mari avec ses réflexions tristes et amères. Tu ne penses pas ?

— Ouais, continuons, suggéra-t-il.

— D'accord, parle-moi de cette avant-dernière bâtisse à notre droite.

— C'est l'école du village. Au rez-de-chaussée, les classes, à l'étage, le logement de la maîtresse.

En apercevant la forge de l'autre côté de l'école, Armelle demanda :

— Est-ce que toi et ton père allez aussi chez le forgeron à la croisée des chemins près de notre ferme ?

— Oui, on donne de l'ouvrage aux deux. Il faut que tu saches que le forgeron Stroder de la croisée des chemins, c'est un personnage un peu bizarre, pas mal mystérieux.

— Comment ça ? s'enquit Armelle, craignant d'avoir un voisin un peu trop étrange.

— Tu verras bien quand tu le rencontreras...

Au bout de la rue, ils firent demi-tour pour se diriger vers le magasin général. Armelle avait bien hâte de rencontrer celui dont elle avait tant entendu parler. La rue commençait à s'animer. Des voitures transportant des fidèles venus entendre la grand-messe s'approchaient du temple. D'autres piétons convergeaient vers leur lieu de prière. Puis tout à coup, Nolan s'exclama :

— Eh bien ! Il y a si longtemps que je ne l'ai pas vue celle-là que je l'avais oubliée.

— De qui est-ce que tu parles ? lança Armelle, surprise par le ton de la voix de son mari.

— De cette femme qui vient de sortir du magasin.

C'était une grande femme au physique agréable et à la mine renfrognée. Elle portait une longue robe noire et une pèlerine de la même couleur. Elle avait un béret enfoncé sur ses longs cheveux noirs. Un sac à chaque main, elle marchait rapidement en regardant le sol.

— Mais qui est-ce ? Tu la connais ?

— Non, pas vraiment. C'est la bonne du docteur. On ne sait pas grand-chose d'elle. Elle viendrait de la frontière nord du grand pays. Son nom ? Personne le sait. Les gens l'appellent la Sauvagesse.

— Quoi ! Mais pourquoi donc ? s'étonna Armelle.

— Parce qu'elle ne regarde ni ne parle à personne. Elle semble emmurée en dedans. Elle sort seulement pour faire les commissions du docteur le dimanche matin.

— Cette femme doit traîner un passé très douloureux, je l'ai senti quand elle est passée près de la voiture.

— Ouais, probablement. Allons en parler à monsieur Poncelet, suggéra Nolan.

— Bonne idée, allons-y ! Je vais enfin le rencontrer ce monsieur qu'on surnomme le gentil géant, dit Armelle, enthousiaste.

Ils entrèrent dans le magasin général. Gwenn Poncelet était dans un coin en train de remettre en place des pots que des clients avaient déplacés la veille. L'employé avait demandé congé ce dimanche-là.

— Bonjour, monsieur Poncelet, lança Nolan en entrant.

Gwenn se retourna et vint à la rencontre du couple.

— Bonjour à vous deux, comment allez-vous ?

— Bien. Je viens vous présenter ma femme Armelle.

— Enchanté de faire votre connaissance enfin, dit Gwenn en se tournant vers Armelle. Je suis content de vous voir ici et j'espère que vous reviendrez souvent. Et vos années à Howick, ça a bien été ? Vous devez être contente, enfin chez vous. Vous avez une petite fille maintenant, je crois.

— Oui, très heureuse dans notre petite maison, répondit-elle. Et les Joyandet étaient de bons employeurs. Notre fille a deux ans et demi. Ça me touche beaucoup que vous vous intéressiez à nous.

— Si je peux vous être encore utile, ça me fera le plus grand plaisir.

— Aujourd'hui, continua Nolan, nous n'avons pas de commissions à faire. Je viens de faire visiter le bourg à ma femme.

— Et vous avez aimé, madame Armelle ? Vous permettez que je vous appelle comme ça ?

— Oui, j'aime bien ça. J'ai adoré découvrir ce beau grand village. Mais nous sommes intrigués au plus haut point par celle que les gens ont, paraît-il, surnommée la Sauvagesse. Elle me semble bien mystérieuse et bien souffrante. Qu'est-ce que vous savez d'elle ?

— Pas grand-chose. Elle ne parle pas, elle a sa liste quand elle vient faire les emplettes du docteur Gorond. Si on lui pose une question, elle répond par un signe de tête. Elle vient le dimanche matin, il y a souvent personne comme vous voyez.

— Et elle ne sourit jamais, à ce qu'on dit, fit remarquer Nolan.

— Non, répondit Gwenn. Mais vous le croirez pas, j'ai vu, de mes yeux vu, le jeune DéMouy, commis ici il y a plusieurs années, la faire sourire.

— Incroyable ! poursuivit Armelle. C'est évident que cette femme a besoin d'attention. Elle est visiblement accablée d'un grand chagrin. J'espère qu'elle est bien traitée chez le docteur.

— J'en suis certain, la rassura Gwenn. Certains prétendent qu'elle vient du Nord. D'où tiennent-ils ça ? J'en sais rien. Les rumeurs, allez voir où ça prend naissance. Moi, je l'aime bien. Elle est la bienvenue ici et je crois sincèrement qu'elle le sent.

— Je n'en doute pas, enchaîna Armelle. Monsieur Poncelet, je voudrais vous dire que moi aussi mes commandes seront écrites à la main et j'espère que vous pourrez les lire facilement.

— Madame Armelle, ça ne m'inquiète pas du tout. À voir votre tenue impeccable, je suis sûr que vous avez une belle main d'écriture.

— Merci, fit cette dernière, gênée, flattée par le compliment, c'est gentil. Alors, c'est donc vrai, votre réputation.

— Laquelle ? demanda celui-ci affichant un sourire taquin.

— Que vous savez parler aux femmes.

— Ah, si vous le dites.

— Oui, et je le redis, monsieur.

— C'est gentil, j'accepte, en toute humilité, le compliment.

Nolan avait suivi l'échange entre sa femme et le propriétaire avec joie. « Elle va aimer venir au bourg, en particulier au magasin général. Elle s'entend déjà bien avec le propriétaire. » Le temps filait, ils allaient devoir partir pour aller chercher la petite qui devait commencer à s'impatienter à la grande maison.

— Excusez-nous, monsieur Poncelet, intervint Nolan, c'est intéressant de jaser avec vous comme toujours, mais nous allons devoir rentrer.

— Je vous comprends, la route est longue. J'espère vous revoir plus souvent, madame Armelle, maintenant que vous êtes installés à nouveau dans le rang du Ruisseau.

— Oui, je le souhaite moi aussi. Je trouve que vous êtes très aimable. Votre réputation n'est pas surfaite.

— Merci, c'est gentil. À la revoyure !

— À bientôt ! dit Nolan.

Et Nolan et sa femme sortirent du magasin général. Ils se retrouvèrent sur le chemin du retour, au petit trot, l'esprit empli de ce qu'ils venaient de vivre durant cette matinée.

Armelle, la première, brisa ce silence complice qui les rapprochait :

— Aubrey a son fou du village et Clodey, sa Sauvagesse. Deux situations aussi affligeantes l'une que l'autre, non ?

— Ouais ! T'as bien raison, mais il faut les accepter. Une chose est certaine, ça fait jaser. Les gens ne sont pas méchants envers ces personnes, enfin je pense.

Armelle n'ajouta rien aux propos de son mari. Elle était à la fois heureuse et troublée par ce qu'elle avait vu et appris à Clodey. Des images se bousculaient dans sa tête : le bourg, le gentil géant, la Sauvagesse…

La Sauvagesse avait pour prénom Aliénor. Elle était originaire de la frontière nord du grand pays. Cette frontière, dans sa plus grande partie, était quasi infranchissable : de hautes montagnes, des grottes, des pics, des parois escarpées, exception faite d'un bout d'environ vingt lieues de pays plat. C'était là qu'habitait Aliénor, toute jeune mariée à Ïour D'Eer.

Sur ce bout de frontière à découvert, à chaque décennie environ, c'était l'apocalypse ! La guerre impitoyable qui ne faisait pas de quartiers. La guerre sans merci qu'il fallait gagner à tout prix sinon c'était la destruction et l'esclavage. Des barbares, géants, hideux, haineux, à barbes et cheveux longs, se ruaient pour attaquer avec rage et mépris ces habitants qu'ils considéraient comme dégénérés, car devenus sédentaires en délaissant, dans un lointain passé, leur vie de cueilleurs et de chasseurs. Ces monstres, surgissant de nulle part, attaquaient non pour annexer du territoire, mais par goût de la guerre et par mépris pour cette population civilisée. Ils venaient pour blesser, tuer, saccager, violer, brûler, détruire et retourner chez eux avec le plus gros butin possible et le plus grand nombre d'esclaves.

Près de cette frontière, dans les chaumières des hameaux, des villages et des bourgs, les hommes aptes à porter les armes ne dormaient que d'un œil. Ils gardaient le fusil, l'épée et les bottes à portée de la main afin d'être prêts quand se ferait entendre le bruit des tambours appelant au combat. Dans ce coin de pays nordique, on ne se demandait pas si ces brutes cruelles allaient revenir, mais plutôt à quel moment elles surgiraient. À la frontière, des fortins avaient été édifiés et plus au nord, des postes d'observation d'où était scruté l'horizon jour et nuit. Et quand on détectait un mouvement inhabituel ou percevait les vibrations du sol martelé par les sabots de nombreux chevaux, des cavaliers revenaient à bride abattue avertir de l'imminence d'une attaque. Et c'était le branle-bas de combat.

Alors de puissants bras battaient tambours qui, de relais en relais, alertaient les fantassins pour qu'ils accourent rejoindre leurs compagnons d'armes déjà aux créneaux. Le mari d'Aliénor était du nombre des conscrits de cette nouvelle guerre. C'était avec un déchirement au cœur qu'elle avait regardé son homme, fier et sans peur, s'éloigner de leur chaumière. « Va-t-il me revenir vivant ? » Ces hordes sauvages et sans pitié, montées sur des chevaux tout aussi sauvages, sans selle, déferlaient, par vagues successives, vers la frontière, cheveux au vent et l'arme au poing. Ils vociféraient des cris si effrayants qu'ils glaçaient le sang et risquaient d'intimider les plus jeunes qui en étaient à leur première guerre. Si bien qu'on battait tambours à toute force pendant la durée des combats pour atténuer l'effet de ces hurlements horribles. Au prix de grands sacrifices et de nombreuses pertes, les batailles furent remportées par les assiégés. Et à la toute dernière, gagnée de justesse, le mari d'Aliénor, preux parmi les preux, fut grièvement blessé. Après trois semaines d'atroces souffrances, il rendit l'âme dans les bras de sa femme.

Inconsolable, Aliénor resta écrasée par son chagrin « C'est cruel et injuste, nous venions de nous marier. »

Aliénor fit une longue introspection. « Depuis mon enfance, je vis sous la malédiction de la guerre, je ne veux plus vivre ça, c'est trop horrible. Ici, il n'y aura jamais d'autre choix pour vivre que la guerre ou l'angoisse de la guerre. À quoi bon me remarier et avoir des enfants ? À la prochaine guerre, mon mari et mes enfants devront aller se faire blesser ou tuer comme c'est arrivé à mon père et à deux de mes frères. Ici, je n'arriverai jamais à apaiser mon tourment. Je ne resterai pas dans ce lieu maudit marqué par le malheur. Je ne vais pas m'attacher à un autre homme. Mon mari, je te porterai toujours en moi, nous irons vivre ailleurs dans un lieu où il n'y a pas la guerre. »

Après les funérailles, Aliénor fit ses adieux aux siens, prit les économies du couple et partit vers le Sud. Son périple dura des mois. Elle traversa hameaux, villages, bourgs et deux grands centres. Elle n'y trouvait jamais ce qu'elle cherchait : un coin serein où elle pourrait vivre dans la paix et l'amour qui l'habitait toujours.

Puis un jour, au centre du grand pays, elle aboutit à Clodey. C'était un jour de semaine. La rue principale était quasi déserte. Tout de suite, elle se sentit bien. Ce bourg l'accueillait ; c'était comme s'il attendait son arrivée. Elle fut envahie par un sentiment de sérénité. « Je me sens bien ici. » Enfin, ses pérégrinations venaient de prendre fin. C'était là qu'elle s'établirait. Elle avait été bien guidée. « Merci, maintenant, fasse le Ciel qu'on m'accepte », implora-t-elle.

Aliénor frappa à la porte des maisons cossues. Elle présentait un document qui l'identifiait, qui résumait sommairement son histoire et qui parlait non de guerre, mais plutôt d'escarmouche à la frontière. Son papier décrivait sa situation de veuve. Elle demandait du travail de bonne en échange de la pension. Ce texte lui évitait d'avoir à exprimer en mots sa douloureuse épopée, ce qui aurait été comme la revivre. Chez le docteur Gorond, elle trouva une réponse positive. « Oui, mon épouse aurait besoin d'une bonne, ça la libérerait de ses tâches domestiques, je vous engage », dit le docteur en passant le document à sa femme Astrée qui trouva Aliénor bien sympathique dès le premier regard échangé. Celle-ci aurait alors plus de temps à consacrer à son bénévolat. « Soyez la bienvenue dans notre maison, Aliénor », lui souhaita Astrée, la femme du docteur, avec le plus beau des sourires. Grande femme à la taille fine, au sourire accueillant. Elle présentait un visage amical et resplendissant de joie de vivre, offrait un regard chaud et animé. Cette femme généreuse avait toujours été habitée par le goût d'aller vers les autres.

Les Gorond allaient respecter le besoin de silence de leur bonne. Ils lui offrirent une belle grande chambre. Aliénor étala ses maigres possessions sur le lit pour mieux les ranger. Elle déposa délicatement sur la table de chevet le journal dans lequel, chaque soir avant de se coucher, elle écrivait un petit mot à celui que la guerre lui avait impitoyablement enlevé.

L'exilée comprit rapidement ce qu'on attendait d'elle. Ses tâches allaient lui plaire. Elle les trouvait sympathiques, le docteur et sa femme. Pour les emplettes, notées sur papier, le Dr Gorond lui suggéra de sortir le dimanche matin, ce serait plus tranquille au magasin. Celui-ci la rassura : « Je vais expliquer votre situation au propriétaire du magasin général, il comprendra, c'est un homme sympathique et généreux. » Peu à peu, Aliénor entra dans ses nouvelles habitudes de vie sécurisantes, ce qui mettrait du baume sur sa souffrance. « Ici, j'espère reprendre goût à la vie ». En attendant, elle préférait vivre dans la solitude et le silence de son jardin intérieur où elle s'était réfugiée.

Clodey comptait désormais une nouvelle citoyenne, silencieuse, solitaire, emmurée dans son monde secret. Elle sortait seulement le dimanche pour les emplettes. Les quelques personnes rencontrées ne lui adressaient pas la parole vu qu'elle fixait tout le temps le sol. Pour ces raisons, les gens l'avaient surnommée la Sauvagesse, non pas pour la dénigrer, mais parce que ça semblait décrire son comportement marginal.

— Je n'aime pas le sobriquet qu'on lui a donné. Je vais essayer d'en trouver un autre plus joli, dit Armelle en arrivant à la ferme.

— Bonne idée, ma femme. J'ai bien hâte de voir ta trouvaille.

Nolan s'arrêta à l'entrée de la ferme, laissa descendre Armelle et fila à la grande maison chercher Maïa. Le père et la fille revinrent tout de suite et la petite famille se mit à table pour le dîner. Pendant le repas, la Sauvagesse fut le principal sujet de conversation. Il fallut bien sûr expliquer à Maïa la signification de ce mot qu'elle trouvait bien étrange.

— Et dire que le commis du magasin, le jeune DéMouy, aurait déjà réussi à la faire sourire, dit Nolan en prenant son thé.

— Ce jeune DéMouy devait posséder une personnalité très forte et fascinante. Je me demande s'il est parti pour de bon, commenta Armelle.

— Ça, Dieu seul le sait.

Cette année-là, les habitants de la grande région de Clodey eurent droit à un magnifique été des Indiens : six jours d'affilée, fin octobre, d'une température d'été. On fut ainsi mieux préparé à affronter cet hiver qui approchait inexorablement avec ses complices : le froid, le gel, la neige, la poudrerie, les nuits plus longues, un soleil plus effacé.

Un bon matin, début novembre, la communauté de Clodey se réveilla pour s'apercevoir que dame Nature avait laissé au sol la trace blanche de son passage. Elle reviendrait et elle serait de plus en plus généreuse à chaque visite. Alors on s'arc-bouterait pour affronter les premiers grands assauts de cette interminable saison froide. Et débuterait la longue et pénible marche qui mènerait au printemps.

Depuis un certain nombre d'années, un hiver sur deux avait été moins rude, les routes moins enneigées, le postillon avait pu faire sa ronde presque tous les jours. Mais le dernier hiver avait fait souffrir. On espérait que le suivant serait moins rigoureux. Axel allait monter au chantier. Et moins de neige en forêt facilitait le travail d'abattage et d'émondage des arbres. Nolan, lui, bûcherait dans la petite forêt. Armelle lui avait demandé de ne pas s'éloigner. Elle voulait qu'il soit près d'elle à la naissance de leur prochain enfant qui serait, selon elle, le petit garçon annoncé.

Une nuit de février, Nolan fut réveillé par les cris étouffés de sa femme.

— Vite, vite, Nolan ! Cours chercher la sage-femme. C'est pour cette nuit.

— Oui, oui, je pars tout de suite.

Nolan sauta hors du lit et s'habilla en vitesse. Dans la cuisine, il enfila ses vêtements chauds, se chaussa, prit un instant pour mettre une bûche dans le poêle, puis il sortit. Il gelait à pierre fendre. Il courut à l'étable où l'attendait son cheval préféré. Le cheval attelé au traîneau, les voilà en route vers Clodey au grand galop et, par moments, au trot pour laisser le poulain reprendre haleine.

Une belle nuit étoilée, sans nuages, une magnifique pleine lune accrochée à un ciel d'un bleu royal. Il ne fut pas nécessaire d'allumer le fanal du traîneau. Le vent retenait son souffle comme en attente d'un événement sans précédent. Le chemin était dégagé; il était tombé moins de neige en février cet hiver-là. Ça avait été plus facile pour les fermiers de dégager leur bout de chemin. La surface de la route était légèrement glacée, mais les fers de son cheval avaient été changés l'automne dernier. Tout en tenant les guides fermement, Nolan songeait à ce que sa femme lui avait affirmé: «Ce sera un garçon, tu verras.» Il avait bien hâte de voir. L'accoucheuse serait prête en un instant; il lui avait parlé le dimanche précédent sur le parvis du temple.

Arrivé chez elle, il attacha sa monture, frappa à sa porte. L'instant d'après, elle ouvrait.

— Ah, Nolan, c'est le moment, n'est-ce pas?

— Oui, je vous attends.

— Entre, je te rejoins dans un instant, dit-elle.

Ce ne fut pas long. Elle apparut emmitouflée, une grosse valise à la main. Nolan prit sa valise, l'aida à monter dans le traîneau et ils se mirent en route à grand train.

La sage-femme se nommait Jacmelle Piéniak. Elle habitait depuis toujours sur la rue principale de Clodey, dans une belle petite maison qui se faisait remarquer par ses jalousies jaunes. On l'appelait familièrement madame la Sage-femme tant elle était proche des gens et tant elle était respectée et aimée de tous. La cinquantaine, encore vigoureuse, elle continuait toujours de pratiquer son art. Elle se sentait en bonne forme, et pour en remercier le grand Esprit, elle s'efforçait de faire de chaque jour supplémentaire qui lui était octroyé un îlot de bonheur. «J'espère qu'Il n'est pas trop pressé de venir me chercher, j'ai encore du travail à faire ici-bas.» Le dos légèrement voûté, une démarche rapide, à petits pas, comme si le temps la pressait sans relâche.

Toujours bien mise, coquette, les cheveux grisonnants, elle appréciait les belles coiffures et les beaux chapeaux. Un sourire ensoleillé ornait son visage peu ridé pour son âge. Ses yeux rieurs communiquaient sa joie de vivre. Jeune adulte, elle était devenue sage-femme. Maintenant âgée, elle restait encore aussi dévouée et empressée. Sa récompense était de recevoir dans ses mains le nouveau petit être naissant. Pour se consacrer entièrement à sa mission, elle ne s'était pas mariée. Non par manque de soupirants. Jolie comme elle l'était, elle en avait fait tourner des têtes.

On l'identifiait à cette jolie maison qu'elle avait héritée de ses parents maintenant décédés depuis plusieurs années. Son père avait fait fortune dans le commerce du bois et quelques petits commerces illicites. Il avait laissé à sa fille unique une bonne rente qui lui permettait de bien vivre. Elle pouvait ainsi se livrer en toute quiétude à sa passion. Elle était bien occupée, car à cette époque de règne religieux, les mères devaient enfanter régulièrement sinon les ministres du Culte venaient cogner à leur porte.

Après la croisée des chemins, ils arrivèrent sur la colline d'où l'on apercevait la petite rivière et la maison grise. Coup de théâtre ! Le poulain s'arrêta, se cabra et hennit plusieurs fois.

— Nolan, regarde, tu vois ce que je vois ? s'exclama la sage-femme, stupéfaite.

— Mais oui ! répondit-il, tout aussi surpris.

Une scène féerique s'offrait à leurs yeux. La maison était illuminée d'une vive lumière blanche qui l'entourait. De longs faisceaux lumineux multicolores semblaient jaillir des entrailles de la terre et s'élevaient vers le ciel en se rejoignant au-dessus du toit pour former un dôme majestueux. Et ces faisceaux projetaient une multitude de petites fusées d'étincelles qui embrasaient l'atmosphère tout autour.

— Nolan, tu comprends ce que ça veut dire ? demanda l'accoucheuse.

— Non, je ne comprends pas, dit-il sans être trop abasourdi après tout ce qu'Armelle lui avait annoncé à propos de cet enfant qu'elle attendait.

— Allez, Nolan, grouillons-nous ! Ta femme va accoucher, elle nous attend.

« Hue, allez, hue ! » Arrivé à la maison, toujours aussi embrasée, Nolan descendit du traîneau, attacha sa monture, empoigna la valise de la sage-femme, l'aida à descendre du traîneau et à monter les marches. Ils entrèrent en traversant la paroi lumineuse. Ils entendirent alors Armelle qui respirait profondément. C'était éclairé dans la maison comme en plein jour, nul besoin d'allumer la lampe.

— Nolan, tu m'apporteras un grand bol d'eau et tu alimenteras le poêle. Tu iras dételer, je vais passer le reste de la nuit ici.

— Oui, madame, tout de suite, enchaîna-t-il en se déchaussant.

Nolan se dirigea vers la grande armoire pour trouver le récipient requis. La sage-femme enleva ses bottes ainsi que son gros manteau et alla s'installer aux pieds d'Armelle avec sa grosse valise.

— Bonsoir, madame Bouïos, dit-elle doucement.

— Bonsoir, merci d'être venue, répondit Armelle d'une voix faible.

Nolan apporta l'eau puisée dans le réservoir du poêle. Ensuite, il alla dans la boîte à bois choisir deux petites bûches qu'il déposa dans le poêle sur les braises encore chaudes. La maison se réchaufferait en peu de temps. Il remit ses bottes, puis il sortit dételer, la maison étant toujours entourée de ces faisceaux brillants. De retour à l'intérieur, le futur papa, nerveux, marcha de long en large dans la cuisine pour se calmer un peu. Maïa, réveillée par les plaintes bruyantes de sa maman, l'appela. Il alla la retrouver dans sa chambre. Il s'agenouilla à côté de son lit.

— Papa, papa, maman pleure fort, pourquoi ? demanda la petite, le regard inquiet.

— Maman va avoir un bébé, c'est normal, lui expliqua-t-il pour la rassurer un peu.

— Est-ce que je vais avoir un petit frère, papa ? s'enquit Maïa un peu calmée par le ton modéré de son père.

— Maman a dit que oui.

— Toi, papa, tu veux avoir un petit garçon ?

— Mais oui, j'aimerais ça, avoir un petit garçon dans la maison.

— Ça va prendre encore beaucoup de temps avant qu'il arrive ?

— Non, ça ne sera plus bien long maintenant.

— Pourquoi, papa, il ne fait pas noir dans la maison comme les autres nuits ?

— Parce que c'est la pleine lune et qu'il y a beaucoup d'étoiles.

— Moi, je pensais que c'était parce que maman allait donner naissance à un beau gros garçon.

— C'est peut-être ça, ma fille, oui, c'est peut-être ça.

Maïa se rapprocha de son papa. L'attente fut interminable. Enfin vint le moment attendu. Le père et la fille entendirent la maman pousser un long cri déchirant… puis un grand soupir de soulagement. Et le nouveau-né pleurait doucement.

— Papa, pourquoi maman a crié ?

— Le bébé est arrivé, c'est fini maintenant. Tu l'entends ?

— Oui, il pleure, papa, pourquoi ?

— Il a froid et il a soif, c'est normal. Je vais aller voir le bébé et maman, puis je vais revenir dormir avec toi.

— Je t'attends, papa.

Nolan revint à la cuisine. Il ouvrit le rond du poêle et avec le tisonnier retourna la bûche du dessus pour qu'elle brûle mieux et en ajouta une autre plus grosse. Le père du nouveau-né se roula une cigarette, l'alluma, et il se mit à arpenter la cuisine pour se détendre un peu.

La sage-femme sectionna le cordon ombilical, lava le bébé, l'assécha, le déposa sur la poitrine de sa mère. Le tout-petit allongea ses bras et, à la grande surprise de madame Piéniak, en entoura le cou de sa maman. Ses pleurs avaient cessé. La couverture remontée, ils allaient pouvoir dormir. L'accoucheuse sortit de la chambre avec sa grosse valise, la déposa près du poêle qui répandait une douce chaleur dans la pièce.

— Tu peux aller voir ton enfant, un gros garçon, et embrasser ta femme, dit l'accoucheuse d'une voix posée, ce qui amena Nolan à retrouver un peu de son calme.

— Merci, madame, j'y vais tout de suite.

Dans la chambre, Nolan baissa la couverture, toucha le petit qui semblait dormir, regarda sa femme, elle souriait. Il lui toucha délicatement la joue de sa grosse main rude. Les époux étaient heureux: une belle émotion partagée. Nolan remonta la couverture et sortit de la chambre avec le gros bol. « C'est un garçon, elle avait bien raison. Maintenant, je vais écouter davantage quand elle me dira des choses. »

— Tout s'est bien passé, madame? s'enquit Nolan, rejoignant la sage-femme près du poêle.

— Oui, un gros bébé tout à fait normal, répondit-elle.

— Vous pouvez vous installer dans la grande berçante, je vous apporte une bonne couverture ou bien il y a un lit à l'étage.

— Non, je préfère rester ici près du poêle, merci.

L'accoucheuse trouva le sommeil rapidement et dormit jusqu'au petit matin. Nolan alla s'étendre près de sa fille qui avait eu trois ans un mois auparavant. La petite était bien contente d'avoir son papa près d'elle.

— C'est fini, papa? demanda-t-elle, maman va bien et le bébé, c'est une fille ou un garçon?

— Maman va bien maintenant, la rassura-t-il. T'as un beau petit frère. Tu vas le voir demain matin. T'es contente?

— Oui, papa, répondit-elle en se rapprochant pour coller sa petite tête sur son épaule afin de mieux se rendormir. Je suis sûre qu'il est beau. Comment on va l'appeler?

— C'est maman qui va choisir. Dormons maintenant.

— Oui, papa…

Maïa trouva le sommeil rapidement. Nolan se leva doucement et il alla rejoindre sa maman. Elle aussi avait besoin de sa présence.

Le nouveau-né reposant sur la poitrine de sa mère ne dormait pas. Une âme aux pouvoirs extrasensoriels venait de s'incarner dans cette enveloppe charnelle. Cet enfant, lucide dès le premier instant de sa naissance, commençait déjà à saisir les vibrations circulant tout près de lui. Il sentait autour de lui des ondes positives telles que la tendresse, l'amour, la compassion et la fraternité. Mais au-delà de ce cercle intime, ce petit être percevait les travers des humains tels que la controverse, la chicane, la querelle, la mesquinerie et la guerre. Ça lui faisait mal. Il avait la vague impression qu'il avait été envoyé par le grand Esprit dans le mauvais univers. Sa vie terrestre débutait et il souffrait déjà dans son âme. Il voulait retourner auprès de son Créateur.

C'est alors que son Guide céleste, Vival, qui avait été jumelé à son âme dès sa conception, intervint. Il lui fit comprendre qu'il était né dans le bon univers et qu'il allait devoir apprendre à vivre avec les humains et leurs ambivalences dès les premières années de sa vie ici-bas. Et durant ses trois premières années, le nouveau-né devrait se concentrer sur la vie de son cercle familial afin de grandir dans son âme, son esprit et son enveloppe charnelle. Il aurait aussi à maîtriser rapidement le langage parlé des humains, ce qui faciliterait alors la communication avec son entourage. Et il pourrait alors mieux exprimer son vécu et les échanges en seraient facilités. Le petit se calma et s'endormit. Son Guide resta près de lui.

Le lendemain matin, très tôt, Nolan se leva, prenant soin de ne pas réveiller sa femme, le petit semblait dormir dans ses bras. Il alla raviver le feu dans le poêle et y ajouta du bois. Puis il sortit faire son train. « La vie nous a fait un beau cadeau : un gros bébé qui a l'air en bonne santé », se disait-il, réjoui, en se rendant à l'étable.

Le petit jour se levait. Les premières lueurs apparaissaient à l'horizon dans un ciel dégagé. Les feux éblouissants de la nuit avaient disparu. Nolan s'attarda. Il eut envie de contempler ce qui était sien : ses champs ensevelis sous la neige, sa forêt de conifères, le pin géant près de la maison toujours habillé de ses aiguilles, sa maison, ses bâtiments. « Merci pour tout cela. »

Nolan venait de vivre une nuit de rêve, irréelle, au cours de laquelle s'étaient déroulés des événements dont le sens et la portée lui échappaient. Il lui semblait qu'un jour nouveau se levait, mais il avait beau regarder tout autour, son domaine ne paraissait pas pour autant avoir changé. *Au contraire*, intervint cette voix au fond de lui, *la vie du vallon ne sera plus jamais la même; ce petit garçon va y apporter une nouvelle joie de vivre. Chaque jour vécu auprès de lui sera une aventure toujours renouvelée. Cette dernière nuit qui a vu naître ton fils occupera une entrée importante dans les Annales célestes.* « Tiens ! songea-t-il, la même voix que ce jour où je revenais d'Aubrey... » Ces paroles difficiles à comprendre et surtout à croire lui furent d'un grand réconfort.

Le maître des lieux avait toujours aimé sa vie dans sa petite vallée. Il avait maintenant deux raisons de l'aimer davantage : une femme toujours aussi aimante, toujours aussi courageuse, et ce petit garçon qui venait de naître. Cette vallée, lieu privilégié de l'insolite et de l'imprévu, Nolan y était attaché et il ne voudrait à aucun prix vivre ailleurs. L'homme entra à l'étable, enthousiaste, et la tête remplie de pensées à la fois enivrantes et apaisantes. La traite de ses vaches lui parut moins ardue, ce matin-là. « Dans quelques années, j'aurai un fils pour me donner un coup de main. »

En rentrant de l'étable, il salua la sage-femme déjà debout et alla dire bonjour à sa femme. Il la trouva assise dans le lit avec le petit endormi dans son giron.

— Bonjour, vous avez dormi, toi et le petit ?

— Oui, il a fait une bonne nuit, il vient de faire son deuxième boire. Tu m'excuseras Nolan, mais je n'irai pas à la cuisine ce matin.

— Pas de problème, je vais préparer le déjeuner pour tout le monde. Tu te sens bien ?

— Oui, le petit, tu le trouves beau ?

— Beaucoup, merci pour le beau cadeau.

— Dis à Maïa de venir voir son petit frère.

— Tout de suite.

Quand Nolan entra dans sa chambre, Maïa était en train de se réveiller, se frottant les yeux de ses deux petits poings.

— Papa, je veux voir mon petit frère, dit-elle ouvrant les yeux.

— Viens, on va le voir.

Nolan prit sa fille dans ses bras à la grande joie de celle-ci, car il ne le faisait pas très souvent. En voyant son petit frère, Maïa s'écria : « Maman, il est beau et très gros, je l'aime beaucoup déjà. »

Nolan déposa sa fille près du lit : « Reste avec maman et ton petit frère, je vais aller préparer le déjeuner. »

Nolan retourna à la cuisine. Il mit le gruau à cuire, il dressa la table. Puis il invita madame Piéniak à s'approcher. « Avez-vous assez dormi, madame ? » s'enquit le chef improvisé. « Ne t'inquiète pas, je vais récupérer durant la journée. » La sage-femme faisait toujours une sieste après le dîner, à moins qu'on vienne la chercher d'urgence pour un accouchement. « Maïa, viens manger. » Nolan les servit. La petite était bien fière, car depuis ses trois ans, elle avait la permission de s'asseoir sur une chaise droite, le siège haussé d'un coussin. « Je vais beaucoup m'occuper de mon petit frère. » Nolan apporta à sa femme son bol de gruau saupoudré de cassonade comme elle l'aimait.

— Il est beau, papa, le bébé, je l'aime beaucoup, disait Maïa entre deux cuillerées de gruau.

— Moi aussi, je l'aime beaucoup, reprenait son papa.

— C'est un beau gros bébé, ajoutait madame Piéniak. Je pense qu'il deviendra un grand et fort garçon.

— Je l'espère bien, fit le papa du bébé.

Plus tard, Nolan alla reconduire la sage-femme au village. Il s'arrêta au magasin général pour annoncer la bonne nouvelle à Gwenn Poncelet. Et par le bouche-à-oreille, la communauté apprendrait qu'elle comptait désormais un nouveau membre. En rentrant à la ferme, Nolan allongea un peu son trajet pour aller partager la bonne nouvelle avec ses parents, son frère et sa belle-sœur. Cette dernière manifesta sa joie en entendant cette nouvelle.

— Je suis bien contente pour vous deux. L'accouchement s'est bien passé ? demanda-t-elle.

— Normalement, c'est un garçon en bonne santé.

— Dis à Armelle que je vais aller la visiter bientôt.

— Je vais lui passer le message.

Emma fit simplement un commentaire : « C'est heureux que ça soit un garçon. Éventuellement tu auras une bonne paire de bras pour t'aider à la ferme. » Axel et Firmin étaient sortis. Puis, Nolan rentra à la petite maison grise rejoindre sa femme et ses enfants.

— Je n'irai pas bûcher aujourd'hui, annonça Nolan à sa femme et à sa fille. Nous allons rester tous les trois ensemble avec le bébé : une journée juste pour nous.

— Merci, mon mari, j'apprécie beaucoup, dit Armelle, surprise et heureuse de cette décision.

— Merci, papa, s'exclama Maïa, contente de l'avoir près d'elle toute la journée.

Armelle nommerait son fils Tristan. Ce nom lui avait été suggéré par l'Au-delà durant la première nuit passée avec son enfant étendu sur sa poitrine.

— Maïa, ton petit frère va s'appeler Tristan, tu vas aimer ça ?

— J'aime le nom beaucoup, maman. C'est un nom juste pour lui, répondit la petite sœur.

— Oui, ma fille, approuva son papa, c'est un nom jamais entendu. Il y aura juste un Tristan dans tout le pays.

— Et il sera reconnu pour son intelligence et sa force, ajouta Armelle.

La vie venait de s'enrichir à la petite maison grise. Avec la venue de ce petit être attendu, Armelle et Nolan allaient la chérir davantage, leur vie. C'était la pensée que ces derniers caressaient en ce jour unique où ils s'étaient réservé des moments pour eux, ce qu'ils n'avaient jamais le loisir de faire. En ce jour béni, ils se contenteraient de regarder calmement se dérouler leur vie. Demain, le fardeau à reprendre serait moins lourd…

9

Par un matin splendide de fin d'avril, Gwenn Poncelet était penché au-dessus du comptoir de son magasin, il peinait à déchiffrer la liste d'achats d'un gros client qui, d'une fois à l'autre, promettait d'améliorer son écriture. Il fut distrait un moment par le bruit de la porte d'entrée qui s'ouvrit et se referma. Il venait à peine de se reconcentrer qu'on lui faisait de l'ombre. Gwenn leva la tête et aperçut devant le comptoir un étranger au visage sérieux.

— Oui, monsieur? demanda-t-il un peu contrarié.

— Bonjour, monsieur Poncelet, répondit l'homme.

— On se connaît? demanda Gwenn encore sur le même ton.

— Mais oui, monsieur Poncelet, rétorqua celui-ci.

Une hésitation... un moment de silence... Gwenn scrutait ce visage qu'il n'arrivait pas à identifier, puis soudainement.

— Nom de Dieu! explosa-t-il tout en rabattant son gros poing sur le comptoir. Alexan! Alexan DéMouy! Ah! Ce que t'as changé! Je te reconnaissais pas. Qu'est-ce que tu fais dans le coin?

— Je reviens chez moi.

— Tu reviens, tu reviens, tu passes nous visiter?

— Non, nous sommes ici pour nous installer. J'aimerais vous présenter mon épouse Leila, dit-il en se tournant vers celle qui se tenait un peu en retrait.

— Mais ça parle au diable! Tu reviens avec la plus belle femme qui soit, s'éclata-t-il à nouveau en regardant la femme souriante qui s'avançait vers lui.

— Bonjour, monsieur Poncelet, c'est avec grand plaisir que je fais votre connaissance. Alexan m'a beaucoup parlé de vous, il vous aime beaucoup. Je tenais à vous le dire en personne, ajouta-t-elle en lui tendant la main.

— Moi aussi, je l'aime beaucoup, ajouta-t-il, tout remué, prenant délicatement la main de la femme. Vous venez d'arriver, j'imagine.

— Oui, continua Alexan, c'est notre premier arrêt au village. On veut d'abord trouver à se loger.

— Allez voir la logeuse et si elle n'a rien à vous offrir de convenable, je vous ferai de la place chez moi, ici à l'étage.

— Merci, c'est gentil. De plus, je dois vous rencontrer, vous et le paysan-poète, pour discuter de mon projet qui ne manquera pas de soulever l'ire des ministres du Culte.

— Alexan, si tu apportes du sang neuf dans notre commune, on va t'épauler, ne crains rien, lui assura Gwenn. Viens ce soir après la fermeture du magasin.

— Bien, à ce soir.

— Madame, ajouta Gwenn, j'ai hâte de vous revoir. J'espère qu'on vous verra souvent au magasin et dans le village. Vous découvrirez alors combien Alexan était aimé ici à Clodey.

— Merci, monsieur Poncelet, c'est gentil de votre part, dit-elle en se dirigeant vers la sortie.

Gwenn Poncelet, seul dans son magasin devant cette liste d'achats, resta songeur un long moment. Qu'était-il arrivé au jeune DéMouy pour qu'il change tant ? Il se tenait encore plus droit. Il dégageait maintenant un calme impressionnant et une assurance sereine. C'en était à la fois réconfortant et déconcertant.

Six ans auparavant, Alexan DéMouy quittait le bourg de Clodey emportant ses économies et quelques effets personnels. Il avait filé vers le sud-est jusqu'au premier grand port de mer où il trouva plusieurs gros cargos amarrés les uns près des autres. Sur l'un d'entre eux, il se fit embaucher comme passager employé, c'est-à-dire que son travail défrayerait le coût de la traversée. Il avait une petite cabine à sa disposition. Après des semaines de navigation sous de bons vents, les côtes d'un nouveau continent se dessinèrent à l'horizon. Arrivé, il alla saluer et remercier le capitaine qui l'avait pris à son bord. Ce dernier lui assura qu'il lui offrirait la même entente s'il devait refaire cette traversée en sens inverse.

Sans attendre, Alexan se mit en marche, son bâton de pèlerin en main. Il traversa des bourgs, des petits centres urbains, il évita les grandes agglomérations. Il rencontra des gens intéressants, mais le jeune pèlerin se rendit compte assez vite qu'il ne trouverait pas ce qu'il cherchait sur ce continent. « Ça s'apparente trop à ce que je viens de laisser derrière moi. » Alexan continua son périple et, aux confins de ce continent, il aboutit à un autre grand port de mer où régnait une activité intense. Des hommes allaient et venaient, débarquaient et embarquaient du fret. Alexan marcha sur le quai. Il se sentait loin, très loin de son pays, il pensa à sa mère. Il se sentit envahi d'une tristesse muette et sourde. « Un jour maman, je vous apprendrai ce qui m'arrive.» Cette pensée le réconforta. Puis il arriva à repérer le même type de cargo qu'à son premier port de mer et s'y fit engager pour la traversée vers le prochain continent. Et Alexan se retrouvait à nouveau en pleine mer, cheminant vers de nouveaux horizons.

La traversée de cet océan fut plus difficile. La mer était souvent démontée. Il y eut beaucoup plus de roulis et de tangage. Alexan connut le mal de mer pour la première fois. Il dut, certains jours de mer furieuse, s'abstenir de nourriture pour éviter ces nausées désagréables. «Je ne vais quand même pas finir noyé», se disait-il parfois quand la mer était particulièrement déchaînée, «et toute cette démarche aurait alors servi à quoi?». Mais très vite, Alexan se reprenait: «Ma bonne étoile m'a conduit jusqu'ici, elle m'abandonnerait maintenant?»

Ces tempêtes étaient souvent suivies d'accalmies. Et durant ces moments de calme que lui accordait la mer, Alexan aimait le soir, son ouvrage fini, marcher sur le pont pour faire le vide avant de rentrer se coucher.

Un soir, Alexan s'était accoudé au bastingage. Il avait observé les vagues de faible hauteur ourlées d'écume blanche que fendait la proue du bateau. Cette scène le ramenait à sa vie. «Moi aussi, je devrai foncer, ne pas craindre de prendre les décisions qui s'imposeront.» Il était fier du chemin qu'il avait parcouru depuis ses dix-huit ans. Ce soir-là, la mer était belle, le ciel parsemé d'étoiles qui entouraient une lune pudique, voilée d'un nuage blanc. Tout en admirant ce ciel bleuâtre, le jeune exilé revoyait les décisions qu'il avait prises depuis le premier jour de ses dix-huit ans. «J'ai fait pour le mieux et je le referais, j'arriverai à trouver ma voie», se répétait-il souvent comme pour s'en convaincre. «Il n'y a que mon père qui croit que je ne ferai rien de bon.» Alexan trouva bien amère et déprimante cette dernière pensée, ça venait troubler cette paisible soirée. Il s'efforça de la chasser. «J'aurai atteint mon but — être libre intérieurement — quand tous les souvenirs douloureux de ma vie à la ferme ne viendront plus m'obséder.» Le jeune homme devait néanmoins admettre que les images refoulées de son passé à la ferme venaient moins le hanter depuis un certain temps.

Ce fut une soirée de questionnement. «Qu'est-ce que je vais faire de ma vie?» Il ignorait comment il arriverait à gagner sa vie, mais il trouverait, il en doutait de moins en moins. Une chose dont il était certain, c'était qu'il voulait une famille avec des enfants. «Il me faudrait d'abord trouver la femme que je voudrais comme mère de mes enfants.»

Alexan ne se voyait pas s'approcher d'une femme. Son monde avait toujours été un monde d'hommes. À la ferme, il avait vu les animaux s'accoupler. Mais il sentait profondément que ce rapprochement chez les humains devait, pour être beau et noble, s'accompagner d'amour et de tendresse. « Ma mère nous aimait, ses enfants, mais elle ne nous a jamais caressés, elle n'avait pas été caressée, enfant, j'imagine. » Et le fils aîné n'avait jamais aperçu ses parents se manifester de l'affection en paroles ou en gestes. À Clodey, au magasin général, de jeunes femmes célibataires l'avaient regardé d'un regard engageant. Ces attentions féminines l'avaient déstabilisé. Alexan ne pouvait alors répondre à ces chastes avances, ébranlé qu'il était par son sentiment d'amertume.

Ce soir-là, sous ce beau ciel étoilé, Alexan sentait qu'il serait bon d'accueillir un sourire de femme, un sourire doux et attendri. « Comment nous reconnaîtrons-nous? Nos yeux parleront comme les yeux de ces filles à Clodey », se plut-il à penser.

L'heure avançait. Alexan travaillait le lendemain, il se décida à rentrer. Après sa toilette, il s'étendit sur sa paillasse. Un rayon de lune entrait dans sa cabine par le hublot. Sous sa mince couverture, le jeune homme essaya, pour la première fois, de s'imaginer tenant dans ses bras une femme aimée… la femme aimée… nue…

Alexan mit du temps à s'endormir. Cette nuit écourtée fut des plus exquises : la déesse des Songes vint combler son souhait. Alexan se vit en rêve enlaçant la femme aimée. Ils étaient tous les deux au lit, nus. Pour la première fois, il touchait la peau satinée du corps d'une femme. Il fut transporté par son haleine fraîche, le parfum naturel de sa peau, ses lèvres sensuelles et frémissantes. Il fut troublé dans son corps d'homme par les caresses de cette compagne de rêve. Alexan n'aurait jamais pu imaginer que le galbe d'une hanche féminine puisse autant faire tressaillir. Sa main tremblotante effleura les parties secrètes de son ange fait femme. Tout son corps en frémissait de volupté. Puis en sursaut, Alexan se réveilla tout en sueur, frissonnant de plaisir dans son cœur et dans son corps, d'un plaisir nouveau et indicible. Le rêveur éveillé resta allongé sur le dos de longues minutes sans bouger, pantelant, heureux. « Fasse le Ciel que je vive ça éveillé dans un avenir pas trop éloigné. » Alexan arriva à se rendormir.

Les jours passaient, les nuits passaient… Alexan refaisait ce rêve toujours aussi troublant, toujours aussi extatique. « J'espère trouver sur mon chemin une femme aussi merveilleuse », se souhaitait-il.

Le navire arriva à bon port. Le jeune voyageur sentit aussitôt que ce continent était celui dont avait parlé Éloï : un monde de grande chaleur et de véritable sagesse. C'était l'après-midi. En approchant des côtes, une chaleur différente, pénétrante, mais non étouffante, l'envahissait.

Du pont où il se tenait, Alexan découvrait une végétation nouvelle. Et ces animaux de trait si différents du cheval, mais tout aussi puissants. Le gros cargo accosta. De sa position, le jeune globe-trotter remarqua un immense écriteau accroché à deux poteaux qui surplombait tous les alentours et qui affichait le nom du port, d'abord en la langue du pays, puis au-dessous, la traduction : IZMIR. Sur l'immense quai, il y avait une activité fébrile, un va-et-vient enchevêtré et continu. De nombreux travailleurs s'affairaient au déchargement et au chargement des navires. Les contrôleurs, crayon et cartable en main, vérifiaient ce qu'on débarquait et embarquait. Des sons parlés avec une sonorité et une mélodie nouvelles parvenaient jusqu'à ses oreilles.

Partout la vie était gaie, bruyante et vivace, animée par le travail des artisans devant leurs échoppes. Une rumeur des plus joyeuses régnait sur le grand port.

Un peu en retrait du quai, sur sa droite, Alexan remarqua une grosse bâtisse de forme ovale ouverte sur le devant. Un long comptoir fermait la partie ouverte. Devant, plusieurs personnes semblaient attendre leur tour d'être servies, apparemment des étrangers pour un bon nombre, vu leur tenue vestimentaire. De chaque côté était suspendu un grand tableau sur lequel Alexan pouvait distinguer des points reliés entre eux par des sentiers. Intrigué, il irait s'enquérir. Avant, il se rendit saluer et remercier le capitaine du navire. « Tu seras le bienvenu à bord si l'occasion se représente », lui assura le maître du bateau. « Merci, capitaine. »

Alexan descendit, se retrouva devant l'un de ces tableaux. C'était bien ce qu'il avait cru voir. Il s'agissait d'un long sentier de pèlerinage, le Sentier de la Sagesse. Et sous un écriteau portant le mot « information » en la langue du pays et en traduction, il alla se ranger dans la file d'attente. Après un moment, Alexan se retrouva devant la préposée aux renseignements, une belle jeune femme. Elle leva les yeux, le regarda. « Bonjour, monsieur », dit-elle dans sa langue. « Bonjour, madame, je voudrais... » Alexan s'arrêta net de parler, les mots ne sortaient plus de sa gorge, il était sans paroles devant cette femme. C'est alors que l'imprévu surgit avec une force inouïe. Un éclair qui vint les réchauffer et les rapprocher. Moment privilégié où se joue son destin. Rencontre des yeux, fusion des regards, comme si le monde de l'Au-delà se mêlait tout à coup au leur. Pendant un moment, ils restèrent figés, le souffle coupé. Tout tournait autour d'eux.

Il y avait longtemps que cette jeune femme priait le Ciel de lui envoyer celui qui deviendrait l'homme de sa vie. Et voilà qu'il était là, devant elle, elle le reconnaissait. « C'est lui que j'attendais... » Son cœur débordait de gratitude. Mais jamais, elle n'aurait cru qu'il se présenterait sous des traits étrangers.

Alexan fut bouleversé jusqu'aux tréfonds de l'âme par cette émotion vive, nouvelle. Il avait chaud, se sentait dérouté, se demandait ce qui lui arrivait. Il en était affolé, mais c'était trop magique pour ne pas s'y abandonner. La jeune femme lui sourit et commença à lui expliquer ce qu'était le Sentier de la Sagesse. On faisait ce pèlerinage pour trouver sa voie, orienter ou réorienter sa vie. Une étape par jour. En fin d'après-midi, les pèlerins étaient accueillis dans un monastère auberge où ils trouvaient la nourriture du corps et de l'âme. À chaque relais, un vieux sage polyglotte offrait écoute et conseils.

C'était ce qu'Alexan DéMouy recherchait.

— Je me nomme Leila, dit la jeune femme d'une voix hésitante et chaude, et vous ?

— Moi, c'est Alexan, balbutia-t-il.

— Si vous voulez bien, dit-elle avec un sourire engageant, attendez-moi dans le parc derrière le port là-bas. Je finis ici dans deux heures, je vous retrouverai et je vous apporterai votre itinéraire.

— Oui, Leila, je vous y attendrai.

— À tout à l'heure, Alexan, dit-elle, son regard s'unissant au sien l'espace d'un instant.

Alexan se retira pendant que Leila s'adressait au pèlerin suivant. Il se rendit au parc derrière le port. C'était ensoleillé, il faisait très chaud, mais une chaleur rendue supportable par cette légère brise qui soufflait de la mer. Ce parc était traversé par de nombreux sentiers dont la surface était recouverte de fins gravillons. Il décida de marcher dans l'allée centrale bordée de grands arbres feuillus qui donnaient une ombre plus que bienvenue. Ici et là, des petits carrés de fleurs répandant dans l'air des effluves nouveaux à son odorat. Le jeune étranger se sentait transporté. « Ce qui m'arrive est merveilleux », se disait-il. Mais tout cela lui semblait si irréel. « Et si ce n'était qu'un rêve ? » Après un moment, il revint à l'entrée et s'assit sur un joli banc à l'ombre. Ses pensées se portaient bien malgré lui vers cette femme rencontrée à l'accueil et qui devait venir le rejoindre bientôt.

Cette femme qui l'avait hypnotisé s'appelait Leila Hélal. Elle avait vingt et un ans. Grande, svelte, aux proportions parfaites, ce qui lui donnait un air de grâce naturelle. C'était une femme d'une beauté à laisser pantois. Une voix chaude et douce, le geste décidé et éloquent, l'élocution naturelle et aisée soulignaient son air distingué et noble. Elle possédait de superbes yeux de la couleur de l'amande verte, profonds, d'une grande expression, et de longs cheveux noirs de jais cascadant sur les épaules. Une belle peau légèrement cuivrée, elle présentait un visage d'une beauté incarnée et des lèvres sensuelles à faire rêver.

Leila était fille unique et célibataire. Dans son pays, rares étaient les femmes encore célibataires à son âge. Elle avait eu la chance de naître dans une famille tolérante non soumise à tous les diktats de la religion et des traditions. On lui avait présenté des hommes, tous plus âgés qu'elle. Elle avait été courtisée par quelques-uns. Ce qu'ils lui offraient ne lui convenait pas: épouse et mère confinées à la maison. Leila voulait être épouse et mère, bien sûr, mais elle entendait garder une certaine autonomie.

De nature curieuse, Leila avait étudié plusieurs langues étrangères. Elle adorait parler avec tous ces gens qui se présentaient à l'accueil du Sentier de la Sagesse. Ils venaient de partout dans le monde. Elle faisait ce travail bénévolement. L'argent ainsi économisé aidait à soulager les plus démunis de sa communauté. Altruiste, Leila militait pour l'émancipation des femmes de son milieu.

Leila n'avait pas besoin de travailler. Son père était propriétaire de la plus importante flotte marchande du port d'Izmir. C'était un homme généreux. Il assurait la santé économique du Sentier de la Sagesse. Il avait toujours gâté sa fille, mais celle-ci n'avait jamais abusé. Leila avait envie de voir le monde. Elle en parlait depuis son plus jeune âge. Son père l'avait invitée maintes fois sur ses bateaux, mais c'était en compagnie de son homme qu'elle partirait. «Un jour se présentera celui qui m'offrira ce que j'attends de la vie: amour et aventure, et alors nous irons au bout du monde ensemble.»

Alexan regardait souvent du côté du kiosque où travaillait Leila. Le temps s'étirait. «Va-t-elle venir? Oui, sûrement, elle doit m'apporter mon itinéraire», se répétait-il pour entretenir l'espoir.

Alexan patientait, s'abandonnait à la rêverie. Puis elle apparut. Il la regardait venir, la silhouette élancée et séduisante, la démarche féline et majestueuse. Elle était flamboyante. Tout s'estompait autour de lui. Il ne voyait que cette femme souriante, à l'allure décidée, qui s'avançait vers lui. Elle avait le visage rayonnant, le sourire angélique, le regard épanoui, rêveur. Leila était vêtue d'une longue robe à manches courtes, cintrée à la taille, de couleur bleu-vert qui faisait ressortir le vert de ses beaux yeux. Elle portait un collier de perles du plus bel orient. Des sandales à lanières brunes et un bracelet de cuir fin brun pâle complétaient sa tenue. Elle tenait un cahier dans sa main gauche. Et sur son épaule droite, la courroie de son petit sac à main.

Alexan la regardait s'approcher. «Ah! Est-ce possible? C'est cette femme qui venait près de moi dans mes rêves. Est-ce que tout cela est bien vrai ? Il me semble que j'ai les deux pieds sur terre pourtant. Si ce n'est qu'un songe, que je ne m'éveille jamais ! »

Alexan se leva et alla à sa rencontre.

— Bonjour, Alexan, dit-elle en lui tendant la main droite.

Alexan prit la main offerte. Il touchait une partie d'elle pour la première fois, ça le troubla. « Ah oui ! Ah oui ! C'est bien cette main douce qui venait me caresser la nuit dans mon rêve. » Il essaya de ne pas laisser paraître son agitation, elle paraissait si calme, si dégagée. Or, il n'en était rien. Leila ressentait de grands battements intérieurs, elle aussi s'efforçait de garder pour elle toute cette effervescence émotive. Elle souriait.

— Pas trop longue, cette attente ?

— Non, mentit-il, j'ai marché et admiré tous ces beaux arbres, toutes ces belles fleurs. C'est du nouveau pour moi, ce paysage.

— Quand vous reviendrez, je vous dirai les noms de ces plantes.

— C'est gentil. Je serai heureux de les apprendre.

— Voici votre itinéraire, enchaîna-t-elle en lui tendant le cahier contenant les informations utiles sur les différentes escales, leur importance et les services d'écoute offerts.

— Merci, dit-il, ça me sera très utile.

— Allons marcher, proposa Leila, j'ai encore un peu de temps avant de rentrer chez mes parents. C'est à vingt minutes de marche d'ici.

— Je veux bien, je vous laisse choisir les sentiers.

Ils marchèrent côte à côte. Elle lui demanda de lui dire comment il était arrivé jusqu'à Izmir, ce qu'il fit volontiers. Il raconta les années passées à la ferme, puis au village, son désir de se libérer de ce ressentiment qu'il l'habitait afin d'être apte à offrir ses services à ses concitoyens, et ainsi gagner sa vie. Il serait alors prêt à fonder une famille.

Leila aimait ce qu'Alexan lui expliquait. Ça répondait à ses attentes. « Nous pourrions œuvrer ensemble », pensait-elle déjà. Et elle fit le récit de sa vie à Izmir.

— Je suis contente que vous entrepreniez ce pèlerinage, ça montre l'homme sérieux que vous êtes. Mon père avait fait le même pèlerinage avant de rencontrer ma mère. Comment avez-vous entendu parler d'Izmir ? demanda-t-elle.

— Le hasard et mon destin m'ont conduit jusqu'ici. Mon conseiller m'avait suggéré d'aller vers l'est. Il disait que c'était en Orient que je trouverais de vieux sages qui pourraient m'aider.

Ils marchèrent un moment en silence sur de jolis petits sentiers. De temps en temps, leurs épaules se frôlaient. Ces contacts excitèrent Alexan et lui donnèrent espoir. « Elle se rapproche pour que nos épaules se touchent, elle veut de moi. » Ces doux et chauds effleurements ravirent et rassurèrent Leila. Elle flottait, tout s'estompait autour d'elle. C'était le plus fabuleux des rêves. « Voilà l'homme qui saura me combler. » Ces mots résonnaient au plus profond d'elle-même. Elle réalisait bien cependant, quand sa raison arrivait l'espace d'un instant à se frayer un chemin jusqu'à son esprit, que tout cela était précipité. « Mais il ne faut pas interrompre un rêve sinon il peut s'envoler à tout jamais », se répétait-elle pour s'en convaincre.

— Où allez-vous passer la nuit ? demanda-t-elle.

— Je vais aller sur le cargo qui m'a amené jusqu'ici et qui est toujours amarré au port. Je suis en bons termes avec le capitaine.

— Vous allez partir tôt demain matin, j'imagine. Le kiosque ne sera pas encore ouvert. Je ne serai pas là pour vous souhaiter bonne route. Je le fais maintenant, Alexan, dit-elle d'une voix chaude.

— Merci, Leila. Oui, je vais me mettre en route très tôt demain matin. Nous nous reverrons à mon retour, continua celui-ci d'une voix assurée.

— Alexan, c'est certain que nous nous reverrons, affirma-t-elle d'un ton chargé d'émotion, si vous le désirez bien sûr.

— Nous allons nous revoir, Leila.

— Maintenant, je dois partir.

Ils retournèrent tranquillement à l'entrée du parc. Le brouhaha s'élevant du port les ramenait peu à peu à la réalité.

— Je pourrais aller vous reconduire, proposa Alexan.

— Non, pas la première fois, je dois parler de vous à mes parents d'abord. Maintenant, je vais vous laisser, Alexan, dit-elle en lui offrant sa main ainsi qu'un regard brouillé de larmes.

— Oui, je comprends, Leila.

Alexan la regarda s'éloigner. Ce dernier et profond regard de Leila allait le suivre tout le long de la route qui s'ouvrait devant lui. « Sera-t-elle là à mon retour ? Et si elle est là, est-ce que je saurai la retenir ? » commença-t-il à s'inquiéter. Alexan fit un effort pour dissiper ce doute qui le tenaillait. « J'ai des choses à faire. » Il se rendit voir le capitaine du cargo qui accepta de l'héberger pour la nuit. Dans sa cabine, Alexan déposa ses choses : son baluchon et son bâton dans un coin, son cahier sur le petit lit. « Je l'ouvrirai après mon souper. »

Il sortit, son sac à l'épaule, il y avait encore beaucoup d'animation sur le grand quai. Il marcha, s'arrêtant devant les différentes échoppes, on y vendait de tout. La faim commençait à se faire sentir. Alexan se laissa tenter par ce qui ressemblait à du pain de viande enrobé d'une galette très mince. C'était épicé, une saveur qu'il ne connaissait pas. Il en mangea une moitié et garda l'autre pour son goûter du lendemain midi. Puis il retourna dans le parc et s'engagea dans les mêmes sentiers qu'il avait parcourus avec cette femme. Il la revoyait. « Elle avait l'air si enthousiaste... si énigmatique. » Il revint sur ses pas. « J'ai tenu sa main chaude, nos épaules se sont frôlées. » Ces sensations l'avaient à la fois troublé et attendri. « Est-ce que je referai ce rêve où elle venait me rejoindre ? »

Alexan rentra dans sa cabine. Il y avait de l'eau et une serviette, il fit un brin de toilette. Avant de se coucher, il s'assit sur le bord de sa paillasse et ouvrit le cahier que Leila lui avait apporté dans le parc. Ô surprise ! Celle-ci lui avait écrit un mot à l'intérieur de la page de couverture.

Alexan,

Mon cœur est rempli de joie de vous avoir rencontré. J'ai confiance, vous allez me revenir, je l'ai lu dans vos yeux, Alexan, et ce jour-là, nous commencerons à nous tutoyer. Si jamais il vous arrivait malheur, j'aimerais apprendre la tragique nouvelle afin que jamais je ne pense que vous m'avez oubliée. Laissez un mot sur la page de couverture du cahier afin qu'on m'écrive à l'adresse ci-dessous. Tous les jours, après mon travail, mon regard se portera vers l'entrée du sentier. Je sais qu'un jour, je vais vous apercevoir marchant vers moi d'un pas grave et accéléré. Et nous nous aimerons, Alexan, nous réinventerons l'amour...

Bonne route.

Leila

Alexan posa le cahier, abasourdi par ce qu'il venait de lire. Il se sentait happé par un tourbillon d'émotions. Il n'y avait pas si longtemps, il n'avait pas pu se laisser approcher par les jeunes femmes célibataires de Clodey et voilà que cette superbe femme voulait de lui dans sa vie. « Et moi qui ne connais rien aux femmes. Comment vais-je pouvoir la combler et continuer de lui plaire ? » Alexan devait se coucher et dormir, il allait partir tôt le lendemain matin. Il jeta un coup d'œil sur sa première étape, referma le cahier, puis se glissa sous la mince couverture. Une brise fraîche entrait par le hublot ouvert. Au moment où Alexan sentait le sommeil l'envahir, une douce voix intérieure vint l'aider à s'abandonner : *tu te laisseras guider par celle qui t'aime déjà...*

Alexan passa une bonne nuit. Tôt le lendemain matin, il fut réveillé par les cris et les pas des débardeurs qui s'affairaient déjà sur le pont du bateau. Sa toilette faite, habillé, le voilà sur le quai, il se mit en marche. Il se dirigea vers l'entrée du sentier. Il passa devant le parc, s'arrêta un instant, se rappela les doux moments de la veille, puis résolument, reprit sa route son bâton du pèlerin en main, son sac en bandoulière et son baluchon à l'épaule.

Ce matin-là, Leila rentra à son travail à son heure habituelle. « Il est déjà parti, le reverrai-je ? » se demanda-t-elle avec un pincement au cœur, « je vous accompagne tout au long de votre voyage, Alexan. » Elle se mit à son travail d'accueil. « Bonjour, madame », dit le premier pèlerin dans la langue d'Alexan…

Alexan fonçait droit devant. Par moments, remontait à sa conscience cette phrase qui lui avait été soufflée la veille au moment de s'endormir. « Oui, c'est avec Leila que je vais découvrir le secret du bonheur à deux, elle guidera mes pas… » Puis son fond de paysan reprenait le dessus. « Franchement, ce n'est pas très réaliste de penser qu'elle t'attendra, il vaut mieux te concentrer sur ce que tu es venu chercher ici. »

Sur la route, des pèlerins dont un bon nombre était des étrangers. On se saluait par un signe de tête. Le soleil brillait à profusion. Alexan admirait, de chaque côté de la piste, cette flore luxuriante. « Que de beauté en ces lieux ! » Il se sentait bien, enveloppé d'un sentiment aussi caressant que le souffle d'une brise d'été. Quand le soleil fut à son zénith, il avala les quelques bouchées qui lui restaient de son souper de la veille.

Alexan arriva au premier endroit où il ferait relâche. C'était un petit centre. Il fut accueilli par un moine qui le conduisit à sa cellule. Peu après, les pèlerins furent invités au réfectoire pour un repas frugal en compagnie des hôtes. « Quelle paix règne ici ! » Alexan sentait tous ses membres se détendre.

Après le repas, les pèlerins se retrouvèrent dans une grande salle où un maître leur enseigna la posture assise du pays : les jambes recourbées l'une sur l'autre pour la méditation. Puis ce fut l'initiation à cette méditation avec mantra : ce son sourd intérieur, qu'on répétait lentement à voix basse durant une vingtaine de minutes et dont la vibration amenait une douce détente. Ce soir-là, Alexan ne demanda pas à rencontrer le sage du lieu. Il préféra aller marcher sous les grands arbres qui ceinturaient le monastère. Il réfléchit à sa vie, ce qu'elle avait été, ce qu'il souhaitait qu'elle devienne. « Ma vie vaut la peine d'être vécue, elle ne peut être que de plus en plus belle », se répéta-t-il lentement, comme ce mantra qu'il avait murmuré avec les autres durant la méditation.

Le jeune pèlerin, fatigué, rentra à sa cellule, relut quelques pages de son livre sur le pardon, relut le message de Leila, fit sa toilette et se coucha.

Le deuxième jour, après un déjeuner léger, Alexan reprit sa route. Il apportait une bouchée pour le dîner. Certains pèlerins marchaient en groupes de deux, trois ou quatre. Lui, il préférait cheminer seul, il pouvait ainsi mieux se livrer à la réflexion tout en marchant à son rythme. En fin d'après-midi, le marcheur solitaire parvint à un autre havre de calme et de paix. Ce soir-là, après le souper, il eut envie de rencontrer le sage du monastère. Alors commençait sa marche vers la libération intérieure. « Je vais peut-être avoir des réponses qui m'aideront. » Le vieux moine l'écouta, répondit à ses questions sur le pardon et décrivit son art de vivre dans le détachement intérieur. Ce dernier lui demanda de méditer ses paroles.

Le lendemain, chemin faisant, Alexan passerait la journée à réfléchir aux paroles du sage. « Mais je ne vois toujours pas comment j'en arriverai à oublier et à pardonner. » Ce scénario se répéta plusieurs fois durant les semaines suivantes.

Alexan marchait allègrement sur ce sentier sorti d'un conte de fées. De temps en temps, à un détour, de belles surprises attendaient le jeune pèlerin. Des collines ondoyantes aux multiples nuances. Ici et là, de petits hameaux aux chemins tortueux et poussiéreux, aux minuscules maisons rongées par le temps, certaines à l'ombre d'un arbre solitaire et centenaire. Un appel à la prière qui se perdait dans le lointain. Son baluchon au dos, une bouchée pour la pause du midi, son bâton de marche en main, Alexan avançait à grands pas. Il vivait de plus en plus au diapason de cette vie mystique. Et souvent montaient du fond de son cœur ces appels tendres : « Où es-tu ? Que fais-tu ? Penses-tu à moi de temps en temps ? »

Un soir, quelques mois plus tard, Alexan eut la chance de rencontrer un vieux sage qui était bien au fait des problèmes qui le troublaient : ses doutes et sa rancœur envers son père. Le maître laissa Alexan se raconter. Puis il suggéra une façon d'aborder son problème qui l'étonna. La première phrase qu'énonça le vieux moine le surprit :

— Il faut savoir et pouvoir autant se pardonner à soi-même, l'offensé, qu'à l'offenseur.

— Je ne comprends pas vraiment ce que vous voulez dire, réagit poliment Alexan.

— Pendant que vous m'exposiez votre problème, Alexan, j'ai senti en vous un désir de vengeance envers votre père, désir bien sûr refoulé et inavoué, car indigne d'un fils.

— Vous avez raison, reconnut celui-ci pour la première fois, ressentant au fond de lui honte et remords.

— C'est normal pour un être humain de ressentir une telle émotion face à son offenseur, fût-il son père. Cette émotion, il faut absolument la reconnaître et la laisser s'exprimer si l'on veut s'en libérer et ensuite arriver à pardonner à celui qui nous a fait souffrir.

— Et je devrai faire ce travail seul par la réflexion et la méditation, en déduit le jeune pèlerin.

— Oui, et la prochaine étape sera de comprendre votre offenseur, continua le vieux sage.

— Mais pourquoi donc ? C'est lui qui m'a fait mal, s'étonna Alexan.

— Le but est de découvrir les motifs qui l'ont poussé à vous blesser, expliqua le moine.

— Est-ce qu'il peut y avoir de bons motifs pour faire souffrir ?

— Non, mais quand on cherche ce qui a incité l'autre à poser les gestes et à dire les paroles qui ont blessé, souvent on découvre que ça n'a pas été fait par méchanceté. Ça n'excuse rien, bien sûr. Mais cette démarche aidera non pas à oublier — on n'oublie jamais —, mais à accorder le pardon, ce pardon qui libère l'offensé.

— Si je comprends bien, il va falloir que je me mette dans la peau de mon père pour le comprendre et ainsi découvrir le côté humain derrière la façade sombre. Et je devrai y arriver seul.

— Oui, vous y arriverez, je sens en vous cette force et cette volonté qui rasent les montagnes.

Alexan remercia le vieux moine et le quitta sur ces dernières paroles. Pour la première fois, il avait bon espoir d'arriver à dénouer cet imbroglio émotif qu'était, depuis trop d'années, la toile de fond de sa vie intérieure.

Durant les semaines suivantes, avec une introspection soutenue, Alexan arriva à regarder en face et sans honte son désir de vengeance pour finalement réaliser qu'assouvir cette vengeance ne soulagerait pas sa douleur. Les heures de réflexion et de méditation — le mantra aidant — firent que l'image du père foncièrement méchant et impitoyable s'estompa peu à peu pour faire place à un visage plus humain.

Alexan avait plus d'une fois entendu son père se plaindre : « Avec tous ces morcellements, nos terres sont devenues trop petites pour faire vivre une grosse famille. Et la terre, c'est trop d'ouvrage pour un seul homme. »

Le père DéMouy avait toujours été rongé par la crainte de ne pas arriver à nourrir sa famille. Vieillissant, il avait un criant besoin d'aide et son fils aîné ne montrait aucun intérêt pour les travaux de la ferme. Ça l'avait frustré au plus haut point. Le père n'avait rien trouvé de mieux pour exprimer son mécontentement, qui s'accentuait avec les années, que de poser des gestes regrettables et de proférer des paroles blessantes. Il avait réagi de la seule façon qu'il connaissait.

Par un après-midi de vent léger, Alexan en était arrivé à pouvoir dire ce qu'il ressentait maintenant en pensant à son père : « Mon père, je n'ai plus la même opinion de vous, je ne vous accable plus de blâmes et de reproches. À votre place, je n'aurais probablement pas pu faire autrement. Si vous arrivez à me pardonner ma désertion de la ferme, nous nous reverrons et nous pourrons nous parler d'homme à homme.» Et il revoyait en pensée sa mère et ses frères. « J'aimerais vous revoir et aussi la ferme où je suis né.»

Un soir, sa route l'avait mené à un autre grand centre. Les pèlerins étrangers furent accueillis par des mots de bienvenue dans leur langue. Un maigre, mais nourrissant repas leur fut servi. La méditation suivit. Mais avant, les moines offrirent à boire une toute petite quantité d'une boisson qu'ils appelaient potion de l'oubli. Alexan en but. Ce fut sublime : une sensation qui entrouvrait la voie vers l'âme et qui engendrait un climat de paix profonde. Selon ces moines, ça faciliterait le détachement des tracas mineurs de la vie courante et aiderait à reconnaître l'essentiel de l'existence. Alexan fut enchanté de cette expérience et la revivrait plus d'une fois chemin faisant. Il passa une nuit très reposante. Le lendemain, il débordait d'énergie et d'entrain pour continuer sa route.

Cette piste sur laquelle cheminait Alexan serpentait et offrait des paysages toujours aussi éblouissants. Une flore tout à fait nouvelle émerveillait le jeune pèlerin. Souvent, il traversait de petites forêts. Et le chant de différents oiseaux, aux couleurs vives et variées, était le plus beau des concerts. Tout était régal pour la vue, l'ouïe et l'odorat, ça le revigorait si bien qu'il se sentait rarement fatigué à la fin de l'étape de la journée.

Ce Sentier de la Sagesse se déroulait devant lui depuis des mois. Alexan avait changé intérieurement, il devenait plus confiant, de plus en plus amoureux de la vie, de sa vie, de ce visage de femme... Il pensait à sa famille : « J'espère que vous arriverez à me pardonner, mon père, je pourrai alors vous revoir tous.»

Ce jour-là, Alexan débordait d'énergie. Il allait à grands pas, il flottait sur la piste. Il éprouvait une hâte fébrile d'arriver au prochain relais. C'était comme une impatience d'arriver là où l'on s'attend à être accueilli dignement et fêté royalement. Et voilà qu'au détour du chemin, Alexan aperçut, là-bas au loin, un hameau juché sur une colline. À son sommet, l'ermitage et tout autour de petites habitations éparpillées, entourées de verdure qui donnaient vie à cette petite montagne. Cette vue impressionnante lui insuffla encore plus d'énergie. Il accéléra le pas.

À l'entrée de ce petit village, en apercevant le panneau affichant le nom du lieu, Alexan resta intrigué un long moment en lisant sa traduction, *MOUY*, les dernières lettres de son nom de famille. Il n'arrivait pas à imaginer la clé de cette énigme, si énigme il y avait. Ça annonçait sûrement quelque chose de pertinent à sa vie, ça ne pouvait pas être le simple fruit du hasard. Alexan se rendit au petit temple où il fut reçu pour le repas du soir et le coucher. À table, les moines partagèrent leurs modestes agapes avec les pèlerins, dont un couple venu du nord de ce continent qu'il avait arpenté il y a plus d'un an. Quelques mots, des signes, des sourires suffisaient pour se faire comprendre.

Après le repas, Alexan fit une longue marche de méditation sous les grands arbres de la petite propriété. La fatigue commençant à se faire sentir, il regagna sa cellule en pensant au nom du lieu. Une couche dure comme dans tous ces havres de paix l'y attendait. Il s'endormit rapidement. Sa nuit fut un interminable rêve. Un long message lui fut transmis par la déesse des Songes.

Alexan, ton long voyage est arrivé à son terme. Maintenant que tu t'es libéré de tes démons intérieurs, tu es maintenant prêt à t'engager sur la voie qui t'a été tracée. Tu dois retourner sur tes pas et trouver le lieu où t'établir pour y mettre en œuvre le Plan conçu pour toi par le grand Esprit. Là, tu ouvriras un centre où tu accueilleras tes concitoyens qui viendront apprendre, auprès de toi, l'art de vivre dans l'allégresse. Tu pourras, avec la sagesse acquise ici, trouver les mots qui les rejoindront et les aideront à retrouver la voie de leur bonheur et leur apprendront à ne plus s'en écarter. Tu nommeras ce lieu de rencontre Havre de l'Espoir. Tu y serviras cette potion qu'on nomme ici potion de l'oubli. Ce breuvage aidera à intégrer les paroles de ton enseignement.

Dans le monastère de Mouy, les moines ont été prévenus de ta venue et priés de préparer, à ton intention, une trousse contenant la recette de cette boisson avec la liste des ingrédients nécessaires et surtout les différentes graines d'herbes inconnues dans ta contrée. Ton nom de famille sera la preuve que tu es bien la personne qu'ils attendent. Les moines te remettront la trousse à ton départ. Bonne chance.

Le lendemain matin, Alexan se réveilla à la première lueur du jour, s'assit sur le bord de sa couche pour réentendre le long message reçu en rêve. Médusé, il ne bougea pas pendant un moment, se sentant envahi par une émotion si forte qu'il en avait le vertige. « Enfin, j'ai trouvé ma voie et je ne serai pas seul », se dit-il en pensant à Leila.

Alexan alla rejoindre les autres pèlerins à la table commune pour partager un léger repas matinal. Ensuite, il se présenta au supérieur de cette minuscule communauté. Il s'identifia. Le prieur l'amena dans sa cellule et lui remit la trousse. En guise d'adieu, celui-ci lui posa la main sur l'épaule et prononça quelques mots d'encouragement dans la langue du pays qu'Alexan comprit. Ce dernier avait appris un certain nombre de mots et d'expressions lors de ses séjours dans les différents relais.

Alexan alla récupérer ses effets personnels et se mit en route. Le couple nordique continuerait son expédition pieuse, mais lui, il rebroussait chemin, il retournait à son point de départ, Izmir…

10

Ce matin-là, Alexan se réveilla tôt, comme il en avait pris l'habitude à la ferme dans le temps. Par la petite fenêtre à carreaux, le soleil entrait à profusion dans sa cellule. Dans cette contrée de rêve où les jours et les nuits étaient d'égale longueur, on voyait rarement un nuage dans le ciel. Et quand il pleuvait, c'était la nuit, et ça tombait à torrents. Ces nuits fraîches facilitaient grandement le sommeil. Le changement marqué des saisons comme dans son pays natal lui manquait. Dans son pays d'exil, Alexan n'avait pas encore pu en sentir le passage subtil. Une autre particularité qui l'étonnait encore, c'était la tombée de la nuit. La noirceur venait tout d'un coup comme si elle était pressée de tout recouvrir de son sombre manteau.

Alexan se sentait particulièrement emballé en ce jour. C'était sa dernière étape. Il rentrait. En fin d'après-midi, il serait à Izmir. « C'est aujourd'hui que je vais voir si Leila est une femme de cœur… une femme de parole… », se disait-il le plus calmement possible afin de ne pas trop gonfler ses attentes.

Alexan fit sa toilette, s'habilla, et se rendit au réfectoire où il retrouva cette réconfortante simplicité monacale. Après le déjeuner, il alla remercier ses hôtes. Il revint à sa cellule. Avant de partir, le jeune pèlerin relut ce que Leila lui avait écrit dans son cahier. Ces mots écrits il y a un an et demi seraient sa source d'énergie pour la dernière étape de son long pèlerinage.

Alexan sortit et se mit en route d'un pas alerte et grave. Toutes les beautés que la nature lui offrait de chaque côté de la piste, il les remarquait à peine, il n'entrevoyait que le visage de celle qui serait au bout de son chemin, espérait-il…

L'ex-commis du magasin général de Clodey avait mûri sur le Sentier de la Sagesse. Il se sentait maintenant soulagé de ce fardeau émotif qu'il avait trop longtemps traîné. Il ne voyait plus le monde extérieur et son monde intérieur avec les mêmes yeux. Alexan était un jeune homme qui ne passait pas inaperçu. Il avait maintenant le regard plus chaud et plus expressif, le sourire plus radieux et plus généreux. On remarquait son visage épanoui et son air résolu. Ce qui frappait le plus chez lui maintenant, c'était cette assurance que dégageait toute sa personne. Il avait alors vingt-deux ans. Ses cheveux avaient allongé. Grand, solide, les épaules toujours droites, la démarche au rythme marqué et régulier, ce qui faisait ressortir d'autant plus son aplomb et son aisance. Ce long pèlerinage avait fait de lui un être compatissant et d'une grande capacité d'écoute.

Le jeune marcheur avançait, heureux, sur cette piste graveleuse, son bâton de marche à la main droite. Il lui revenait en mémoire ces mélodies qu'il fredonnait quand, enfant, il se rendait à l'école du rang de la Rosée céleste. Il réussissait maintenant à penser à son père sans amertume. « Maman, je vais vous donner de mes nouvelles, je vous aime. » Quand le soleil fut à son zénith, le jeune pèlerin fit une brève pause pour avaler le goûter qu'il avait apporté, puis il reprit sa route. Il allait droit devant à un bon rythme. Il approchait d'Izmir. Son cœur battait déjà plus fort.

Au loin, une vague silhouette humaine. « C'est probablement un pèlerin qui emprunte le sentier », se dit Alexan. Il continua, l'espoir grandissant. La silhouette se rapprochait, se profilait sur un fond d'horizon bleu mettant en relief une ligne féminine. Il accéléra le pas, son cœur commençant à cogner. Puis cent pas plus loin : « Ah Ciel ! Je la vois, je la reconnais, c'est Leila ! Elle est venue comme elle l'avait promis. » Elle aussi avait reconnu celui qu'elle était venue attendre tous les jours après son travail. Lui, incrédule, la regardait venir, le pas pressé. Elle portait la même robe, le même collier que lors de leur première rencontre. Leila s'approchait. Elle avait le même sourire ensoleillé, le même regard brouillé de larmes. Elle le rejoignit, lui tendit la main.

— Bonjour, Alexan, tu reviens enfin, dit-elle, offrant sa main et son sourire.

— J'arrive et tu es là, merci, fit-il prenant sa main, la serrant légèrement et lui présentant une jolie fleur rouge.

— Ah, la jolie fleur ! Merci.

— Une fleur que j'ai cueillie le long du chemin en pensant que tu serais peut-être là, à l'entrée du sentier, à m'attendre.

Leila sortit une épingle de son sac à main et elle attacha la fleur à sa robe.

— Alexan, je t'attendais comme je l'ai fait tous les jours depuis ton départ d'Izmir, lui avoua-t-elle, un sanglot dans la voix.

— Leila, tu es toujours la même, toujours aussi belle.

— Merci, mais toi, tu as changé.

— Ah, qu'est-ce qui a changé ?

— Tes yeux et ton visage dégagent plus de force et d'assurance, expliqua-t-elle, n'osant pas ajouter plus de virilité.

— Mais je me sens toujours le même qu'avant, j'espère que ça ne va pas altérer notre relation.

— Pas du tout, au contraire, je te trouve plus séduisant, dit-elle avec un sourire plein de chaleur. Ah, Alexan, ton retour me rend folle de joie.

— Je t'assure, Leila, que je participe pleinement à ta joie. Quel étrange hasard. Tu portes la même robe qu'à notre première rencontre, cette robe restera toujours ma préférée.

— Non, Alexan, ce n'est pas le fruit du hasard. Ce matin, en quittant la maison, j'ai annoncé à mes parents que tu arrivais cet après-midi. Et j'ai pensé que tu aimerais me revoir portant cette robe.

Leila avait retardé de quelques mois l'annonce de sa rencontre à l'accueil. Puis elle s'était ouverte sans retenue à ses parents. Elle leur avait avoué croire sincèrement avoir rencontré l'homme de sa vie. La jeune femme avait maintes et maintes fois raconté ce qu'Alexan lui avait dit sur lui et son milieu. Leila, séduite en son cœur et son âme, avait ouvertement exprimé ce qu'elle avait ressenti durant ces deux heures passées en sa compagnie. Et cette passion était restée toujours aussi brûlante qu'inexplicable jour après jour.

Monsieur Hélal s'était réjoui d'entendre enfin sa fille parler d'un homme avec enthousiasme et chaleur. Il ne voulait absolument pas qu'elle reste vieille fille. Quelle honte pour la famille ! La décision d'Alexan de parcourir le Sentier de la Sagesse l'avait beaucoup impressionné. Il avait lui-même fait ce pèlerinage avant son mariage. Il était bien pressé et curieux de rencontrer celui qui avait réussi à toucher le cœur de sa grande fille.

— Une intuition qui s'est avérée juste, commenta Alexan. Leila, te trouver là, à mon arrivée, c'est le plus beau cadeau du Ciel.

— Maintenant, nous allons nous voir tous les jours, je crois que tu vas être d'accord avec moi.

— Oui, c'est le plus cher de mes souhaits.

— Viens, allons chez moi, je vais te présenter mes parents. Nous sommes invités à souper. En arrivant, je te ferai visiter les jardins de la propriété Hélal.

— Mais avant, Leila, il faudrait que je trouve une place où coucher sur un des bateaux arrimés au port.

— Non, ce ne sera pas nécessaire, mon père t'a réservé une chambre dans notre maison secondaire au fond du jardin. Il y a une chambre de libre, les trois autres sont occupées par mon cousin Rahal, la cuisinière et le jardinier.

— Ton cousin a une famille? s'informa Alexan.

— Non, il vit seul, il est l'assistant de mon père depuis quelques années.

— Et je devrai par ailleurs trouver du travail sur un de ces cargos, fit remarquer celui-ci.

— Non, mon père m'a dit que tu pourrais travailler, si tu le veux bien, sur un de ses bateaux à lui en attendant que tu décides de ton avenir. Et n'oublie jamais que j'en fais partie maintenant, de ton avenir.

— Non, Leila, je n'oublierai pas, tu seras toujours là, partout où j'irai. J'accepte l'offre de ton père, je le remercierai au souper.

Alexan et Leila s'engagèrent sur la route menant à la cité d'Izmir. La propriété des Hélal se trouvait en banlieue, une marche d'environ vingt minutes. Cette route était bordée de très grands arbres.

— J'en ai vu de ces arbres le long du sentier, dit Alexan. Certains donnaient de petits fruits, d'autres de très gros.

— Les petits fruits, ce sont des dattes, les gros, des noix géantes.

— Je n'en ai pas encore mangé.

— Il y en a chez moi, tu pourras goûter. Alexan, j'aimerais porter ton petit sac, ça va te soulager un peu.

— D'accord, acquiesça-t-il en retirant le sac de son épaule et le lui tendant.

Leila passa la courroie du sac sur son épaule gauche. Ainsi elle eut l'impression d'être du voyage, de leur voyage qui avait débuté il y a plus d'un an. « Je partage quelque chose de concret avec lui et bientôt, nous partagerons tout; il ne me quittera plus jamais », se plaisait-elle à penser, transportée de bonheur.

— Tu as toujours le même bâton de marche?

— Oui, le même depuis le départ de la ferme.

Leila et Alexan marchaient près l'un de l'autre. Ils arrivèrent à la propriété Hélal qui comprenait deux maisons blanches d'un étage: la plus grande tenait plus du manoir vu ses dimensions, la seconde était plus modeste.

Toute la propriété était entourée d'une haute haie de buis. On entrait dans le jardin dit étagé par une arche voûtée. À cause du soleil omniprésent, de hauts arbres à feuillage persistant — palmiers, cyprès, cèdres — avaient été plantés aux endroits stratégiques pour qu'ils apportent de l'ombre aux plantes et arbustes en dessous: rosiers, jasmins, lauriers roses, hibiscus, citronniers et orangers. Ces plantes et arbustes étaient choisis pour l'exubérance de leur floraison autant que pour leur parfum. On voulait en plus qu'ils attirent les oiseaux et les papillons. Un horticulteur à temps plein faisait l'entretien de toute cette verdure. Des allées, des bancs, et au centre, une grande terrasse avec des tables et des chaises attendaient les promeneurs et les invités. Dans ce jardin, on recevait des amis et de la parenté, et l'on venait s'y détendre.

Le temps avait filé. Le jardinier était venu allumer, dans les allées, les lampes montées sur des trépieds d'une hauteur d'un mètre. Leur tour du jardin terminé, Leila amena Alexan à la petite maison. Le jardinier y avait sa chambre ainsi que la cuisinière qui s'occupait aussi de l'entretien des deux maisons. Depuis quelques années, un cousin de Leila s'y était installé, il travaillait avec le père de celle-ci.

— Viens, tu pourras déposer tes choses dans la chambre qu'on t'a réservée. Je vais te présenter mon cousin, puis on va aller rejoindre mes parents, ils nous attendent à la maison familiale.

Leila n'avait passé que quelques heures auprès de celui qu'elle venait de retrouver, et déjà, elle pouvait lire en lui. Elle sentait une certaine réticence chez lui.

— Qu'est-ce qu'il y a Alexan? demanda-t-elle en prenant ses deux mains et en le regardant dans les yeux.

— Euh... je suis un peu mal à l'aise.

— Mais pourquoi donc?

— Je n'ai pas encore rencontré tes parents et voilà que je m'installe déjà chez vous. Avoue que c'est assez inhabituel, non?

— Bien d'accord, mais toute notre histoire est exceptionnelle. Mais il faut bien que tu déposes tes affaires avant de venir rencontrer mes parents, non?

— Oui, bien sûr, reconnut-il en entrant dans la petite maison.

Une grosse lampe allumée répandait sa lumière dans l'entrée et le couloir. Leila ouvrit la porte de la chambre qu'occuperait son compagnon. « Quelle belle chambre! » s'exclama Alexan en y entrant. Ce dernier déposa ses bagages, puis Leila alla frapper deux petits coups à la porte de la chambre d'en face, celle de son cousin.

— Oui? fit celui-ci derrière la porte.

— Ouvre, Rahal, je vais te présenter Alexan dont je t'ai parlé.

Le cousin ouvrit la porte. Leila fit les présentations. Les deux hommes se serrèrent la main.

— Ça me fait plaisir, dit Alexan, utilisant les quelques mots de la langue du pays qu'il connaissait déjà.

— Moi aussi, content de vous rencontrer, reprit celui-ci.

— Bon, Rahal, viens nous rejoindre aussitôt que possible pour le souper à la grande maison.

— À tout de suite, dit ce dernier.

Alexan et Leila sortirent pour se rendre à la maison familiale.

Le cousin de Leila, Rahal Hélal, une trentaine d'années, court de taille, célibataire, timide, avait les cheveux noirs, courts et frisés, de grands yeux noirs, un regard triste et fuyant. Il portait des tenues modestes pour mieux passer inaperçu. Bon travaillant, honnête et fiable, Rahal assistait son oncle dans la gestion de son entreprise qui avait pris de l'expansion ces dernières années.

Leila et Alexan se dirigèrent vers la demeure familiale. Ce dernier avait bien hâte de connaître les parents de Leila. Mais il était un peu nerveux, même s'il accompagnait celle qu'il avait l'impression de connaître depuis toujours. « C'est ce merveilleux rêve qui se poursuit », se répétait-il. Alexan se voyait après le souper marchant côte à côte avec Leila dans les allées du jardin, à l'heure où tout baignerait dans une clarté vacillante propice à la rêverie et aux déclarations…

Leila et Alexan arrivèrent à la maison familiale. C'était une construction solide, aux murs épais qui l'isolaient de la chaleur du soleil. On accédait à la spacieuse maison par une grande porte à deux battants en bois d'acajou massif sculptée de divers motifs et surmontée d'une arche vitrée. Le bois avait gardé sa couleur naturelle. Alexan fut frappé par la simplicité et la richesse des lieux. Les matériaux nobles, les objets d'art et quelques tableaux reflétaient bien le statut social élevé des propriétaires. Les murs et les plafonds offraient une chaude palette de couleurs — le jaune, le rouge et l'orangé — qui donnaient une impression d'harmonie et de fraîcheur. L'entrée se prolongeait en deux pièces ouvertes où les maîtres des lieux aimaient recevoir leurs invités. Puis une arche où commençait un couloir menant à la porte arrière. Un fin rideau de soie en fermait l'entrée. D'un côté, deux chambres, de l'autre, une chambre et la grande cuisine ouverte.

Le mobilier de la salle à manger consistait en une table en bois massif assez grande pour accueillir huit personnes et un buffet où l'on rangeait la vaisselle et la coutellerie. Face à cette pièce, la salle de séjour. De longs divans aux dossiers rembourrés attachés aux murs invitaient à la relaxation. De jolis coussins disposés ici et là. On s'y retirait pour prendre le thé. De petites tables où l'on déposait tasses et théières. C'est dans cette pièce que les invités étaient reçus.

Sur le plancher, des carreaux de céramique et de jolis tapis dont les couleurs s'harmonisaient à l'ensemble de la décoration. De longs rideaux rouge-brun ondulaient sous la douce brise qui avait commencé à souffler. Le soir, on ouvrait les lames orientables des volets mobiles pour laisser entrer la fraîcheur de la nuit. Ces lames étaient fermées le matin afin de garder cette fraîcheur à l'intérieur. De gros pots enrubannés contenant des plantes en fleurs et posés à l'entrée du couloir permettaient au regard de s'arrêter un moment. Les deux grandes pièces étaient éclairées par une grosse lampe à l'huile enserrée dans un étui cuivré ajouré et suspendu au plafond. On descendait la lampe pour l'allumer et on la remontait à la hauteur désirée.

Quand Alexan et Leila entrèrent dans la maison, les parents de cette dernière étaient assis dans la salle de séjour, ils attendaient leur fille pour passer à table. Ils venaient de finir une tisane apéritive. La grosse lampe éclairait bien les deux pièces. Le père se leva et vint vers les deux arrivants.

Akmar Hélal, grand, la mi-cinquantaine, le pas encore assuré, d'une prestance fière et imposante, toujours bien mis, avait les cheveux courts, sel et poivre, les yeux marron, une moustache bien entretenue, un ventre légèrement rebondi, de longues mains devenues noueuses avec toutes les heures de travail passées sur les bateaux. Son regard imposait le respect. Sa voix portait, c'était la voix du commandant. Son franc-parler ne rebutait pas, sa voix rude se faisait douce pour parler à sa femme et à sa fille. Le maître des lieux arborait l'expression joyeuse du bon vivant.

Akmar Hélal avait toujours été bon travaillant. Avec les années, il avait mis sur pied une entreprise des plus prospères. L'homme était généreux, il savait partager un peu de sa richesse avec les plus démunis. Il subventionnait le Sentier de la Sagesse.

Le propriétaire de la plus grosse flotte marchande du port d'Izmir aimait beaucoup sa fille, mais il aurait aimé comme tous les hommes de son pays avoir un garçon. Sa femme Aïcha s'était chargée de l'éducation de leur fille. Elle avait su faire s'épanouir la forte personnalité féminine de Leila. Le père, quant à lui, s'était appliqué à inculquer à sa fille unique ces qualités et valeurs qui, dans sa contrée, étaient transmises aux seuls garçons : l'autonomie, le goût de l'aventure et du voyage, l'entregent, la confiance en soi et l'audace. Monsieur Hélal s'attendait bien à ce que sa fille, avec cette liberté de penser acquise, ne resterait pas attachée à la maison paternelle. Ce qu'il désirait pour elle, c'était qu'elle soit en mesure de choisir son bonheur et d'aller là où il la conduirait.

Leila fit les présentations, puis elle agit comme interprète entre son père et Alexan. Akmar trouva le jeune homme sympathique. Il prisait beaucoup ce qui se dégageait de sa personne, ça lui rappelait ce qu'il avait été dans sa jeunesse : audacieux et résolu.

— Vous êtes arrivé aujourd'hui, je crois, dit le père.

— Oui, cet après-midi, répondit Alexan.

— Vous n'avez pas l'air fatigué. Normal, vous êtes encore tout jeune et vous avez l'air en pleine forme. Dites-moi, le relais qui porte la moitié de votre nom existe-t-il toujours ? Là, j'avais eu une révélation concernant ma vie. Peu après, je rencontrais ma femme.

— Oui, c'est à cette étape qu'a pris fin mon pèlerinage.

— Et c'est là que vous avez décidé ce que vous feriez de votre vie ? s'informa monsieur Hélal.

— Je ne suis pas encore fixé, je vais rester à Izmir un bout de temps pour y réfléchir.

— Ma fille vous a sûrement dit que vous pourriez travailler pour moi. Demain matin, vous n'aurez qu'à vous adresser au contremaître du plus gros bateau Hélal. Vous avez aussi vu votre chambre, vous y avez déposé vos bagages.

— Merci, j'apprécie beaucoup. Aussi je vais apprendre votre langue avec les débardeurs sur le bateau et avec Leila et ainsi nous pourrons échanger plus facilement.

— Très bien, jeune homme ! s'exclama le père de Leila, j'admire votre détermination.

— Papa ! intervint Leila, allons trouver maman.

— Oui, bien sûr, fit le maître des lieux.

Ils allèrent rejoindre madame Hélal qui les attendait patiemment dans la salle de séjour. Pendant que son mari parlait avec Alexan, la maman, fascinée, avait eu le loisir d'observer le calme, le regard, la stature de ce beau jeune homme. « Maintenant, je comprends. » Elle pouvait alors s'expliquer comment il se faisait que sa fille, autonome et équilibrée, fût tombée sous le charme de cet homme, et qu'elle n'avait jamais cessé de parler de lui et de tout ce qu'ils feraient à son retour.

De taille moyenne, calme, arborant une attitude noble et effacée, Aïcha Hélal avait de longs cheveux bruns attachés ou retenus par de jolis peignes de corne, des yeux verts, un regard chaud. D'apparence soignée, la mère de Leila affichait toujours sa taille de jeune femme. La peau lisse et sans défaut de son visage voilait bien ses quarante ans.

Épouse aimante et mère attentionnée, Aïcha aimait beaucoup sa fille, son seul enfant. Ses autres grossesses s'étaient terminées par des fausses couches. Elle se retrouvait en Leila. Elle la trouvait cependant trop indépendante à son goût. Son audace la déconcertait souvent. « Leila, tu attends trop de la vie », lui disait-elle parfois d'une voix légèrement inquiète. Aïcha craignait de perdre sa fille. « À l'accueil, viendra l'homme qui la séduira et l'emmènera au bout du monde, et nous ne pourrons rien n'y faire, elle a été élevée dans l'autonomie et l'indépendance. »

— Maman, je vous présente Alexan.

— Je suis contente de faire votre connaissance, monsieur, dit la mère, toute souriante.

— Moi aussi, enchaîna celui-ci en pensant qu'il avait effectivement changé, car il ne sentait plus le besoin de cette marque de respect — monsieur — pour se sentir valoriser.

Sur ces entrefaites, le cousin arriva par la porte arrière.

— Nous allons passer à table, suggéra le père.

— Bonne idée, papa. Alexan a sûrement faim, dit Leila.

— Vous savez, on ne mange pas beaucoup dans ces relais monastères, commenta l'invité.

— C'est vrai, reprit le père, je me rappelle très bien.

On s'attabla. Le couvert était déjà mis. La cuisinière vint déposer les plats sur la table. Chacun se servit. Tous mangèrent avec appétit, surtout Alexan. Il se régala, un vrai festin comme il n'aurait jamais pu en imaginer : des mets nouveaux, divins, légèrement épicés. Il découvrait des saveurs qui le transportaient. Ça le changeait des menus austères des haltes du Sentier de la Sagesse.

Le père Hélal parlait beaucoup. Le cousin ne prit pas part à la conversation. Akmar aimait avoir un homme d'une autre culture à sa table. Il fit parler longuement Alexan pour savoir si le sentier avait changé. « À mon âge, je ne pourrais plus parcourir ce chemin qui m'avait fait découvrir le mien », laissa entendre le père de Leila.

— Vous avez encore l'air en forme, dit Alexan.

— Les apparences, vous savez, c'est souvent trompeur.

Aïcha écoutait, Leila traduisait. Puis arriva le dessert sucré. Alexan se délecta. Son palais n'avait jamais rien goûté d'aussi délicieux. « Leila pourra sûrement cuisiner des plats qui se rapprochent de ceux-là », souhaitait celui-ci.

Le thé fut servi dans la salle de séjour.

— Vous avez bien mangé, Alexan ? demanda monsieur Hélal en se levant de table.

— Très bien, comme jamais auparavant, merci.

— Maintenant, vous allez goûter à notre thé.

— Ce sera bien apprécié, monsieur.

Ils passèrent dans l'autre pièce où les attendaient leurs tasses de thé. Alexan prit une première gorgée, ça lui rappelait vaguement des fragrances qu'il avait découvertes chez le paysan-poète.

— Sublime, ce thé ! Un parfum divin ! Merci de me faire goûter de si bonnes choses.

— C'est notre cuisinière qu'il faudra remercier, fit remarquer Akmar.

— Je le ferai, promit-il, quand j'aurai appris assez de mots de votre langue.

La cuisinière vint remplir à nouveau les tasses d'eau chaude, puis elle se mit à desservir la grande table. La conversation continua un bon moment. Le temps avait filé...

— Alexan est sûrement fatigué et nous voulons aller marcher un peu avant qu'il ne regagne sa chambre, dit Leila.

— Nous comprenons ça. On vous laisse partir. Nous nous retrouverons ici demain matin pour le déjeuner, conclut le père.

La maman de Leila sourit en leur souhaitant une bonne marche. « Elle veut être seule avec celui qu'elle n'a pas vu depuis plus d'un an, je la comprends », pensa-t-elle.

Alexan et Leila sortirent. Le long des allées, ils marchèrent dans cette lumière tamisée par toute cette épaisse verdure. Ils déambulèrent un moment en silence, un silence qui les rapprochait. Leurs épaules se frôlaient... Dans un coin, à l'écart, il y avait un banc. « Assoyons-nous ici, Alexan », murmura Leila d'une voix chaude et caressante.

— Raconte-moi ce qui s'est passé à Mouy.

Alexan lui fit part de ce long message reçu en rêve. Ce centre qu'il se devait d'ouvrir et le travail d'entraide qu'il y ferait.

— Il me faudra trouver le lieu où m'établir, précisa-t-il. Une chose est claire dans mon esprit, ça ne peut pas être ici, la culture est trop différente. J'aurais du mal à me faire accepter comme aidant.

— C'est le genre de bénévolat que je fais ici, je pourrai continuer le même travail là où nous nous installerons. C'est magnifique ! s'exclama Leila.

Leurs épaules, leurs cuisses se touchaient. Leila s'abandonnait, se laissait pénétrer par la chaleur que dégageait le corps de son compagnon. Elle se sentait bien. Un moment dont elle rêvait depuis si longtemps. Alexan s'aventura à poser sa main sur la cuisse de sa compagne. Ça le troubla. Il se tourna vers elle. Leurs yeux, expressifs et ardents, se rencontrèrent.

— Je t'aime, Leila, je t'aime, chuchota-t-il tendrement.

— Alexan, je t'aime tant, susurra-t-elle, son regard se perdant dans le sien. Ces mots magiques, je les entendais toutes les nuits en rêve. Alexan, ces mots, je veux les entendre tous les jours de ma vie.

— Tu m'entendras les dire à chaque jour qui nous sera accordé, promit-il.

— Et quand tu partiras, tu ne me laisseras plus jamais derrière. Je veux toujours être à tes côtés où que tu ailles. Jure-le-moi.

— Je le jure, tu seras toujours près de moi.

De faibles reflets de lune dansaient sur les lèvres roses de Leila. Alexan les avait tant désirées, ces lèvres. Il les embrassa. Un baiser sensuel et brûlant. Elle aussi en avait rêvé de ce baiser, mais sa pudeur l'empêcha de trop le prolonger. Il la laissa se dégager de son étreinte. Elle posa sa tête sur son épaule.

— Oh, Alexan, que je suis heureuse !

— Je t'aime, toi, toi qui as su donner un visage à notre amour dès le début...

Leila resta immobile un moment, se collant tout contre son amoureux, goûtant ses dernières paroles.

— Il nous faut rentrer, susurra-t-elle.

La tenant par la main, Alexan alla reconduire sa bien-aimée à la porte arrière de la demeure familiale. Elle l'étreignit brièvement. Ils se quittèrent heureux, en ce soir de pleine lune, certains de se retrouver le lendemain matin.

Alexan se retrouva dans sa chambre luxueuse comparativement à tout ce qu'il avait connu. Il ne lui manquait rien pour sa toilette. Mais ce qu'il remarqua d'abord, c'était ce qui recouvrait le lit : un long et large coussin rembourré et moelleux au lieu des paillasses sur lesquelles il avait toujours dormi. Confortablement étendu, l'amoureux ne s'endormit pas tout de suite. Il revivait dans son cœur, dans sa tête et dans son corps cette première journée de rêve. « Et si je me réveillais dans un autre monde, s'inquiéta-t-il un moment, mais non, elle a promis de toujours être là. » Exténué, Alexan plongea dans le sommeil.

Alexan se réveilla de bonne heure le lendemain matin. Il faisait jour, mais il garda les yeux fermés un moment. Il se demandait s'il ne sortait pas d'un long rêve, si Leila existait vraiment, s'il n'allait pas se retrouver tout seul sur le quai d'Izmir. Au même moment, on frappait à sa porte. « Dépêche-toi, c'est l'heure du déjeuner. » Alexan reconnut la voix du cousin et comprit le mot déjeuner. Il sauta hors du lit, s'habilla, plaça ses cheveux et accourut à la maison des Hélal. Tous étaient à table.

— Bonjour, Alexan, dit joyeusement le père en l'apercevant, vous avez bien dormi ?

— Oui, merci, répondit-il en regardant Leila qui lui offrait son plus beau sourire. Excusez mon retard, monsieur, madame.

— Mais non, soyez bien à l'aise, Rahal vient à peine d'arriver, fit le père.

L'atmosphère du déjeuner fut aussi détendue que celle du souper de la veille. Alexan se sentait bien accueilli et Leila était bien là. Il mangea avec appétit. Après le déjeuner, Leila et Alexan saluèrent, sortirent et se rendirent au port d'Izmir. « Bonne matinée, mon amour », dit ce dernier. Il aurait aimé l'étreindre. « On se voit à la pause du midi, je t'aime,

Alexan.» Elle retrouva son poste à l'accueil, lui se présenta au contremaître du bateau qui attendait sa venue.

Les jours et les semaines passaient… Les deux amoureux s'étaient donné un horaire souple qui leur convenait et surtout qui leur plaisait. Après le déjeuner familial, ils se rendaient ensemble à leur travail. Le midi, ils allaient marcher sur le quai. Ils appréciaient l'ambiance joyeuse qui y régnait. Ils déambulaient devant les échoppes, grignotant ce que Leila avait apporté pour le goûter du midi. Parfois le besoin de se retrouver seuls se faisait sentir. Ils allaient alors dans le parc où ils avaient fait leurs premiers pas ensemble.

Son apprentissage de la langue du pays allait bon train. Alexan pouvait rendre les saluts des marchands du port dans leur langue. Les deux amoureux étaient devenus des habitués, on les reconnaissait, on les saluait. Le nouveau débardeur se débrouillait de mieux en mieux dans la langue du pays. Monsieur Hélal préférait, et de loin, les conversations sans interprète. Il découvrait peu à peu, avec joie, la forte personnalité d'Alexan. « Il sera mon gendre avant bien longtemps », pensait Akmar, à la fois gai et triste.

Les deux amoureux utilisaient une langue ou l'autre pour échanger. Leila adorait entendre je t'aime dans les deux langues. Il en allait de même pour Alexan.

Le soir, après le souper, Leila et son bien-aimé allaient se promener dans les allées éclairées du jardin. Ils se parlaient d'amour, de leurs projets et des enfants qu'ils auraient. Ils se racontaient ce qu'avait été leur vie et ce qu'ils entrevoyaient comme vie commune. Leila voulait tout savoir de lui : sa vie à la ferme, sa relation avec les membres de sa famille, son année à Clodey, ses connaissances, ses amitiés. Elle se rappelait chaque détail, elle se souvenait de chaque nom.

Alexan était transporté : Leila s'attachait de plus en plus à lui. « Elle sera ma femme… »

11

Par un dimanche après-midi de soleil plus doux qu'à l'accoutumée, Alexan et Leila marchaient dans le jardin familial. Cette dernière portait sa robe bleu vert. Elle manifestait un enthousiasme débordant et communicatif. Après tous ces mois passés à la côtoyer tous les jours, Alexan découvrait une nouvelle facette de sa personnalité qu'il ne soupçonnait pas.

Alexan, surpris, étonné, prenait conscience de l'énigme qu'était la femme amoureuse. « Je n'aurai probablement pas assez de toute une vie pour parvenir à comprendre ce qu'est la femme qui aime : un mystère à la fois envoûtant et déroutant. Et qu'est-ce que ce sera quand je l'entreverrai toute nue dans la pénombre de la nuit ? » Cette dernière pensée le troubla dans son corps. Alexan s'efforça de revenir à celle qui, à ses côtés, exultait et affichait un sourire plein de soleil.

— Leila, dit Alexan, je te sens exceptionnellement gaie, enjouée et même un peu espiègle aujourd'hui.

— J'ai une envie folle que tu m'amènes à ce marché public hebdomadaire qui occupe une rue complète au centre de la cité.

— D'accord, je veux bien, allons-y, je suis curieux de voir ça, accepta-t-il. Tu aimes ce lieu ?

— Beaucoup, il y règne une atmosphère dont j'aimais m'imprégner quand mon père nous y amenait, ma mère et moi. Ça me faisait rêver de voyages.

— Vous n'y allez plus maintenant ? demanda Alexan.

— Mon père est souvent fatigué, il se repose le dimanche.

— Vous pourriez y aller seules toutes les deux, non ?

— Non ! Tu ne verras pas de femmes non accompagnées par un homme en ce lieu. C'est la coutume ancestrale.

Alexan s'abstint de passer un quelconque jugement sur cette coutume qui lui semblait injuste envers la femme. Il n'était pas dans son pays. « Leila aimerait sûrement pouvoir s'affranchir d'une telle contrainte qui lui interdisait de fréquenter seule certains lieux. »

— Et si l'on faisait des remarques sur mon origine étrangère ? s'inquiéta-t-il un moment.

— Nous ne nous toucherons pas, nous parlerons la langue d'ici, tu regarderas les gens comme tu sais le faire et si tu entends un commentaire désobligeant, tu réponds du tac au tac, poliment. Ils n'oseront pas.

Sur cette rue commerciale, s'alignaient de chaque côté de petites échoppes plus colorées les unes que les autres. C'était le lieu convivial par excellence: on faisait de nouvelles connaissances, on s'y retrouvait. On y vendait de tout: des articles de première nécessité jusqu'aux accessoires pour la toilette féminine en passant par des produits artisanaux. Des plats chauds à emporter ou à manger sur place étaient offerts.

La rue était bondée, on allait, venait, s'arrêtait devant les comptoirs, se saluait, repartait. Un va-et-vient continuel: une foule en mouvement. C'était bruyant, un bruit omniprésent, impossible d'y échapper où que l'on soit sur le site. Les marchands annonçaient leurs produits, les clients criaient leurs offres d'achat. Des odeurs de parfums, d'encens et d'épices flottaient dans l'air et chatouillaient l'odorat. Alexan se sentait grisé par tous ces effluves agréables et si différents. À chaque bout de cette longue rue s'installaient des musiciens qui grattaient leurs instruments pour en faire sortir des sons vibrants tout à fait nouveaux à l'oreille du jeune exilé. Ces mélodies accompagnaient, enveloppaient clients et curieux, et les incitaient à s'attarder devant les étals regorgeant de marchandise.

Alexan et Leila déambulaient, regardaient ce qui s'offrait à leur regard, se faisaient présenter toutes sortes de produits. Alexan ne passait pas inaperçu, mais comme on l'entendait parler la langue du pays, on ne fit pas de cas de sa présence. Leila était rayonnante; elle se faisait voir dans la communauté avec celui qu'elle aimait. « Elle est heureuse avec moi, je le vois, je le sens. » Il en respirait d'aise. Le jeune amoureux et sa bien-aimée avaient arpenté la rue dans toute sa longueur. Arrivés près de l'estrade des musiciens, ils firent demi-tour et reprirent leur marche. Devant le cinquième étal, Alexan s'arrêta.

— Qu'est-ce qu'il y a? demanda Leila.

— Je vois quelque chose qui irait bien dans tes cheveux, je crois.

— Qu'est-ce que tu vois? s'enquit-elle, déjà tout excitée.

— Regarde les peignes de corne, dit-il en pointant, il y en a un de la couleur de tes yeux. Très joli, non?

Durant ce temps-là, le marchand avait sorti un petit miroir rond au pourtour métallique rouillé. Il le tendit à Leila avec le peigne de corne vert. Alexan tint le miroir pendant qu'elle fichait délicatement le peigne dans son abondante chevelure noire et regardait l'effet que ça donnait à sa coiffure.

— Tu aimes ça dans mes cheveux ? demanda Leila, affichant le visage épanoui de l'amoureuse touchée par la plus petite gâterie que lui offre son amant.

— J'adore, c'est très joli, ça fait ressortir la couleur de tes beaux yeux.

— C'est le deuxième cadeau que tu m'offres et que j'accepte de tout cœur. Merci beaucoup, mon amour.

— Le premier, c'était quoi ?

— Bien, voyons ! C'était la jolie fleur que tu m'as offerte à ton retour à Izmir.

— C'est bien vrai, un petit rien. Il me reste à payer, maintenant.

— Et n'oublie pas de marchander, lui rappela-t-elle à voix basse dans sa langue.

Alexan s'informa du prix. Il offrit 15 % de moins. Le marchand sourit. Il consentit un rabais de 10 %. Souriant, observé par plusieurs curieux qui s'étaient arrêtés pour regarder la scène inhabituelle, le jeune étranger régla le montant de son achat tout en soutenant le regard amusé du marchand. Et les deux amoureux reprirent leur marche. Leila affichait un sourire ensoleillé, son peigne dans les cheveux. Alexan se sentait bien. « Un petit rien lui a fait un grand plaisir. » Un peu plus loin, ce fut Leila qui ralentit le pas.

— Maintenant, c'est à mon tour de t'offrir un premier cadeau.

— Mais ce n'est pas nécessaire, tu sais, mon plus grand cadeau, c'est ta présence, mon amour.

— Ah Alexan, chuchota-t-elle, chavirée par ces mots. Mais laisse-moi quand même t'offrir quelque chose.

— Oui, je veux bien, qu'est-ce que c'est ?

— Viens ! À dix minutes d'ici, il y a une rue où l'on trouve beaucoup de beaux magasins.

— Tu veux m'acheter des sandales à la mode du pays, je te gage.

— Tu verras bien, dit-elle d'un ton animé et affectueux.

Leila voulait faire une surprise à son amoureux. Elle espérait qu'il l'aimerait. Ils se dirigèrent vers cette artère commerciale. Leila était radieuse. Alexan la regardait, il la sentait débordante de joie de vivre, comme l'est la femme amoureuse comblée dans ses attentes.

Cette rue était plus calme. Ils rencontrèrent quelques piétons, des couples. Leila et Alexan passèrent devant de belles boutiques haut de gamme : boutique de vêtements pour femmes, bijouterie, magasin de chaussures, etc. Leila arrêta leur marche devant la vitrine d'un magasin de vêtements pour hommes.

— C'est ici que mon père achète ses vêtements, dit-elle. J'aimerais te voir porter une chemise blanche ajustée avec un beau pantalon noir.

— La chemise, ça va, mais le pantalon noir… Le noir, c'est ce que portent chez moi les gens en deuil, les croquemorts et les ministres du Culte, répliqua-t-il.

— Qu'est-ce que c'est les croquemorts? demanda Leila, intriguée par ce nouveau mot.

Alexan expliqua qui était le croquemort et en quoi consistait son travail. Et le noir porté lors d'un deuil pour faire voir son chagrin.

— Je comprends, mais en dehors des périodes de deuil, il doit bien y avoir des gens autres que ces ministres et ces croquemorts qui portent cette couleur que je trouve si élégante, si classique, non?

— Je n'en connais pas beaucoup, mais j'ai vu ma logeuse en porter.

— Et comment est-ce que tu trouvais ça?

— Je dois admettre que ça avait beaucoup de classe et que ça mettait en valeur sa féminité.

— Voilà! Le noir va mettre en relief ta personnalité. J'aimerais te voir porter du noir comme mon père et mon cousin. Fais-le pour moi, mon amour. Changeons cette mode de chez toi.

— Je veux bien, mais je n'ai pas les moyens de me payer ça.

— Mon père m'a suggéré de porter cette dépense à son compte.

— D'accord, entrons, consentit-il après un moment d'hésitation. Ton père fera des retenues sur mon salaire.

Après un long moment, ils ressortirent du magasin. Alexan portait une belle chemise blanche ajustée, le col ouvert et un pantalon noir de qualité qui tombait bien. Il savait que le vêtement porté, ce n'était que du paraître, un simple accessoire. Mais sa nouvelle tenue lui plaisait beaucoup. Il appréciait le fin tissu et la coupe. «Leila saura me trouver les vêtements qui me conviendront», se plut-il à penser. «Ah! Ce qu'il est élégant, mon amoureux, dans ce contraste de blanc et de noir!» s'exclama-t-elle. «Merci, Leila, je suis convaincu qu'avec toi à mes côtés, je serai toujours bien mis.»

Les deux promeneurs rentrèrent. Ils se retrouvèrent avec les autres autour de la table de la salle à manger pour le souper. La lampe suspendue était allumée. Les plats étaient sur la table.

— Vous êtes allés à ma boutique préférée à ce que je vois, en déduit le père tout en se servant le premier. Est-ce qu'ils t'ont reconnue, Leila?

— Bien sûr. Et nous avons trouvé une chemise et un pantalon qui lui vont très bien. Vous ne trouvez pas?

— Oui, répondit sa maman, ça lui va très bien. C'est la première fois que vous portez du noir, Alexan?

— C'est bien ça, mais je commence déjà à m'habituer, j'aime bien.

— Et vous êtes sûrement passés par le bazar, dit le père.

— En effet, confirma Alexan. Je n'ai jamais rien vu de pareil, une ambiance animée incroyable.

— Et vous avez acheté quelque chose? s'enquit celui-ci en reprenant un peu du plat principal.

— Mais oui! intervint Aîcha. Alexan a offert un joli peigne de corne vert à Leila, regarde, elle le porte dans ses cheveux.

— Oui, je le vois. Tu as marchandé un peu avant de payer, Alexan?

— J'ai fait comme me l'avait conseillé Leila.

— Et comment as-tu trouvé cette coutume des bazars?

— Nouveau pour moi, mais pas désagréable. Tout le contraire de ce qui se fait chez moi. Les commerçants détestent qu'on essaie de marchander le prix affiché.

— Comme c'est étonnant, ces différences dans les coutumes selon les régions du monde, commenta Akmar.

Le repas se continua, animé et dans la bonne humeur. Akmar fit beaucoup parler Alexan, comme à l'accoutumée. Même le cousin posa des questions. Celui-ci mentionna qu'il se joindrait à eux lors de leur prochaine visite au bazar. « Vous serez le bienvenu », dit Alexan. « Il ne viendra pas, pensa Leila, il est trop timide, nous allons pouvoir être seuls. »

« Ce que c'est étrange! s'étonnait Aïcha, ma fille n'a jamais voulu des peignes que je lui suggérais de porter et voilà qu'elle accepte celui offert par Alexan. Elle le portera tous les jours, j'en suis sûre. Mais ce n'est nullement étrange! Ma grande fille est follement amoureuse. » Aïcha espérait qu'ils resteraient encore un bout de temps. « C'est si beau de les voir tous les deux dans leur monde. » Ça lui rappelait ses premières amours avec son Akmar.

Ce soir-là, au lit, Alexan revoyait avec émotion les événements de la journée. Le sommeil tardait à venir. Tant de pensées envahissaient son esprit qu'il eut du mal à les démêler. Il se demandait ce que serait la suite des choses. Ce qu'il vivait ici à Izmir avec Leila était idyllique, mais il ne savait que trop bien que ça n'allait pas durer. La réalisation de son projet de vie exigeait son départ imminent et la recherche d'un lieu où s'établir. Alexan sentait Leila de plus en plus attachée à lui et à son projet. « Le moment du départ approche, il me faudra lui en parler, mais quand? Et s'il fallait qu'elle hésite... » Ils devraient se marier avant tout. Et il y avait toutes ces démarches à planifier: la demande, les alliances, la cérémonie, la noce, les vêtements, le départ, etc. Alexan décida d'arrêter de se casser la tête avec toutes ces questions. Sa bonne étoile lui ferait sûrement signe d'une façon ou d'une autre le moment venu. « Et demain matin, elle sera encore là, au déjeuner, m'attendant avec son sourire rassurant, familier. » Cette dernière pensée l'aida à trouver le sommeil…

Une dizaine de jours plus tard, par un soir de pleine lune, Alexan et Leila faisaient leur marche habituelle d'après souper dans le jardin familial. Alexan la sentait d'humeur ardente. L'air réfléchi et décidé, elle marchait d'un pas plus lent et plus court qu'à l'accoutumée. Leila pesait ses mots. Par moments, elle semblait les chercher comme si elle allait annoncer quelque chose d'important. Dans ce bout de sentier à l'écart, Leila arrêta leur marche, se jeta dans les bras de son compagnon et l'étreignit.

— Serre-moi fort, Alexan, serre-moi très fort, mon amour, lui demanda-t-elle d'une voix grave.

— Leila, je te sens agitée, dit-il en l'étreignant, à la fois intrigué et inquiété. Qu'est-ce qui se passe, mon amour ?

— Alexan, nous allons partir le plus tôt possible, je ne veux plus attendre, lui annonça-t-elle d'un ton dramatique. À certains moments, j'ai senti que tu voulais m'en parler, mais tu craignais ma réaction, je crois.

— C'est bien vrai. Moi aussi, je veux que nous partions pour trouver le lieu où nous nous établirons, réagit Alexan, touché et emballé par la déclaration de Leila.

— Alexan, nous n'aurons pas à chercher, je te demande de m'emmener à Clodey. C'est là que je veux vivre avec toi et tous ces gens qui t'aiment et qui te respectent.

— J'aimerais beaucoup, fit-il, surpris et ravi par la préférence de Leila. Et je pourrais revoir ma famille si mon père arrivait à me pardonner.

— Alexan, il ne tient qu'à nous de réussir à Clodey. Et je suis sûre que ton père te pardonnera quand il te reverra revenir marié et avec l'intention d'ouvrir un centre.

— Leila, il faut que tu sois bien consciente que Clodey, c'est plus petit qu'Izmir.

— Alexan, mon amour, là où je serai avec toi, ça sera toujours aussi beau et aussi grand qu'Izmir. Tu as dit que Clodey était le plus grand village de toute la région. Et avec nous, ce village deviendra encore plus important, dit-elle en se collant davantage.

Alexan souhaitait faire prospérer la région où il s'établirait. Et pouvoir le faire à Clodey serait la situation rêvée. « Voilà ma réponse, merci la vie. »

— Nous irons à Clodey, mon amour, et bientôt.

— Ah, que je suis heureuse !

Alexan invita sa bien-aimée à s'asseoir. Il y avait un banc à côté d'une de ces lampes. Il distinguait bien sa physionomie, expressive et illuminée. Elle souriait, silencieuse...

— Leila, mon bel et unique amour, veux-tu être celle qui embrasera mes nuits de tes feux les plus ardents comme tu illumines déjà mes jours de tes sourires les plus ensoleillés ? Et ça, pour toute la vie.

— Alexan, Alexan, oui, oui, murmura-t-elle d'une voix chaude et solennelle, les yeux brillants de larmes. Je serai la femme de tous tes fantasmes, l'épouse dévouée et fidèle, la meilleure des mères, je te le jure. Je t'aime tant, Alexan !

Alexan enlaça sa future, il jubilait.

— Je m'efforcerai d'être le meilleur des maris et l'amant le plus passionné.

Ils restèrent enlacés. Le temps semblait s'être immobilisé pour marquer ce moment unique. « Alexan, mon amour, j'aimerais tant rester ainsi dans tes bras toute la nuit, mais il faut rentrer. » Et l'amoureux, extatique, raccompagna sa promise à la demeure familiale. Ils s'étreignirent une dernière fois, elle rentra. « Bientôt, nous serons mariés, je n'aurai plus à m'éloigner d'elle pour me retrouver seul dans mon lit à rêver d'elle », se dit Alexan en franchissant la distance qui séparait les deux maisons.

Dès le lendemain, Alexan parla à monsieur Hélal. « Je m'attendais à ta demande, Alexan. Je te côtoie depuis des mois ; j'ai la conviction que tu rendras ma fille heureuse. » Le père, la mère et le cousin allaient s'occuper des préparatifs : arrêter une date, envoyer les faire-part, engager deux groupes de musiciens et deux autres cuisinières. La noce durerait toute une journée. Il fallait penser à réserver une date, une heure auprès de l'Autorité civile. Il n'y aurait pas de cérémonie religieuse vu que le marié n'avait pas été élevé dans les mêmes croyances religieuses que la mariée. « J'aurai bientôt quelques dates à vous suggérer, vous n'aurez qu'à choisir », avait annoncé le père de Leila.

Le dimanche suivant, Leila et Alexan se rendirent à la bijouterie de cette avenue commerciale au centre d'Izmir pour choisir leurs alliances. Leila, exubérante, voulait des joncs en or jaune.

— Mais tu sais bien que je n'ai pas les moyens de nous payer de telles alliances.

— Alexan, écoute-moi, mon père m'a dit qu'en plus de ma dot, il nous laisserait entrer en possession d'une partie de mon héritage à notre départ, et en devises de ton pays.

— Euh...

— Alexan, pourquoi cette réaction ? Tu sais bien qu'une fois mariés tout ce qui est à moi t'appartiendra. Tous ces sous serviront à nous établir, c'est ce que souhaite mon père. Il se dit aussi très heureux que nous nous établissions chez toi. Ce sera plus facile pour toi comme pour moi, selon lui.

— Ça nous appartiendra à tous les deux, nous partagerons tout, mon amour. Bon, allons acheter nos alliances.

Les futurs mariés entrèrent à la bijouterie. Leila trouva ce qu'elle aimerait comme alliances, Alexan se rallia à son choix.

Il existait dans cette contrée une coutume qu'Alexan trouva très touchante : on faisait graver à l'intérieur de l'alliance de son promis, de sa promise, un court message personnel.

— Quel message voudrais-tu faire graver à l'intérieur de mon anneau ? demanda Leila.

— Euh… ah, j'ai trouvé : *à ma princesse*… Et toi, ton message à l'intérieur de mon jonc ?

— « *À notre amour éternel…* »

En sortant de la bijouterie, Leila fut saisie d'une envie brûlante de rappeler à son homme combien elle l'aimait. « Toi et moi, Alexan, c'est pour la vie, dit-elle d'une voix grave, ne l'oublie jamais, même dans les moments les plus sombres. »

— Que je sois foudroyé si jamais j'oubliais ! Je t'aime, ma princesse, ma princesse des *Mille et une nuits* et bientôt, la princesse de mes nuits à moi tout seul, s'enhardit-il à dire d'une voix tout aussi grave.

— Ah, Alexan, ces mots me grisent, soupira-t-elle, frémissante.

Ils rentrèrent d'un pas léger, en silence, se voyant déjà mari et femme. Ils auraient aimé se toucher. Leurs yeux brillaient d'amour et d'espoir.

Les semaines passèrent. Le jour attendu arriva : Leila et Alexan se mariaient. Les futurs mariés, le père, la mère, et la famille rapprochée se firent conduire au Centre administratif de la cité pour un mariage civil.

Un représentant de l'État, d'une voix solennelle, s'adressa à tous les assistants et en particulier aux futurs mariés : « Rappelez-vous que le mariage est un engagement des plus sérieux, c'est pour la vie. Vous vous engagez envers votre conjoint et envers la société où vous vivrez. L'époux devra offrir toit et protection à son épouse. Celle-ci lui sera soumise et elle ne devra jamais se rendre indigne de cette union. » Alexan eut l'impression d'entendre les ministres du Culte de Clodey, mais ce ne fut pas très long. Il n'avait écouté que d'une oreille ; il était tout entier à la joie de s'unir à celle qu'il chérissait et désirait tant. « Ce magistrat, cet homme, ne comprend rien à l'amour, il ne sait que parler de domination et de soumission. Ah, Alexan, emmène-moi loin d'ici le plus tôt possible. »

Une fois les consentements dits, Leila et Alexan échangèrent leurs alliances… Ils étaient dorénavant mari et femme.

Puis tout le monde sortit, les mariés en premier, et le cortège se mit en marche vers la demeure familiale. Le retour se fit à pied — c'était à trente minutes. Des musiciens les accompagnaient, ils faisaient entendre des mélodies des plus joyeuses pour souligner cet heureux jour. Tout le long du trajet, les gens sortaient, attirés par la musique. Ils saluaient, souhaitaient des vœux de bonheur et de prospérité aux nouveaux mariés. « Monsieur Hélal marie enfin sa fille unique, elle ne finira pas vieille fille », se répétait-on joyeusement. « La honte ne s'abattra pas sur la famille Hélal », entendait-on de-ci de-là. Ce mariage apportait de la joie à toute la communauté.

Les mariés étaient beaux à voir. On admirait la flamboyante robe blanche de la mariée. Un voile de soie couvrait en partie ses cheveux et retombait sur ses épaules. Sa longue traîne était portée par deux jeunes demoiselles.

Alexan, lui aussi, retenait l'attention. Il portait son pantalon noir et un chemisier ample à manches longues, au col ouvert, de couleur sable, tombant jusqu'à la hanche et agrémenté de rayures de fils doré. Les quatre boutons noirs qu'on détachait pour enfiler et retirer le vêtement étaient retenus par des fils dorés. Ces couleurs, celle du sable et de l'or, s'harmonisaient bien avec le teint hâlé du marié.

En arrivant à la propriété, Leila s'exclama : « Regarde, Alexan, il y a une haie d'honneur pour nous. » En effet, de l'entrée de la cour jusqu'à la maison, les mariés passèrent entre deux rangées de jeunes filles qui lançaient des pétales de roses au-dessus de leur tête. Ces pétales flottaient suspendus dans l'air humide ambiant, se posaient dans les cheveux des mariés, adhéraient à la peau moite de leur visage pour finalement atterrir sur le sol. Tout le monde chantait et criait de joie : « Leila, Leila est mariée, mariée… »

Leila rayonnait, le bonheur la rendait encore plus belle. Alexan était heureux, il voyait sa femme comblée. Elle était la reine de cette journée. « Je souhaite être à la hauteur de ses attentes chaque jour de ma vie. » Les musiciens jouaient toujours, un autre groupe, installé dans le jardin, avait commencé à jouer. Tous les invités étaient sur place, et attendaient l'arrivée du couple. Les mariés entrèrent dans la maison bondée de monde. Tout un chacun riait, chantait, venait les féliciter, leur souhaiter du bonheur. La fête avait commencé et allait durer.

Leila put se libérer un moment et demander à sa mère de venir dans sa chambre attacher sa traîne. Aïcha sortit les épingles. « Merci, maman pour tout ce que vous avez fait pour moi. Grâce à vous, je suis heureuse comme j'avais rêvé de l'être », dit Leila pendant que sa mère fixait les épingles. « Je partage ta joie, ma grande fille, tu réalises enfin ton rêve : l'amour jumelé à l'aventure », dit celle-ci avec un brin de tristesse dans la voix.

Les cuisinières avaient placé plusieurs petites tables à l'extérieur. Ces tables, comme celles à l'intérieur, offriraient en abondance de succulentes bouchées et de délicieuses boissons non alcoolisées jusque tard en soirée. Les invités s'étaient rejoints en petits groupes, les femmes ensemble, les hommes entre eux. Leila allait de groupe en groupe, partageant sa joie avec ses tantes et ses cousines qu'elle n'avait pas vues depuis longtemps. On la complimentait, l'enviait. « Bon voyage à vous deux », lui disaient-elles sincèrement en se doutant bien que les nouveaux mariés allaient partir au loin.

Monsieur Hélal présentait son gendre aux hommes qui, sans le dire directement, le trouvaient bien chanceux d'avoir conquis le cœur de la belle Leila. Alexan eut droit à des félicitations pour son apprentissage rapide et bien réussi de la langue du pays. Leila cherchait souvent son homme des yeux. Elle l'apercevait de temps en temps au détour d'une allée. Ils se souriaient, elle retenait son regard l'espace d'un instant. « Ce soir, il n'y aura que nous deux », songeait-elle. Et durant un moment, elle se voyait dans les bras de son homme, dans sa chambre qu'elle visualisait baignant dans une pénombre romantique et troublante.

Les cadeaux, c'étaient des cartes de vœux déposées sur une table dans la salle de séjour. Leila les apporterait en voyage. Aïcha avait inséré dans son enveloppe son plus joli peigne de corne, sachant que sa fille le porterait et qu'à chaque fois, elle penserait à sa maman.

La journée et la soirée avaient filé… Les musiciens firent entendre pendant de longs moments ces mélodies mélancoliques que l'on jouait lors des grands départs. Leila remercia et salua longuement chacun des invités. Ça ressemblait davantage à des adieux, elle savait qu'elle ne les reverrait probablement plus jamais.

Le dernier invité parti, monsieur et madame Hélal, fatigués, étaient bien contents de se retirer dans leur chambre. « Bonne nuit à vous deux », leur souhaitèrent à tour de rôle le papa et la maman. Leila prit la main d'Alexan : « Viens, allons dans notre chambre, enfin seuls, mon amour. » Alexan serra la main de sa femme, celle-ci ouvrit la porte, ils entrèrent, Leila referma lentement la porte. Ils s'étreignirent avec fougue. La lampe déjà allumée répandait une faible et douce lumière. Alexan avait l'impression de pénétrer dans un sanctuaire où les couples amoureux venaient offrir aux dieux ce qu'ils avaient de plus précieux : leur amour.

La chambre de Leila était grande comme les autres chambres de la maison familiale. Un haut plafond moulé bleu clair. Des murs nus d'un bleu plus foncé. La grande fenêtre était habillée d'un fin voilage que gonflait la brise légère de la nuit. Un tapis soyeux couvrait une grande partie du plancher. La pièce maîtresse des lieux, c'était le somptueux lit avec des draps de satin et un dessus de lit apaisant et frais pour les nuits d'été. Deux jolies tables de nuit et une grande commode munie d'un miroir rond au rebord argenté complétaient cet ameublement. Ce qui surprit le plus Alexan, c'était le coin d'intimité pour sa toilette, fermé par un rideau de fin tissu bleu ciel.

— Mon amour, je te sens si impatient, dit Leila d'une voix câline à peine audible.

— J'ai tellement rêvé de ce moment, balbutia-t-il, à la fois troublé par son ardent désir d'elle et inquiété par le doute de ne pas être à la hauteur de ses attentes.

Ce doute obsédant montait en lui depuis le matin, depuis l'échange des joncs. Saura-t-il la combler ?

— Moi aussi, j'ai rêvé de ce moment, soupira-t-elle. Il est enfin arrivé. Comme il est bon d'être dans tes bras. Je suis ta femme, Alexan, ta femme…

Alexan la serra davantage. Sa main hésitante, tremblotante, s'aventura… la hanche, cette hanche si invitante, si grisante… la fesse, cette fesse si mystérieuse, si affriolante… « Alexan, Alexan, patience, je serai à toi, toute à toi dans notre lit », réussit à dire Leila d'une voix embrouillée par l'ivresse. Alexan relâcha son étreinte en pensant qu'il découvrirait enfin tout ce corps troublant qu'il avait tant de fois imaginé en rêve ou éveillé.

Le jeune marié se rendit au coin fermé pour sa toilette et enleva ses vêtements. L'eau froide sur sa peau le revigora. Pendant ce temps-là, Leila, assise devant le miroir de la commode, se démaquillait et se brossait les cheveux. Alexan, une serviette nouée autour de la taille, alla se glisser sous le drap frais du lit. Leila avait éteint la lampe et gardé allumée une petite chandelle qui ne répandait qu'une lueur vacillante. La chambre baignait dans une douce pénombre qui les transportait hors de la réalité, là où tout n'est qu'envoûtement amoureux.

Alexan vit sa princesse s'approcher. Elle avait revêtu un déshabillé en soie translucide aux délicats dégradés de rose et de vert. Ses contours féminins se laissaient deviner à travers le mince tissu. Le jeune époux fut envahi par des sensations insoupçonnées d'une telle intensité qu'il avait peine à y croire. Leila le troublait tant qu'il se demandait si elle ne possédait pas un pouvoir magique sur lui. « Et il me faudra plaire à la princesse sinon... », s'alarmait-il. *L'amoureuse sait toujours guider la main malhabile du nouvel amant sincère et attentionné*, le rassura sa voix intérieure. Alexan oublierait ses craintes et se mettrait à l'écoute de celle qu'il aimait...

Leila vint s'asseoir sur le bord du lit, laissa tomber son déshabillé et se coula langoureusement sous le drap rejoindre celui qui l'attendait.

— Alexan, mon amour, Alexan...

Excité, Alexan embrassa sensuellement sa bouche. Il sentait son corps nu tout contre lui. La douceur de sa peau, l'odeur et la chaleur de son corps l'embrasaient. Alexan arrêta sa bouche à son oreille : « Leila, mon amour, ma princesse. » Ses doigts dans son abondante chevelure caressèrent sa tête doucement. Elle laissa entendre un premier soupir. Ses mains masculines et sa bouche gourmande exploraient lentement, avec volupté, ce beau corps de femme. Leila frissonnait de plaisir sous les caresses de plus en plus ardentes. Elle s'abandonnait tout entière. Elle découvrait, à la fois émerveillée et chavirée, le corps de son homme. Ses soupirs devenaient plus profonds.

Tout le grisait en elle : le parfum naturel de son corps, les ondulations lascives de ses hanches, les murmures confus et inarticulés, son regard éperdu de plaisir. Elle arrivait à peine à articuler son nom. Alexan effleurait l'intérieur de ses cuisses, ses parties secrètes. Tout le corps de Leila appelait le sien. La passion les submergeait. Ils s'aimèrent passionnément, follement, longuement... Ses gémissements de plaisir, Leila n'arrivait plus à les étouffer. Puis une explosion de sensations... Ça dépassait toutes leurs attentes...

Ce matin-là, leur union s'était faite dans leur cœur et leur esprit, elle venait de se sceller pour toujours dans leur corps.

Leila reprenait peu à peu son souffle. Elle sentit le besoin d'entendre la voix de son homme, à la fois si tendre et si viril. « Parle-moi, mon amour, tu es content ? »

— Je suis le plus heureux des hommes. Toi, tu es incroyable. Après une journée aussi chargée, je te sens encore pleine d'énergie. Et toi, tu es contente, ma princesse ?

— Mon amour ! Tu m'as amenée au paradis du plaisir. J'en ai oublié le temps et le lieu. Et savoir que l'on va dorénavant se réveiller ensemble tous les matins me rend folle de bonheur.

— Ma princesse, tu parles de notre amour de façon divine.

— C'est toi qui es la source à laquelle je puise mon inspiration. Je ne pourrais jamais te perdre.

— Et quand je serai devenu vieux et boiteux...

— Toi, tu ne seras jamais vieux. Rappelle-toi que je serai toujours ta fontaine de Jouvence…

Et ils continuèrent pendant un moment de se raconter leur amour, leur rencontre, leurs attentes, leurs rêves…

Pendant ce temps-là, de l'autre côté du couloir, dans la chambre principale, Akmar, épuisé par cette longue journée, avait réussi à s'endormir malgré cette pensée qui l'attristait: la perte de sa fille unique. Il ne l'entendrait plus parler et rire dans sa maison. Mais sa femme ne dormait pas. Les soupirs amoureux de sa fille qui lui étaient parvenus à travers les portes l'avaient gardée éveillée un long moment.

Depuis des années, Aïcha ne vivait, au lit, que de souvenirs. Ce soir-là fut plus lourd que les autres. Son corps de femme était en émoi. Elle se voyait à la place de sa fille. « Et mon homme qui dort, là, tout près ! » Elle eut un moment envie de le réveiller, mais elle n'en fit rien.

Akmar traitait toujours bien sa femme, mais il avait vieilli et sa charge de travail était devenue trop lourde, même avec l'assistance de son neveu Rahal. Ce soir-là, Aïcha se contenterait, comme elle en avait l'habitude maintenant, de revivre en pensée un des moments chaleureux vécus avec son homme. Ce qui heureusement ne risquait pas d'arriver à sa fille. «Son homme est du même âge qu'elle, elle aura longtemps un homme vigoureux près d'elle.» La maman se rapprocha un peu de l'homme qu'elle aimait toujours et, la larme à l'œil, réussit à s'endormir sur cette pensée rassurante.

Cinq jours plus tard, Alexan et Leila s'embarquaient sur un des bateaux Hélal qui appareillaient ce jour-là. Akmar et Aïcha les avaient accompagnés jusque sur le quai. Alexan avait déjà fait ses adieux, il attendait sa femme sur les premières marches de la passerelle.

Aïcha sanglotait, Akmar avait un regard triste et songeur.

— Maman, ne soyez pas triste. Vous avez été une bonne mère. Je suis devenue une femme et serai une bonne mère grâce à ce que vous m'avez transmis. Ne vous inquiétez pas, maman, Alexan est un homme bon. Je vais nommer ma première fille Aïcha. Je vais vous écrire souvent, maman.

— Sois heureuse, ma fille, je t'aime, dit Aïcha d'une voix étranglée.

— Je vous aime maman, reprit Leila en l'embrassant avant de se tourner vers son père.

— Papa, merci de m'avoir donné cette éducation qui m'a permis de répondre à l'appel de mon bonheur. Mon premier garçon portera votre prénom et mes enfants apprendront notre langue. Je vais souvent leur parler de leur grand-père.

— Merci, ma fille. Nous serons toujours là pour vous aider si jamais vous avez besoin d'aide. Soyez heureux, dit Akmar d'une voix profonde.

— Je vous aime, papa, balbutia-t-elle, ne contenant plus ses larmes. Elle l'embrassa.

Et Leila s'en alla rejoindre son homme qui l'attendait pour monter sur le bateau. Ils allèrent s'accouder au bastingage du navire qui amorçait sa sortie du port.

Les deux parents éplorés, immobiles et silencieux, restèrent sur le quai, regardant s'éloigner le bateau qui emportait leur fille unique au bout du monde…

12

Alexan et Leila sortaient du magasin général de Clodey avec leur bagage. C'est alors qu'ils aperçurent Loïc Bouïdon qui arrivait pour commencer sa journée de travail. Le commis les regarda brièvement sans réagir, sans s'arrêter.

— Loïc, voyons ! Tu me reconnais pas, c'est moi, Alexan, dit-il en l'arrêtant.

— Je ne t'avais pas reconnu, là avec une femme, excuse-moi. Est-ce que tu es revenu pour de vrai ?

— Oui, pour de bon. Ma femme Leila et moi allons nous installer ici à Clodey. En ce moment, nous voulons trouver à nous loger à la pension Pingault. Accompagne-nous si tu veux bien.

— Bonjour, madame, fit le commis, gêné, baissant les yeux.

— Bonjour, monsieur, je suis contente de faire votre connaissance.

Loïc s'offrit pour porter la grosse valise de Leila.

— Comme c'est gentil à vous ! Alexan m'a beaucoup parlé de vous, vous avez travaillé un an ensemble, n'est-ce pas ?

— Oui, madame. Alexan, c'était le meilleur employé que M. Poncelet ait jamais eu. Je l'ai souvent entendu le dire. Il a essayé de le remplacer, mais il n'était jamais satisfait.

Ils marchèrent ensemble. Loïc, trop intimidé par le nouveau look d'Alexan et surtout par la présence de Leila, n'osa pas crier toute sa joie de revoir ce compagnon de travail et de marche qui savait l'écouter, lui. « Les choses vont changer ici avec le retour d'Alexan, il ne revient pas pour être encore commis du magasin général. » Loïc se disait que celui qu'il admirait déjà quand ils partageaient la même besogne était sûrement de retour pour rendre la vie plus intéressante à Clodey. « Et il a ramené une femme. Je me demande bien où on peut rencontrer des femmes aussi belles qu'elle. »

À la porte de la pension, le commis déposa la valise. Leila remercia son bon samaritain.

— On va se revoir, dit Alexan, j'ai hâte que tu me mettes au courant de tes nouveaux projets. Je te parlerai du mien.

— Oui, j'aimerais beaucoup. Bienvenue chez nous, madame.

— Merci beaucoup, monsieur Loïc, fit Leila.

Ce dernier s'en retournait au magasin pendant qu'Alexan frappait à la porte de la pension. Leila était contente, elle commençait déjà à se sentir chez elle. Les deux premières personnes rencontrées lui avaient souhaité la bienvenue.

La logeuse ouvrit la porte. « Ah mon Dieu, Alexan ! Quelle surprise ! Vous êtes de retour », s'exclama celle-ci.

Priana l'avait reconnu au premier coup d'œil. Alexan avait des yeux… un regard… qu'une femme n'oubliait pas.

— Oui, Priana, et pour de bon. Je vous présente ma femme Leila. Nous aimerions louer une chambre si vous en avez une de libre.

— Quelle joie de faire votre connaissance, Leila ! enchaîna la logeuse.

— Enchantée, madame Priana, vous êtes la troisième personne à me souhaiter la bienvenue depuis notre arrivée. J'en suis très heureuse.

— Ça tombe bien, j'ai la grande chambre de libre ici à votre gauche, entrez.

Priana leur ouvrit la porte de la chambre. Les deux voyageurs entrèrent, déposèrent leurs valises. Leila jeta un coup d'œil. Elle aima cette grande chambre modeste, certes, mais propre et décorée avec goût.

— Nous allons être bien ici, Alexan, dit Leila, tout excitée à l'idée de commencer à ranger ses choses.

— Voici votre clé. On se retrouve à la cuisine pour le dîner, dit la logeuse exprimant sa joie par un grand sourire.

Alexan referma la porte. Il enlaça sa femme. Que de souvenirs lui rappelait cette maison de chambres. Six ans déjà… C'était hier tout ça, et pourtant ça lui semblait remonter à un siècle. Les deux voyageurs au long cours étaient enfin arrivés à destination, là où se continuerait le voyage de leur amour, de leur vie. C'est à l'intérieur qu'ils vogueraient dorénavant, et plus tard, dans les yeux de leurs enfants.

— Tu as dit que la chambre te plaisait bien, mais c'est beaucoup plus petit et moins luxueux que ta chambre à Izmir.

— Alexan ! le coupa-t-elle d'une voix ferme, je ne veux plus jamais entendre de tels propos. Je n'ai pas besoin de tout ce luxe laissé derrière. Je serais la plus heureuse des femmes dans la plus humble des chaumières pourvu que tu y sois avec moi. Est-ce que tu m'as entendu me plaindre une seule fois depuis notre départ ?

— Non, ce n'est jamais arrivé, répondit Alexan d'une voix bredouillante. Pardonne-moi cette fâcheuse maladresse, ça n'arrivera plus.

Alexan serra sa femme dans ses bras : « Je t'aime, ma princesse. »

— Alexan, mon amour, regarde, je la trouve coquette cette chambre. Les petites décorations, les beaux vases sur le meuble. Et ce superbe couvre-lit. Qu'est-ce que c'est ? Je n'ai jamais rien vu de semblable.

— C'est une courtepointe, je crois.

— Où est-ce qu'on se procure ça ? J'en veux une pour notre lit dans notre maison.

— Je pense que c'est Priana qui les confectionne elle-même.

— Ah oui ? Elle va m'enseigner cet art, tu crois ?

— Je ne verrais pas pourquoi. J'ai l'impression que vous allez bien vous entendre vous deux.

— Je le crois aussi.

— Maintenant, j'aimerais te faire visiter les lieux, si tu veux bien, suggéra Alexan.

— Bonne idée.

Ils sortirent de leur chambre. Ils prirent le couloir vers la cour arrière. Alexan arrêta leur marche à l'entrée du salon.

— Ce que c'est beau, cette pièce ! C'est joli ce qu'il y a au fond. Qu'est-ce que c'est ? À quoi est-ce que ça sert ?

— C'est un foyer. On y fait du feu durant la saison froide pour réchauffer la pièce.

— Quel spectacle magnifique ça doit être, du feu dans un salon !

Priana, qui travaillait à la cuisine, entendit Leila s'extasier. « Je vais faire un feu ce soir, ainsi elle découvrira ce qu'est un feu de foyer. » La logeuse trouvait déjà sa nouvelle pensionnaire sympathique.

— Maintenant, allons visiter le jardin à l'arrière, suggéra Alexan.

— Ce jardin que tu m'as si souvent décrit.

Ils saluèrent Priana en passant devant la cuisine, puis ils sortirent. Ô surprise ! Alexan se retrouva dans un tout autre jardin. Priana en avait, au cours des ans doublé la superficie. Les arbres avaient grandi et grossi. Elle avait planté d'autres arbustes à fleurs, et en biais avec les lilas, un autre duo de lilas de la même essence.

Mais ce qui attira l'attention d'Alexan, c'était cet autre arbre en biais avec les bouleaux, un conifère qui perdait ses aiguilles en hiver : un mélèze pleureur, essence très rare dans la région. La légende disait que cet arbre avait une âme troublée, un tempérament mélancolique, qu'il vivait seul, sans amis. Même les oiseaux s'en écartaient. Son feuillage — des épines — très fourni, vert pâle au printemps prenait une teinte roussâtre en automne. À la fin d'avril, avant l'apparition de ses épines, ce mélèze produisait des cônes. Les cônes mâles étaient jaunes, les cônes femelles d'un rose vif et pendaient au-dessous des rameaux. Cet arbre impressionnant faisait déjà quatre mètres de hauteur. Il enveloppait le jardin de son aura mythique qui apaisait ses visiteurs et les amenait à écouter le silence des choses.

— Je me sens bien dans ce jardin, dit Leila.

— Moi aussi, je vibre à la même sensation.

Alexan identifia les arbres et les arbustes qu'il connaissait comme Leila l'avait fait pour lui à Izmir.

— Tous ces parfums de fleurs à humer durant toute la belle saison. Tu vois, nous venons d'arriver et je suis déjà enchantée par ce que je vois et j'entends.

Ils rentrèrent. Leila s'arrêta à la cuisine féliciter Priana sur l'esthétique de son aménagement intérieur et extérieur.

— Merci, fit cette dernière, réjouie par les commentaires de Leila. C'est à la belle saison que c'est magique quand tout fleurit. Ce soir, je crois que je vais allumer le foyer. Les soirées sont encore fraîches, vous savez.

— Oui, j'aimerais beaucoup.

Le dîner serait prêt sous peu. En attendant, Alexan et Leila passèrent à leur chambre ; ils commencèrent à défaire leurs valises. Après le dîner, Alexan et sa compagne sortirent pour marcher. Celle-ci prit sa main. « Ici, on peut le faire, pas vrai ? »

— Oui, ça va faire jaser un peu au début, mais les gens s'habitueront à nous voir, puis d'autres nous imiteront.

— J'aime cette sensation de liberté : pouvoir faire ce qui nous semble bien sans se sentir épiés tout le temps. Aussi, Alexan, j'aimerais qu'en public nous utilisions toujours la langue d'ici.

— Je veux bien, mais pourquoi ?

— Parce que je veux que tous constatent que je m'intègre à la communauté. Mais il y aura toujours mon accent.

— Très bonne attitude, approuva Alexan. Ton accent ? Ils vont s'habituer et ils vont le trouver joli, tu verras. Moi, je ne le remarque même plus, ton léger accent.

— Léger ! Tu es gentil, mon amour.

Ils rencontrèrent quelques piétons qui les saluèrent poliment. Alexan nommait les demeures importantes et décrivait les quelques commerces autres que le magasin général comme le coiffeur-barbier par exemple. Ils s'arrêtèrent devant cette grande bâtisse vide à deux étages.

— Il y avait un magasin ici avant. On y vendait toutes sortes d'articles en cuir.

— Qu'est-ce qui est arrivé ? demanda Leila.

— Je ne sais pas, c'était ouvert quand j'ai quitté Clodey.

Leila pensa que ce serait peut-être l'endroit idéal pour leur centre, mais elle préféra garder cette pensée pour elle. « Je vais d'abord attendre qu'Alexan en parle.» Ils passèrent devant le temple. Alexan expliqua qu'il ne le fréquentait plus «C'est bien tant mieux, je ne me serais pas sentie à l'aise de t'y accompagner.» Ils entrèrent à la Maison de la Poste où chaque résidant du bourg avait son casier. On voyait au fond un long comptoir où l'on pouvait s'adresser à un commis. Une grande fenêtre donnait sur la rue. Les boîtes postales étaient fixées aux autres murs. Une grande table et quelques chaises complétaient cet austère mobilier. Alexan s'adressa à l'employé occupé à emballer un colis. Il demanda qu'on leur assigne une case. Le préposé sortit un formulaire que le nouveau résidant s'empressa de remplir.

— Voilà une bonne chose de faite, dit-il en sortant.

— Je vais écrire à mes parents dès que j'aurai un moment, se proposa Leila.

— Moi aussi, je vais envoyer un mot à ma mère.

Leila avait pu écrire à sa mère une fois depuis leur départ. Cette dernière pourrait désormais lui répondre quand elle aurait reçu leur adresse à Clodey. Alexan et Leila rentrèrent à la pension. Ils continuèrent de défaire leurs valises, placèrent leurs effets personnels dans la grande penderie et dans les tiroirs de la commode et des tables de nuit. Alexan avait gardé le cahier dans lequel Leila lui avait écrit quelques mots la veille de son départ de son pèlerinage à Izmir. «Qu'est-ce que tu fais avec ce cahier ouvert?»

— Je relis les premiers mots que tu m'avais écrits, tu t'en souviens, ma princesse?

Leila arrêta ce qu'elle faisait et vint se blottir dans les bras de son grand romantique de mari. «Tu vois! Je croyais déjà en notre amour à ce moment-là, on va le garder précieusement, ce cahier, pour le montrer à nos enfants et à nos petits-enfants.» Elle était au comble du bonheur, son homme garderait vivants tous les moments magiques qui avaient marqué et qui marqueraient leur aventure amoureuse extraordinaire. Leurs voies s'étaient croisées il y avait quelques années à peine et voilà qu'ils avaient déjà en réserve des souvenirs, beaux, touchants, certains qui les émerveilleraient encore et encore.

— Tu te rappelles, Alexan, sur le bateau, les soirs de beau temps, on s'accoudait au bastingage et on se racontait nos rêves.

— Oui ma princesse, et nous avons commencé à les vivre, nos rêves.

Au souper, Leila et Alexan se trouvèrent en présence de trois pensionnaires, dont Modeste Desmet, le bavard, qui logeait toujours à la pension. Priana fit les présentations. Tous furent intimidés par la beauté de Leila et la nouvelle allure d'Alexan, surtout Desmet qui en resta muet. Les deux autres qui étaient de passage ne trouvèrent rien à dire. Modeste se contenta d'écouter, de regarder, de rêver. Tout en mangeant, songeur, il observait Alexan du coin de l'œil. « Le petit commis de magasin a plutôt l'air d'un patron maintenant et il est avec une femme comme aucun homme n'ose rêver en rencontrer. Moi aussi, je serais allé au bout du monde… Pourquoi est-ce qu'il y en a qui sont plus choyés par la vie que d'autres ? Ce n'est pas juste. »

La conversation se fit à trois.

— Vous êtes allés faire le tour du bourg cet après-midi ? demanda Priana en servant le mets principal.

— Oui, répondit Alexan, nous nous sommes arrêtés à la Maison de la Poste pour nous réserver une case postale.

— Priana, s'informa Leila, quelle est l'histoire de cette bâtisse vide à côté du temple ?

La logeuse résuma l'histoire de ce couple de commerçants, les Tranchard, qui, rendus à la retraite, avaient en vain essayé de vendre leur commerce. Leurs affaires avaient ralenti. Ils n'ont pas trouvé de relève, ils ont alors tout liquidé et ils s'en sont allés dans le Sud rejoindre leurs enfants. « C'est à vendre ».

Après le dessert, Priana servit le thé. Elle invita tout le monde au salon. Les trois pensionnaires solitaires préférèrent rester à la cuisine. Desmet prit un malin plaisir à raconter aux deux autres ce qu'avait été la vie d'Alexan avant son départ de Clodey. Alexan et Leila s'installèrent sur le sofa et Priana dans sa berçante. Son thé terminé, Alexan déposa sa tasse et se leva. « Excusez-moi mesdames, je vais vous laisser, je dois aller rencontrer monsieur Poncelet chez lui. » Il embrassa sa femme.

— À tout à l'heure, mesdames.

— Bonne rencontre…

Alexan se rendit à la demeure de Gwenn Poncelet. On accédait à ses appartements situés au-dessus du magasin par un escalier extérieur du côté est de la bâtisse. En haut de l'escalier, un petit perron où l'on attendait que l'hôte vienne vous répondre. Alexan frappa à la porte, Gwenn vint lui ouvrir. « Entre, entre Alexan, tu vas voir pour la première fois où j'habite. »

— Bonsoir, monsieur ! salua celui-ci.

— Tu peux laisser tomber le monsieur maintenant.

— D'accord, Gwenn.

Alexan découvrit un intérieur bien décoré — des tableaux, des vases décoratifs, des tapis de couleurs vives sur un plancher de bois franc — et bien entretenu pour un célibataire. Il faut dire que le propriétaire avait les moyens de se payer une femme de ménage. C'était grand, ouvert.

On trouvait deux chambres à coucher, une cuisine fermée, une salle à manger et du côté opposé, la salle de séjour avec ses fauteuils confortables et quelques petites tables. Dans cette grande salle à manger, Gwenn Poncelet s'était réservé un coin où il gardait les dossiers de son commerce.

— Viens t'asseoir, Alexan, on va jaser, tu veux du thé ?

— J'en prendrais bien une tasse avec plaisir.

— Assieds-toi, j'apporte le thé.

Assis confortablement, Alexan expliqua ce qu'était son projet : un centre de rencontre, d'entraide et d'écoute pour hommes. On y servirait la boisson du pays, le cidre d'automne et une petite quantité de cette potion de l'oubli dont il décrivit les effets. Gwenn fut emballé par le projet.

— La bâtisse vide près du temple, c'est probablement ce qu'il nous faut, dit Alexan. On aurait notre logement à l'étage comme vous ici. Priana nous a raconté la triste fin de ce commerce. Ma femme a emporté une partie de son héritage, on pourra sûrement payer la bâtisse en entier. Il ne nous resterait qu'à trouver les fonds pour la meubler.

— Bonne nouvelle, ça. Tu vas rencontrer le notaire, c'est lui qui détient tous les renseignements sur cette propriété. Et tu pourras mettre vos devises en sécurité, lui conseilla Gwenn Poncelet.

— Oui, je vais le voir le plus tôt possible.

— Et moi, je te trouverai les fermiers ou commerçants qui voudront avancer les sous qui manqueront pour vous installer, promit celui-ci. Tu me tiendras au courant de tes démarches.

Alexan avait un autre projet en tête pour la communauté de Clodey. Gwenn se montra intéressé, il voulut savoir tout de suite. De traiter d'égal à égal avec son ex-employeur donnait beaucoup de satisfaction à Alexan. Ils allaient être partenaires maintenant.

— Quand j'étais employé ici, j'ai entendu plus d'une fois les anciens parlers des fêtes qui se déroulaient dans le jardin il y a longtemps : le Solstice d'été fin juin et l'Équinoxe d'automne fin septembre. Et à la fin septembre, on ajoutait une journée pour la fête des Moissons. Je veux faire revivre ces fêtes.

— Ah oui ? s'exclama Gwenn. Je suis ton homme. Cette communauté a besoin de divertissements. Si tu veux bien, je serai ton associé dans la mise sur pied de ce projet.

— Je ne demande pas mieux, nous ferons la meilleure des équipes.

Le propriétaire s'occuperait de l'obtention du permis de la commune. Il ferait aménager une piste de danse dans le jardin communautaire, commanderait les chaises et les tables. La publicité commencerait à se faire dès le lendemain. Il connaissait deux bons violoneux pour la musique.

— On va fêter le Solstice d'été le dernier dimanche de juin, proclama le gentil géant, tout joyeux. Je sens que bien des choses vont changer ici avec votre arrivée. Je dis bien votre arrivée, car j'ai bien l'impression que Leila n'est pas le genre de femme qui va rester cloîtrée dans sa maison.

— Vous avez bien raison, elle va être à mes côtés dans tout ce que j'entreprendrai. Une autre question: vous voyez toujours le paysan-poète?

— Mais oui, on se demandait de temps en temps ce que tu devenais. Il va être bien content de te revoir.

— Bon, demain soir, nous allons aller lui rendre visite, ma femme et moi, dit Alexan en se levant pour partir.

— Salue-le de ma part et bonnes retrouvailles.

— Je n'y manquerai pas. À bientôt, Gwenn.

— À la revoyure!

Alexan rentra à la pension, satisfait de sa journée. « Les choses ont déjà commencé à bouger dès notre première journée, je ne pouvais pas demander mieux. » Il avait hâte de retrouver Leila, sa raison de vivre. En mettant le pied dans la maison, il reconnut la voix de sa femme. Elle était au salon avec Priana. Les deux femmes étaient en grande conversation. Elles avaient déjà commencé à se tutoyer. Alexan alla les rejoindre.

— Bonsoir, mesdames. Pardonnez-moi d'interrompre votre conversation.

— Regarde Alexan comme il est beau, ce feu! C'est magique pour moi un feu comme ça dans la maison. Priana m'a expliqué ce qu'elle avait fait comme rénovation dans cette pièce. Et puis, elle a accepté de m'enseigner l'art de la courtepointe.

— Assoyez-vous un moment, Alexan, l'invita Priana.

— Oui, je veux bien, merci.

Alexan s'assit à côté de sa femme. Elle avait hâte qu'il revienne. Elle était heureuse, il avait l'air satisfait de sa soirée.

— Puis? Votre soirée a été fructueuse avec le propriétaire du magasin général? demanda Priana.

— Très productive. Nos projets vont se mettre en branle incessamment, répondit-il en regardant sa femme.

Leila avait noté que son homme avait bien dit nos projets. « Ça veut dire qu'il m'a acceptée entièrement dans sa vie, nous allons former un vrai couple. »

— Je suis bien contente pour vous deux, commenta la logeuse.

— Vous allez comprendre, précisa Alexan, que je ne peux pas donner de détails ce soir, mais ça sera rendu public bientôt. Maintenant, si vous voulez bien nous excuser, nous avons eu une longue journée.

— Bien sûr, je comprends très bien, bonne nuit et à demain matin au déjeuner.

— Merci pour la belle soirée, dit Leila, nous en aurons d'autres, j'espère.

— Oui, nous en aurons d'autres, j'ai trouvé cette soirée des plus enrichissantes.

Leila et son mari se retirèrent dans leur chambre. « Nous aussi, nous aurons un foyer dans notre maison », exprima celle-ci. « Oui, mon amour », lui promit-il en la prenant dans ses bras.

Le lendemain après-midi, Alexan frappait à la porte du bureau du notaire du bourg, Aldwin Broissoit. Ce dernier avait aménagé un grand cabinet de consultation au rez-de-chaussée de sa petite maison située sur l'avenue principale. Il logeait à l'étage avec sa famille.

Le notaire était à son bureau ce jour-là, il vint répondre.

— Entrez, monsieur DéMouy, dit celui-ci, qui accolait monsieur à son nom pour la première fois.

— Vous m'avez reconnu, maître Broissoit?

— Oui, je suis sorti hier après-midi, je vous ai aperçu avec votre femme.

L'étude n'avait pas changé: la décoration toujours aussi austère avec le même ameublement. On voyait au fond de la grande pièce plusieurs meubles avec tiroirs où le notaire rangeait ses nombreux dossiers.

— Assoyez-vous, je vous en prie, l'invita le notaire.

Devant l'imposant bureau, il y avait un fauteuil avec le dossier et le siège rembourrés et recouverts d'un cuir noir souple. Alexan s'était toujours assis sur la large chaise de bois aux accoudoirs confortables.

Le notaire Broissoit était grand et mince, la quarantaine. Ses cheveux avaient grisonné. Le visage allongé et toujours le même air sévère qui intimidait Alexan dans le temps. L'homme de loi avait toujours exercé sa profession dans la communauté de Clodey où les affaires étaient florissantes. Il avait une nombreuse clientèle. Ses deux fils pouvaient fréquenter les meilleurs collèges.

— Qu'est-ce que je peux faire pour vous, monsieur DéMouy, le deuxième jour de votre arrivée? demanda le notaire en posant les coudes sur son bureau, relevant les avant-bras, s'entrecroisant les doigts pour y appuyer le menton.

— Deux choses, répondit Alexan. Je souhaite acheter la bâtisse vide à côté du temple, mais d'abord, je veux mettre en sécurité une partie de l'héritage de ma femme.

Alexan sortit les fonds de son sac et les déposa sur le bureau. L'homme de loi, les yeux grands ouverts devant tant de billets de grosses coupures, se mit en devoir de les compter. Puis il prit son livre des comptes où il inscrivit le montant de la somme reçue. Il remplit le récépissé, le signa, en épongea l'encre avec son buvard et le remit au déposant.

« Quelle activité commerciale avez-vous l'intention d'implanter dans cette bâtisse ? » s'enquit maître Broissoit. Le jeune investisseur expliqua son projet. « Il vous faudra un permis de la commune, je vous ferai remplir les formulaires », l'informa celui-ci. Le notaire était d'avis que la somme déposée suffirait à l'achat de la bâtisse, surtout si l'on réussissait à faire baisser le prix affiché. Il proposa de faire une offre de 10 % inférieure au prix demandé.

— Est-ce que c'est du marchandage, maître ? commenta Alexan.

— En effet, mais dans le présent cas, on peut se le permettre, votre offre sera la première. Si elle est acceptée, vous n'aurez alors qu'à emprunter pour l'aménagement du commerce et de votre logement.

— D'accord, maître Broissoit, procédons comme vous le suggérez, accepta Alexan. Gwenn Poncelet va se charger de trouver quelques personnes qui voudront bien investir dans mon projet.

Le notaire rédigea l'offre d'achat et la fit signer par Alexan, il la contresigna. L'homme de loi ferait parvenir l'offre aux propriétaires, monsieur et madame Tranchard. Il devrait avoir une réponse dans les deux semaines. Puis le notaire Broissoit remplit la demande de permis qu'Alexan signa. « Il ne devrait pas y avoir de problème : il y a déjà eu une auberge à Clodey et puis on a une nouvelle administration communale un peu plus libérale depuis quelques années. » Maître Broissoit plaça les documents dans une chemise au nom d'Alexan DéMouy.

— Bon voilà, monsieur DéMouy, je m'occupe de votre dossier. Je vous laisse les clés de l'immeuble. Allez le visiter, vous et votre épouse, cet après-midi même si possible, puis revenez me remettre les clés et me donner le feu vert pour que j'envoie votre offre d'achat aux propriétaires. Et je soumettrai votre demande de permis.

— Oui, maître, cet après-midi même, nous en ferons la visite, merci.

Alexan régla les honoraires du notaire. Les deux hommes se saluèrent. Le futur propriétaire, impatient de retrouver sa femme, fila en vitesse à la pension. Leila était tout excitée d'aller voir ce qui deviendrait, espérait-elle, leur domicile.

Durant l'après-midi, Alexan et Leila visitèrent d'abord l'étage où serait aménagé leur logis. Un escalier extérieur menait à la porte d'entrée. Devant la porte, un petit perron avec garde-fou où l'on pouvait déposer ses sacs le temps d'ouvrir. Leila voyait déjà les changements à apporter pour rendre les lieux conviviaux à son goût. « Je voudrais notre foyer aussi joli que celui de Priana, qu'en dis-tu, mon amour ? » lança-t-elle, enthousiaste. « Oui, rien de trop beau pour ma princesse. » Les quelques meubles que les propriétaires avaient laissés, ils les donneraient.

Le rez-de-chaussée convenait très bien pour le centre. Alexan se figurait déjà ce qu'il aurait à commander comme mobilier et comment il allait tout agencer. Ils descendirent au sous-sol. C'était sûrement assez éclairé pour faire pousser ses herbes. Il faudrait prévoir du chauffage durant l'hiver. Alexan en parlerait au paysan-poète.

— Tu es contente de ta visite ? demanda Alexan.

— Ah oui ! Avec les améliorations que nous y apporterons, nous en ferons le plus bel immeuble du bourg.

— Je suis de ton avis.

Les futurs propriétaires allèrent remettre les clés au notaire.

— Nous sommes bien satisfaits, maître Broissoit, vous pouvez expédier mon offre d'achat. Vous pourrez me rejoindre à la pension Pingault ou laisser un message à Gwenn Poncelet, suggéra Alexan.

— D'accord, c'est ce que je ferai, agréa le notaire.

Alexan et Leila saluèrent, puis retournèrent lentement à la pension. « Tu imagines, Alexan, la deuxième journée seulement et tout est déjà en marche, tu es fantastique, mon amour », dit-elle, exubérante. Elle avait cru en lui dès le tout début, elle ne s'était pas trompée. « Mais c'est toi, ma princesse, qui me donne tout cet allant », déclara celui-ci d'une voix câline. Et de sa main masculine, Alexan pressait doucement la main chaude de sa femme, ils arrivaient à la pension.

Tôt en soirée, Alexan et Leila se retrouvèrent chez le paysan-poète. Le couple se présenta à la porte de la cuisine d'été qui était déjà ouverte pour la belle saison. Éloï vint répondre. Il ne semblait pas étonné de les voir. Dans l'après-midi, il avait fait un saut au magasin général.

— Quelle belle surprise ! s'exclama-t-il, entrez.

— Bonjour, Éloï, je vous présente ma femme Leila.

— Enchanté, madame. Je vous présente ma femme Thélya qui, en reconnaissant la voix d'Alexan, était venue à la porte d'entrée.

— Quelle joie de vous revoir, Alexan ! dit celle-ci. Et avec votre femme.

— Bonsoir, Thélya, salua Leila.

Le paysan-poète invita ses visiteurs à passer dans la pièce bibliothèque. « Excusez-moi, je vais préparer le thé », dit Thélya. Alexan résuma son périple qui l'avait mené jusque dans ce pays exotique qu'ils avaient repéré dans son recueil de cartes géographiques. Là, il avait rencontré Leila. Il y était resté deux ans, il avait appris la langue du pays. C'est à ce moment-là que Thélya apporta le thé. Puis Alexan continua en parlant du centre qu'il ouvrirait et des herbes qu'il devrait cultiver. « J'aurai besoin des conseils du spécialiste dans le domaine. »

Thélya invita Leila à la cuisine. Elles seraient plus à l'aise pour faire connaissance et jaser. Les deux femmes eurent envie de se tutoyer tout de suite. Elles sentaient déjà qu'elles deviendraient de grandes amies.

— Ce thé que tu nous as servi, dit Leila, a un parfum des plus agréables. Je vous ferai goûter lors de notre prochaine rencontre des essences que j'ai apportées de mon pays.

— Ah oui? Éloï et moi sommes toujours à l'affût de nouvelles découvertes.

Les deux femmes parlèrent de leurs attentes sociales et spirituelles, de leurs projets, de leurs rêves, de leur intérêt pour l'artisanat.

— Il y a sur notre lit à la pension un superbe couvre-lit. J'aimerais beaucoup apprendre comment les confectionner.

— C'est une courtepointe. Priana va sûrement t'enseigner cet art ou bien, je le ferai avec grand plaisir, lui promit Thélya.

— Merci bien, mais Priana m'a dit qu'elle le ferait.

Cette dernière sortit un livre sur la fine cuisine que son mari lui avait déniché, il y a plusieurs années. Elles le feuilletèrent ensemble de longues minutes. Leila nota quelques-unes des recettes.

— J'ai bien hâte, dit celle-ci, de pouvoir les essayer pour Alexan et je partagerai avec toi celles que je connais.

— Ça va être un plaisir de mettre nos connaissances en commun.

Les deux femmes deviendraient de grandes amies, elles partageaient les mêmes idéaux. « Deuxième jour seulement, et je me suis déjà fait deux amies », se réjouissait Leila. Pendant que leurs épouses échangeaient à la cuisine, Alexan avait expliqué ce qu'il comptait offrir dans son centre et organiser dans la communauté. Il remit à son hôte le sac contenant les semences. « Ces semences ont l'air bien conservées, elles seront faciles à cultiver, je crois, dit le paysan-poète, je vais les planter dans mon lopin réservé à mes fines herbes. Dans deux semaines, on devrait les voir sortir de terre. »

— Et quand tu seras propriétaire, je viendrai t'aider à t'installer dans ton sous-sol pour en faire la culture, lui promit Éloï.

— C'est bien gentil à vous, apprécia Alexan. Je reconnais là votre générosité.

— Rien de plus normal. Nos amis, il faut les épauler, commenta celui-ci.

La conversation se poursuivit un moment. Éloï évoqua leur implication auprès des déshérités de la région, le travail à la ferme et son activité préférée : la culture de ses fines herbes. Les enfants avaient grandi. Son plus vieux était partenaire avec lui maintenant, il prendrait la relève le moment venu. Les plus jeunes achevaient l'école primaire. Ils aimaient bien participer aux travaux de la ferme.

Il commençait à se faire tard pour le paysan, qui devait se lever à la barre du jour le lendemain. Alexan et Éloï allèrent retrouver leurs épouses qui étaient toujours en grande conversation.

— Excusez-moi de vous interrompre, mesdames, dit Alexan, mais il est l'heure de rentrer. Je sais que vous devez vous lever tôt demain matin.

— C'est vrai, reprit Thélya, les bons moments s'écoulent toujours trop vite.

— Vous avez bien raison. Nous allons nous revoir régulièrement, lui promit Alexan.

— Si vous permettez, intervint Éloï, je vais vous reconduire. La nuit tombée, il est toujours déconseillé d'aller à pied sur nos chemins de campagne. Cette précaution est toujours de mise, même s'il n'y a pas eu d'incident regrettable depuis un bon bout de temps. Le paysan-poète sortit atteler. Pendant ce temps-là, Leila et Alexan saluèrent la maîtresse de maison et la remercièrent pour son hospitalité.

Les voilà tous les trois filant au petit trot vers Clodey. Une légère brise charriait des effluves provenant des champs avoisinants. Ils roulaient en silence sous un ciel étoilé. Pas besoin de paroles, ils dégustaient encore celles échangées durant la soirée. Ils avaient aimé leur soirée, ils anticipaient déjà la prochaine.

Quelques jours plus tard, Alexan passa à la Maison de la Poste. Il vérifia sa case : aucun courrier. Il écrivit à sa mère, assis à la grande table.

Maman,

Vous avez probablement appris que j'étais revenu. J'ai pensé à vous souvent depuis mon départ. J'espère vous revoir bientôt. Je suis revenu pour de bon à Clodey avec ma femme Leila. Nous allons nous installer dans l'ancien magasin d'articles de cuir. J'ai envie de revoir les lieux de mon enfance, mais pas avant que mon père m'ait pardonné mon départ de la ferme. J'aimerais tant que sa rancœur soit chose du passé. Je voudrais que nous

ayons une belle relation père-fils. Dites-le-lui. Écrivez-moi pour me dire sa réaction. En ce moment, nous logeons à la pension Pingault. Je vous aime.
Alexan

Sa mère devrait recevoir sa lettre d'ici quelques jours. Il la remit au commis ainsi que celle que Leila avait écrite à ses parents pour qu'il les affranchisse, puis il rentra à la pension. « Ça serait un beau cadeau de la vie si mon père avait réussi à me pardonner », songeait-il en rentrant.

Un soir de la semaine suivante, Alexan et Leila rendirent visite à la vieille maîtresse d'école, Cora Ingmar. En arrivant à la rue que les gens appelaient communément la ruelle des retraités, Leila remarqua le nom de l'avenue : ruelle du Temps enfui.

— Regarde Alexan, lui fit-elle remarquer, le nom de cette rue, ce n'est pas la ruelle des retraités.

— Je sais, répondit-il, mais tout le monde l'appelle ainsi.

— Mais pourquoi donc ?

— Parce qu'il y a un bon nombre de retraités qui viennent s'y installer.

— Joli nom dont le sens a sûrement un rapport avec la vie déclinante et ce temps qui fuit de plus en plus vite.

— Comme c'est bien explicité ! commenta Alexan.

— J'aime ce que je découvre dans ce village. Et j'ai l'impression que je vais encore rencontrer des gens et découvrir des choses bien agréables. Merci, mon amour, d'avoir accepté de m'emmener dans un si beau lieu.

— J'en suis très heureux, dit celui-ci, mais il y a aussi des gens moins sympathiques dans notre milieu. Ceux-là, nous les éviterons.

La vieille maîtresse reconnut Alexan. Elle avait appris son retour au magasin général. Elle les reçut avec joie. Elle fut ravie de faire la connaissance de Leila. Cora les invita à s'asseoir dans son petit salon. Elle servit du thé que Leila savoura. Cora Ingmar avait changé. Alexan la trouva vieillie : le geste ralenti, le pas fragilisé et le débit légèrement hésitant. Mais elle avait gardé sa vivacité intellectuelle.

— Mme Ingmar, j'aimerais vous remercier de ce que vous avez fait pour Alexan le premier jour de ses dix-huit ans, formula Leila.

— Mais de quoi s'agit-il ? demanda Cora.

— Vous l'avez accueilli alors qu'il venait de quitter la ferme familiale et ne savait où aller.

— Je vais vous dire, Leila, Alexan avait été mon meilleur élève, le recevoir ce matin-là fut pour moi un grand bonheur, répondit-elle, se rappelant cette rencontre inattendue et émouvante.

Les deux femmes se racontèrent leur vie d'engagement et de dévouement. Leila laissa entendre qu'elle avait l'intention de s'engager dans son nouveau milieu. Alexan les regardait. Sa femme venait de trouver une autre amie et une confidente.

— Madame Ingmar, j'aimerais vous demander quelque chose qui me tient à cœur.

— Je vous écoute, Leila.

— J'aimerais que vous m'aidiez à améliorer mon écriture de la langue d'ici.

— Certainement, Leila ! Vous viendrez, ça me rappellera mes belles années à l'école. Vous choisirez les heures qui vous conviennent.

— Ah, merci beaucoup, madame, je vais venir vous voir très bientôt.

Et la vieille maîtresse ne put résister à l'envie de demander comment ils s'étaient rencontrés. Ça lui semblait si fabuleux et mystérieux de les voir là tous les deux ensemble. Leila résuma avec joie leur rencontre magique. « Je suis si heureuse d'être ici avec Alexan parmi vous. »

— Quel conte merveilleux ! enchaîna Cora, le regard chaud. Ça me remplit de bonheur de retrouver mon ancien élève si heureux. Vous allez apporter à ce village, Leila, une nouvelle joie de vivre par votre seule présence.

— Merci beaucoup, madame Ingmar, c'est gentil, j'espère être acceptée et aimée.

— Je ne m'inquiéterais pas à votre place.

La soirée avait filé rapidement. Alexan et sa femme promirent de revenir la visiter.

— Ça me fera toujours plaisir de vous recevoir, dit la vieille maîtresse.

— Merci, ajouta Leila en se levant et à ma prochaine visite, je vais apporter mes cahiers. Je sens que je vais bien apprendre avec vous.

— Comme c'est gentil, merci, Leila.

— À bientôt, madame Ingmar !

Les deux visiteurs marchèrent lentement pour retourner à la pension. Alexan était heureux que sa femme veuille apprendre à bien écrire la langue du pays. « Elle va pouvoir aider nos enfants à faire leurs devoirs quand ils iront à l'école. » Alexan remerciait le Ciel d'avoir mis une telle femme sur sa route. En rentrant, ils allèrent saluer Priana qui brodait au salon. Elle avait fait un petit feu de foyer. Leila voulut rester un moment à ses côtés pour se laisser bercer par les jolies flammes qui dansaient sur les bûches embrasées.

Puis ils se retirèrent dans leur chambre. Leur nuit fut chaleureuse…

Quelques jours plus tard, Alexan et Leila passèrent par la Maison de la Poste. Il y avait une lettre dans leur casier. C'était Cunégonde DéMouy qui répondait à son fils. Ce dernier voulut la lire tout de suite. Ils s'assirent côte à côte, accoudés à la grande table. Alexan lut lentement à mi-voix pour que Leila puisse entendre.

Mon enfant,

Comme je suis heureuse que tu sois revenu pour de bon! Je pourrai enfin te revoir. Il ne s'est pas passé un jour sans que je pense à toi. Moi, j'avais compris que tu voulais une autre vie et je l'avais accepté. J'ai tellement hâte de rencontrer ta femme. On dit qu'elle est d'une grande beauté et qu'elle a beaucoup de classe. J'ai souvent parlé avec ton père pour lui faire entendre que la vie de paysan n'était pas faite pour toi et que tu devais partir pour trouver autre chose. Et puis peu à peu, il a pu se libérer de sa rancune. Il est capable maintenant de ne plus voir ton départ comme un abandon. C'est ton frère Loïs qui s'occupe de la gestion de la ferme maintenant et il fait bien ça. Ton père a moins de tracas, il est moins inquiet. Les jumeaux aussi participent aux travaux. Ça libère ton père du gros ouvrage, il se sent moins fatigué. Il veut que vous veniez dîner un dimanche. Écris pour nous dire quel dimanche ferait votre affaire. Nous irions vous chercher après la grand-messe et dans l'après-midi, vous reconduire. Tu reverrais tes frères, ils ont bien grandi depuis ton départ. Loïs fréquente une fille du rang, ç'a l'air sérieux. J'aurais aimé pouvoir te souhaiter bonne fête à la fin avril.

Ta mère

Content et soulagé, Alexan replia la lettre, la remit dans son enveloppe et la glissa dans sa poche de chemise. Ils décideraient quel dimanche leur conviendrait et il écrirait à sa mère. Ils rentrèrent. « Alexan, j'ai bien hâte de rencontrer ta famille, ta mère est une femme de cœur, je l'ai senti dans les mots qu'elle a employés », dit Leila. « Merci, c'est avec fierté que je t'emmènerai dans ma famille. »

Un autre soir, Leila voulut voir un autre coin du bourg. Ils marchèrent sur l'avenue principale, la main dans la main, d'un pas insouciant. Se perdant dans le lointain, seul le chant d'un oiseau et un aboiement plaintif venaient perturber le doux silence ambiant. Les gens les saluaient d'un *bonsoir à vous deux* ou d'un geste de la main. Ils passèrent la ruelle du Temps enfui. Et quelques rues plus loin, tout à coup, Leila s'arrêta. Elle lut à haute voix le nom de la rue suivante : ruelle du Flâneur.

Son regard s'attarda sur cette rue étroite qui se terminait en cul-de-sac. De chaque côté s'alignaient de coquettes maisons aux couleurs vives. Du côté gauche, pas très loin du coin, Leila aperçut une petite échoppe. Elle entraîna son compagnon pour satisfaire sa curiosité. « Viens, allons voir ce que c'est. » Au-dessus de la porte d'entrée était accroché un joli écriteau : Aux Trouvailles. Dans la vitrine, ils pouvaient voir de belles sculptures décoratives de différentes grandeurs visiblement exécutées à la main. Leila en voyait déjà quelques-unes dans leur logement comme décoration d'appoint.

— Alexan, tu crois que je pourrais venir seule visiter cette boutique pendant que tu vaques à tes occupations ? demanda-t-elle. J'y trouverais sûrement de jolis bibelots pour notre intérieur.

— Mais oui, pourquoi cette question ?

— Tu sais bien : ma culture d'origine, mon éducation. Ça fait encore partie de moi.

— Ici, Leila, tu vas t'habituer à plus de liberté.

— Tu m'en vois très heureuse, mais j'ai entendu Priana et Thélya dire que les robes noires, comme vous les appelez, n'aiment pas beaucoup voir les femmes prendre des initiatives ni s'octroyer des libertés.

— C'est bien trop vrai, mais c'est nous qui allons gérer nos vies selon nos valeurs à nous. Tu viendras ici ou ailleurs dans le bourg quand bon te semblera.

Elle serra la main de son homme et se colla tout contre lui. Ils reprirent leur marche.

Ce matin-là, à la mi-mai, Alexan eut un message du notaire, qui voulait le rencontrer le jour même. De bonnes nouvelles l'attendaient : l'offre d'achat avait été acceptée. Les propriétaires viendraient à la fin mai pour la signature de l'acte de vente. Et à ce moment-là, l'homme de loi aurait obtenu le permis d'exploitation.

En sortant du bureau du notaire, Alexan se rendit voir Gwenn Poncelet. En arrivant au magasin, il fut salué par le père Virard, ce vieux fumeur de pipe bien assis, les jambes croisées sur le banc qu'avait sorti le propriétaire du magasin.

— Salut, Alexan DéMouy. Il paraît que t'es revenu pour de bon et que tu ne seras plus commis comme dans le temps.

— On ne peut rien vous cacher, père Virard.

— Eh ben, tu te souviens de mon nom.

— Vous vous souvenez bien du mien.

— Mais toi, c'est pas pareil, on n'entend parler que de vous deux depuis plus de deux semaines maintenant.

— En bien, j'espère.

— Autant que dans le temps et encore plus. On a ben hâte de la voir, ta femme, moi et le père Heurtel ici présent.

Le père Heurtel, nouveau pensionné, habitait avec sa femme la ruelle du Temps enfui. Il ne paraissait pas son âge, la soixantaine, mais sa santé chancelante ne lui permettait plus d'exercer son métier de charpentier. C'était un homme grand et massif qui n'avait pratiquement pas de cou. Une grosse tête, des cheveux blancs bien fournis, un rire bruyant. Plutôt silencieux, il devenait plus loquace quand de jolies dames s'approchaient du magasin.

— Bonjour, monsieur Heurtel, fit Alexan. Ma femme, vous allez l'apercevoir à un moment ou à un autre, elle a commencé à circuler dans le village. Bon, messieurs, vous allez m'excuser, je dois aller rencontrer monsieur Poncelet.

— À la revoyure, mon jeune! content de t'avoir rencontré, dit le père Heurtel. Ça fait du bien de voir un jeune du pays revenir dans son patelin.

Alexan entra dans le magasin, Gwenn le reçut dans son bureau.

— Tu arrives de chez le notaire, de bonnes nouvelles? demanda Gwenn, impatient de savoir.

— Oui, mon offre a été acceptée. Les propriétaires vont venir à la fin mai pour signer le contrat, s'empressa de répondre celui-ci.

— Lors de la signature, précisa le propriétaire du magasin, les deux investisseurs que j'ai recrutés seront présents pour remplir les formalités de l'hypothèque. Il s'agit de deux gros producteurs laitiers de la région: Ariel Bétourney et Mildred Sogne.

— Bon travail, Gwenn. Pourrai-je vous rendre la pareille un jour?

— Ta réussite sera ma récompense, Alexan. Et puis ton projet avance. Une fois le contrat signé, vous pourrez entreprendre les rénovations.

— Les choses se passent comme je l'avais espéré. Depuis que j'ai cette femme-là à mes côtés, il me semble que je peux tout réussir.

— Je te comprends, une femme d'une telle classe, ça ne peut que motiver son homme. J'haïrais pas avoir auprès de moi une femme qui lui ressemble, j'y pense de plus en plus avec les années qui passent.

— Je vous le souhaite de tout cœur, Gwenn. Ça vous rendrait encore plus heureux et prospère.

Puis Alexan s'enquit de l'avancement des préparatifs pour la fête du Solstice d'été fin juin. Tout allait être en place. Gwenn s'en occupait de main de maître: le mobilier, la piste de danse permanente, l'estrade pour les musiciens. Les frères Bouïos avaient accepté de faire résonner leurs violons.

— Merci, Gwenn, je reconnais là votre efficacité à nulle autre pareille. Une question, Gwenn. Votre banc pour les fumeurs de pipe est sorti. En arrivant, le père Virard m'a salué et m'a présenté son nouveau compagnon, le père Heurtel, mais je n'ai pas vu le père Paillé.

— Le père Paillé ? Il est mort il y a deux ans. Il faut croire qu'il en avait assez de traîner sa vieille carcasse. Il est certainement mieux où il est maintenant. Celui qui le remplace est un peu moins taquin, mais il fume autant.

— Il avait fait son temps comme dit la sagesse populaire, ajouta Alexan.

— Ouais, c'est comme ça, notre tour à nous aussi viendra bien assez vite.

— Gwenn, dites-moi, nous allons vous voir à la fête du Solstice et vous serez présent à l'ouverture de mon centre ?

— C'est certain, je ne manquerais pas ça pour tout l'or du monde.

— Merci, Gwenn, à bientôt !

Une solide poignée de main et Alexan se dépêcha d'aller annoncer la bonne nouvelle à sa femme.

Alexan marchait d'un pas léger et mesuré, s'abandonnant sans retenue à cette étourdissante extase qui l'envahissait. Il sortait à peine du bureau du notaire, son contrat et son permis d'exploitation en main, les clés de son immeuble en poche. C'était la fin mai. « Il fait beau, notre avenir s'annonce radieux », se disait-il en pensant à Leila. Il s'arrêta au magasin général pour partager sa joie avec son ami Gwenn, puis il se hâta de rejoindre sa femme qui l'attendait impatiemment à la pension.

— Et puis, mon amour, tout s'est bien passé chez le notaire ? demanda Leila dès qu'il mit les pieds dans la chambre.

— Oui, ma princesse, nous sommes propriétaires, répondit-il en lui faisant voir les documents et les clés.

— Nous allons pouvoir commencer les rénovations très bientôt, en déduit-elle.

— Oui, on s'y met dès demain.

Ils s'embrassèrent. « Oh Alexan, comme je suis heureuse ! » susurra-t-elle. Euphoriques, ils s'embrassèrent plus fort...

Dès le lendemain, Alexan se mit à la recherche de travailleurs spécialisés pour commencer les travaux le plus tôt possible. Quelques jours plus tard, une équipe d'ouvriers était à pied d'œuvre. C'était dans la cour arrière et dans le logement que s'effectueraient les plus gros travaux. Le hangar serait agrandi afin de pouvoir y garer un boghei à deux sièges. On ajouterait une stalle pour un cheval de trait. « Nous pourrons nous rendre chez mes parents et chez Éloï Coignaud par nos propres moyens. » Ce dernier fournirait le foin, la paille et l'avoine pour la bête.

Au rez-de-chaussée, le comptoir à construire et à installer nécessiterait plusieurs heures de travail. Alexan voulait un petit bureau personnel dans un coin et un escalier fermé qui mène à l'étage. Au sous-sol, un poêle serait installé à un bout. Un long tuyau traverserait tout le local jusqu'à la cheminée, répandant ainsi une chaleur uniforme. Dans leur domicile, Leila voulait qu'on enlève une cloison, ce qui ferait une grande pièce ouverte bien éclairée. Il y avait une cheminée à construire, un mur à percer pour y installer un foyer. « Alexan, je voudrais que notre foyer soit beau comme celui de Priana », souhaitait-elle. « Il le sera, ma princesse. »

Avec son sens de l'esthétique, Leila ferait de sa demeure un lieu hospitalier et enchanteur. Elle saurait l'imprégner d'un cachet distinctif. « Notre espace de vie sera à notre image, mon amour, chaleureux et paisible », répéterait-elle à son homme durant tout le temps de son aménagement.

Le mobilier serait commandé à l'Ébénisterie et au magasin général. Les travaux se poursuivraient en juillet et en août…

13

Ce midi-là, Priana avait préparé un repas pour trois personnes : elle et le couple DéMouy. La conversation allait bon train lorsqu'au milieu du repas, Leila se leva brusquement, repoussa sa chaise et, une main sur la bouche et l'autre sur le cœur, courut à sa chambre. Elle referma la porte. Elle eut juste le temps de se rendre au bol sur la commode : elle régurgita. Leila s'essuya et alla s'asseoir sur le bord du lit. La peur l'avait envahie et non sans raison.

Ses malaises avaient commencé deux semaines avant leur arrivée à Clodey et ils s'étaient aggravés de semaine en semaine. C'était de l'insomnie, de la fatigue, une perte d'appétit, des brûlures d'estomac, des nausées matinales, des douleurs dans le bas du ventre. La marche lui était devenue pénible, elle sentait ses jambes lourdes. De jour en jour, Leila se disait qu'elle allait se remettre. Sur le bateau, quand la mer se déchaînait, elle avait éprouvé des symptômes semblables, mais la mer apaisée, elle retrouvait son état normal. Son incapacité de se rétablir faisait naître en elle les plus sombres inquiétudes. Elle était d'autant plus alarmée qu'elle n'avait jamais été malade. Même les maladies de l'enfance l'avaient épargnée. Son père disait qu'elle avait une santé de marin.

Leila avait pu, croyait-elle, camoufler ses problèmes de santé, mais maintenant Alexan allait bien voir ce qui lui arrivait. Elle ne lui en avait pas parlé, il avait bien assez de préoccupations se disait-elle. Et puis elle craignait sa réaction. « Pardonne-moi, Alexan, je suis en train de gâcher notre amour avec ma santé qui m'abandonne. Qu'est-ce qui va nous arriver, mon amour ? » Des larmes amères inondaient son visage. Leila s'étendit sur le lit, se lova, les mains ramenées sous sa joue. « Oh Alexan ! Viens me rejoindre, j'ai besoin de toi, viens me bercer comme le faisait ma mère quand, enfant, je souffrais. »

À la cuisine, Alexan finit en vitesse son assiettée, se leva et poussa sa chaise.

— Excusez-moi, Priana, je vais aller retrouver ma femme.

— Est-ce que je vous garde votre dessert ?

— Non, merci, répondit celui-ci, je n'ai plus faim.

— Revenez me voir avant de partir pour me donner des nouvelles.

— Oui Priana, merci.

Alexan se rendit à la chambre, frappa quelques petits coups à la porte. « Entre Alexan », réussit à dire Leila à travers ses sanglots. Il vint s'asseoir près d'elle, bouleversé de la trouver ainsi désemparée. Il posa une main sur son épaule.

— Qu'est-ce qui se passe, ma princesse ? demanda Alexan d'une voix inquiète.

— Je ne sais pas, je me sens à l'envers et ça s'aggrave. J'ai peur que je sois en train de perdre la santé.

— Mais voyons ! On va te soigner, rétorqua-t-il.

— Ce que je crains le plus, c'est de te décevoir et de ne plus mériter ton amour, dit-elle, sanglotant de plus belle.

— Comment ça ? s'écria Alexan, ahuri par de tels propos.

— Avec tous ces malaises, je me sens moins amoureuse et le soir, au lit, moins empressée.

— Comme si je ne m'étais pas rendu compte que tu n'étais pas dans ton état habituel depuis quelque temps. Il n'y a pas d'urgence, nous sommes jeunes, nous avons toute la vie devant nous.

— Merci de comprendre, mais qu'est-ce que nous allons faire si ma santé continue de se détériorer ? demanda-t-elle d'une voix larmoyante, le regard angoissé.

— Nous allons consulter le docteur.

— …

— Qu'est-ce qu'il y a ? Je te sens réticente, nous n'avons pas d'autre choix.

— Le docteur, c'est un homme ?

— Oui, c'est un homme, il n'y a pas encore de femme médecin.

— Il devra m'examiner, me toucher ?

— Pas le choix, s'il veut être en mesure de trouver la cause de tes problèmes de santé et pouvoir te soigner, insista Alexan.

Leila expliqua qu'elle n'était pas encore libérée de tous les interdits imposés à la femme dans son pays d'origine. Et le plus incrusté était celui qui statuait que seul le mari avait le droit absolu de voir sa femme nue et de la toucher.

— J'ai peur qu'à chaque fois que tu m'approcheras après cet examen, tu me voies impure parce qu'un autre homme m'aura vue nue et touchée.

— Leila, Leila, arrête ! Je comprends ta hantise, j'ai vécu dans ton pays, mais ici, la femme a droit à plus de liberté. Et je te jure que chaque fois que je te toucherai, tu seras pour moi toujours aussi pure que la toute première fois, crois-moi.

Leila pleurait, elle n'arrivait pas à parler. Alexan regardait sa femme, impuissant. Ses pleurs désespérés et intarissables le déconcertaient, le désemparaient. Ah, il l'avait vue pleurer avant... de joie, de bonheur, de plaisir. Mais là, c'était nouveau. Alexan voyait sa femme souffrir. Il la sentait faible, habitée par la peur, éperdue de douleur. « Leila est humaine et vulnérable comme tout autre être humain », dût-il reconnaître. « Je devrai être fort pour deux. »

— Ma princesse, nous allons voir le docteur, il va trouver la cause de tes maux, et le soleil va revenir en toi, crois-moi.

— Merci, mon amour. Est-ce que tu vas m'accompagner ? arriva-t-elle à demander.

— Bien sûr ! Je ne serai pas dans la salle d'examen, mais je serai derrière la porte. Mais sois rassurée, ce docteur est très respectueux de la femme. Son expérience est reconnue, sa réputation enviable.

— Quand est-ce que nous allons y aller ?

— Cet après-midi. Je vais passer tout à l'heure pour prendre rendez-vous.

Leila avait retrouvé un peu de son assurance, le flot de larmes s'étant presque tari.

— Je vais me lever, je vais aller aider Priana à la cuisine.

— Non, s'opposa Alexan, je veux que tu restes étendue et que tu fasses une sieste, ça va te faire le plus grand bien.

— Mais que va penser Priana ?

— C'est une amie. Elle va penser que tu en avais besoin, rien de plus normal. Je vais lui parler avant de sortir.

Et Alexan s'étendit près de sa femme, l'enlaça doucement. Il lui demanda de fermer les yeux. Il ne lui fallut pas longtemps avant de s'endormir, elle n'avait presque pas dormi la nuit précédente. Le mari, encore ébranlé par ce qu'il venait de vivre, se retira délicatement et sortit de la chambre pour retourner à la cuisine.

— Leila va faire une sieste, annonça-t-il à Priana qui achevait d'essuyer sa vaisselle.

— Ça va lui faire du bien. Je la voyais fatiguée ces derniers temps, fit remarquer cette dernière.

— Nous allons voir le docteur cet après-midi.

— Bonne idée, Alexan. Mais je vous trouve trop anxieux, ce n'est sûrement rien de grave. Leila est forte et résiliente, elle va s'en remettre rapidement.

— Merci de ces paroles encourageantes.

Alexan sortit. C'était la mi-juin, il faisait beau. Le soleil brillait, il s'était fait plus présent et plus chaud ces derniers jours. C'est un mari inquiet qui prit la direction du bureau du docteur Gorond.

Gaël Gorond avait toujours été le médecin de Clodey. Il y avait commencé sa pratique. Il avait l'étoffe d'un vrai docteur de campagne sur qui tout citoyen pouvait compter jour et nuit. Un géant dans le pays. Ainsi était-il perçu. Couple heureux, les Gorond étaient restés sans enfant. Sa femme Astrée, généreuse et dévouée, avait elle aussi toujours œuvré au soulagement de la misère morale des plus déshérités de la région. Depuis plusieurs années, une bonne la libérait de ses tâches domestiques.

Le docteur Gorond était un homme encore solide en dépit du temps enfui. Il approchait la cinquantaine. Il avait gardé la même posture droite malgré toutes ces heures passées penché au-dessus des mal portants. Des cheveux argentés portés à mi-cou encore bien fournis. On aimait le voir se déplacer dans le bourg, sa sacoche à la main. Ça rassurait. « Il sera là quand viendra la maladie », se disait-on. Il voyait plus de patients à domicile qu'il n'en recevait à son bureau dans sa maison, voisine de l'école. Les jours de beau temps, les élèves, l'apercevant, s'écriaient: « Bonjour, docteur, Bonjour, docteur. » Plusieurs de ces enfants avaient été soignés par lui dans le passé.

Dévoué, il avait toujours été au service de sa communauté. Souvent on ne pouvait pas le payer, peu importait, il prodiguait quand même ses soins. Le docteur Gorond avait dû souvent faire preuve de sa compétence. Stopper une hémorragie, désinfecter, suturer et panser une plaie, replacer un os brisé n'avaient plus de secret pour lui. Mais devant toutes les maladies internes du corps humain, il se sentait bien démuni, car la médecine du temps offrait peu de traitements efficaces et encore moins de remèdes fiables.

Ce qui l'attristait le plus, c'était de constater qu'il ne pouvait rien faire pour contrer certains maux qui s'acharnaient même sur les plus forts. Confronté à la mort d'un patient qu'il n'avait pas pu aider et qu'il trouvait trop jeune pour mourir, il lui arrivait parfois de prendre ça comme un échec personnel. Pourtant il avait lu tous les traités de médecine parus, il possédait tous les instruments connus. Qu'aurait-il pu faire de plus, il n'était pas Dieu. Docteur de campagne, Gaël Gorond s'était donné pour mission de soigner la maladie et d'alléger la misère qui trop souvent l'accompagnait. Malgré tout, il restait optimiste. Chaque jour, c'était la vie qu'il voulait célébrer. Le docteur Gorond se voyait autant médecin de l'âme que du corps.

Alexan frappa à la porte d'entrée. La bonne vint ouvrir, elle souriait. Elle lui fit signe d'entrer. « Est-ce que vous pourriez avertir le docteur

Gorond que je vais passer cet après-midi avec ma femme ? » Elle lui répondit brièvement : « Oui, monsieur Alexan. » Et il sortit. Ce n'est qu'une fois à l'extérieur qu'Alexan, si absorbé par ses préoccupations, la santé de sa femme, le centre, réalisa que la bonne du médecin lui avait souri. « Et elle m'a parlé… pour la première fois. C'est sûrement un bon présage. » Et il fila à son centre, où les travaux se continuaient.

En fin d'après-midi, Alexan et Leila se retrouvèrent dans le bureau du docteur. En présence de son mari, le médecin demanda à Leila de décrire ses malaises. Après quelques questions qu'elle jugea bien indiscrètes, il l'invita à passer dans la salle d'examen. Alexan trouva l'attente interminable. Puis le docteur sortit pendant que Leila se rhabillait et il annonça la bonne nouvelle.

— Votre femme n'est atteinte d'aucune maladie, elle est enceinte et le bébé semble très bien se porter.

— Ouf ! Voilà de bonnes nouvelles, dit Alexan, merci docteur.

Leila vint rejoindre son mari, elle souffrait encore, mais elle avait retrouvé son sourire. Elle avait enfin compris les messages de son corps. Elle sentait monter en elle une émotion nouvelle, enivrante. « Je vais être mère. » La future maman écouta avec attention les recommandations du médecin. « Merci beaucoup, Dr Gorond. » Alexan régla les honoraires, puis les futurs parents sortirent. Sous le soleil encore chaud de cette fin d'après-midi, la future maman savourait à nouveau son soleil intérieur.

— Leila ma princesse, comme je suis heureux de te retrouver. On va suivre les conseils du docteur et tout va bien se passer.

— Mon amour, je t'aime tant, dit-elle en se collant sur son homme. J'ai eu si peur pendant un moment. Oui, tout va bien se passer et notre premier enfant va naître en bonne santé au mois de janvier selon le docteur. Je vais écrire à ma mère dès ce soir. Je suis si contente, tu avais raison, je m'en suis trop fait, trop vite.

— Ce sombre épisode est derrière nous. Nous allons attendre la venue de ce bébé dans la joie et on va l'annoncer tout de suite afin que tous partagent notre bonheur.

— Et comment est-ce qu'on va faire ça ? demanda Leila.

— On a juste à partager la nouvelle avec Gwenn Poncelet, et la machine à rumeur va se mettre en branle. Tout le monde va le savoir en peu de temps.

La future maman et le futur papa rentrèrent à la pension en silence, savourant leur joie de vivre et leur tranquillité d'esprit retrouvées. Priana fut la première à apprendre la bonne nouvelle. « Quelle bonne nouvelle. Je suis si heureuse pour vous deux », s'exclama-t-elle. « Merci,

Priana, ces paroles aimables nous sont précieuses, nous t'en remercions», dit Leila. Alexan souriait. L'atmosphère du souper allait être plus détendue…

La fin de juin approchait. Cette année-là, les habitants de la grande région de Clodey avaient joui d'une température idéale pour la production agricole. Les récoltes furent hâtives et abondantes. Comme chaque année, quand le temps le permettait, Gwenn Poncelet avait installé devant son magasin des étals où les paysans venaient offrir leurs produits de la ferme. C'était un moment toujours attendu. Ça provoquait toujours un joyeux achalandage devant le magasin.

Cette nuit-là, dans tout le canton, il avait plu. Les habitants du Ruisseau sacré s'étaient réveillés sous un ciel brumeux. Une bruine désagréable s'était obstinée une bonne partie de la matinée.

Chez les Bouïos, Nolan était à l'étable pour son train. Maïa dormait encore. Armelle donnait le sein à son bébé de quatre mois. Puis elle le déposa dans son berceau. Après quelques moments, il s'endormit. Peu après, ils se retrouvèrent tous les trois à table pour le déjeuner. Maïa mangeait avec appétit.

— Qu'est-ce que tu comptes faire de bon aujourd'hui? demanda Armelle à son mari.

— Avec cette bruine, répondit-il, je vais faire du nettoyage cet avant-midi dans le poulailler, l'écurie et la porcherie. Et toi?

— J'ai du lavage et surtout du repassage en retard.

— Cet après-midi, enchaîna Nolan, j'ai l'intention d'aller au village. Il n'y a pas d'ouvrage urgent ici. Je vais aller faire affiler ma grande faux par le forgeron du village, elle coupe bien mieux quand c'est lui qui le fait. Je vais passer au magasin général pour nos achats de la semaine.

— Ma liste est sur le comptoir. Il me faut, entre autres choses, un autre fer à repasser, les deux que j'ai ne me suffisent plus.

À cette époque, on chauffait les fers à repasser sur la plaque chauffante du poêle. En été, on ne voulait pas trop alimenter le poêle, ce qui fait que les fers étaient moins chauds et, par conséquent, se refroidissaient plus rapidement.

— Je suis sûr que Poncelet en a, ou bien il va nous en faire venir un. Et j'imagine que tu voudras avoir des nouvelles du bourg.

— Mais oui! J'aimerais bien: le couple DéMouy, les fêtes du village et tout autre potin.

— Pour toi, ma femme, je vais faire parler Gwenn Poncelet.

Depuis quelque temps, Nolan avait remarqué que le bébé pleurait moins souvent. Il pleurait surtout après la tétée, il ne semblait pas rassasié. Armelle avait pensé lui préparer une purée de patates pilées. Il en mangeait alors à satiété, puis il s'endormait tout de suite.

— Avec ce régime-là, il va grossir à un rythme accéléré, commenta le papa.

— Je te l'avais bien dit qu'il ne serait pas comme les autres, ce petit, insista la maman. Tu verras dans deux, trois ans…

— J'ai bien hâte de voir ça. Et puis cette année, avec le bébé, je pense que tu n'iras pas aux fraises des champs.

— Eh non, et puis on a fini les confitures de l'année passée.

— Elles étaient bien bonnes !

— Merci, mon mari.

— Papa, papa ! s'écria Maïa, silencieuse depuis un bon moment, je veux aller avec toi au village.

— Pas aujourd'hui, ma petite, une autre fois, lui dit doucement son papa.

Voyant la petite la larme à l'œil, Armelle lui expliqua qu'elle non plus ne pouvait y aller à cause du bébé. Elle avait beaucoup d'ouvrage et elle aimerait qu'elle s'occupe de son petit frère. « O.K., maman. » Celle-ci essuya ses larmes avec ses petites mains potelées et retrouva le sourire.

Après le dîner, Nolan se retrouva sur la route qui menait à Clodey. Cette bruine entêtée n'avait pas encore cessé. C'était toujours une détente pour lui, seul ou avec sa femme, d'aller au bourg. Il y revoyait des gens qu'il aimait bien. Chemin faisant, il remarqua que les prés qui longeaient la route étaient aussi verdoyants que les siens. Les récoltes seraient bonnes. Au village, il fit un arrêt chez le forgeron pour y laisser sa faux, il la reprendrait en rentrant. Puis il fila au magasin général. Gwenn Poncelet était à la caisse avec un client. Il l'aperçut entrer.

— Salut, Nolan ! Je suis à toi dans un instant.

Nolan circula un moment, examinant les divers produits étalés sur les comptoirs.

— Alors, mon jeune Bouïos, comment va-t-il ?

— Ça va, répondit-il, toujours content de vous revoir Gwenn.

— T'as pas encore emmené ta femme, dit celui-ci sur un gentil ton de reproche.

— Vous savez, un bébé de quatre mois demande beaucoup d'attention. Mais ma fille, elle, aurait bien voulu venir.

— Tu l'emmèneras une bonne fois, j'aimerais bien la voir, ta petite. Et aujourd'hui, tu viens pour des commissions, des nouvelles ou les deux ?

— Quelques emplettes, puis des rumeurs et potins pour ma femme, elle en est friande.

Pendant que l'employé remplissait la commande, Gwenn mit Nolan au courant des dernières nouvelles. La rénovation de l'ancien magasin d'articles de cuir se déroulait selon les plans établis.

— Mais la nouvelle de l'heure, c'est que notre Leila est enceinte, pas merveilleux, ça ?

— C'est ma femme qui va être contente d'apprendre ça, on a bien hâte de la rencontrer, cette Leila.

— Toi et ton frère, vous allez être à la fête avec vos violons la semaine prochaine. Elle y sera. Vous n'avez pas changé d'idée, j'espère ?

— Pas du tout. Je suis sûr que ma femme va vouloir venir, même avec le bébé.

Sur ces entrefaites, le préposé aux commandes apporta le sac contenant les articles demandés.

— Voici, monsieur Bouïos, dit celui-ci, tout y est, incluant le fer à repasser, il nous en restait un.

— Merci bien, Loïc, fit Nolan en prenant son sac. Bon, je vais y aller, Gwenn.

— Oui, au plaisir de se revoir la semaine prochaine !

En quittant village, Nolan récupéra sa faux. La bruine avait cessé enfin. Ils pourraient s'asseoir sur les marches après le souper.

À la maison grise, Armelle achevait son repassage. C'est alors qu'elle fut distraite par un bruit de pas dans l'escalier extérieur. Elle avait de la visite.

— Bonjour, Armelle, je crains de te déranger dans ton ouvrage, dit Pépa en entrant.

— Viens t'asseoir, l'invita sa belle-sœur, qui s'était remise à son repassage, j'en ai à peine pour dix minutes. On peut jaser pendant que je travaille.

— Nous sommes voisines, mais nous nous visitons peu souvent.

— Oui, c'est vrai, mais un bébé de quatre mois et toi, enceinte. Pour quand est-ce que c'est dû ?

— C'est pour l'automne, novembre, qu'a dit le docteur.

— Est-ce qu'Axel va monter au chantier cet hiver ?

— Oui, le beau-père peut s'occuper des travaux de la ferme, c'est moins exigeant l'hiver. Mais Nolan, lui, ne va pas y aller, j'imagine.

— Non, il va bûcher ici, dans la petite forêt.

— Dis-moi, tu vas venir à la fête du village ? C'est la semaine prochaine. Nos maris vont jouer du violon pour faire danser tout le monde.

— Je ne sais pas. Avec le bébé, ce sera difficile : son boire et sa purée.

— Je te servirai d'écran. Ce sera notre première chance de voir et peut-être de parler à la belle Leila et au beau Alexan.

— J'aimerais beaucoup, mais je me demande si j'ai une robe présentable.

— Mais oui ! Bonne comme tu es en couture, tu vas sûrement être capable de te confectionner un joli petit ensemble.

Armelle achevait de repasser son dernier morceau de linge, une taie d'oreiller. C'est à ce moment-là que Maïa entra en coup de vent.

— Maman, maman, papa arrive, regarde, annonça-t-elle sur un ton joyeux. Et il y a un gros sac sur le siège à côté de lui.

— Bon, je vais y aller, moi. J'aurais voulu, ajouta Pépa, te parler de la maison hantée et de mon envie de la visiter. Une prochaine fois, peut-être.

— Une prochaine fois, conclut Armelle.

— À bientôt, Armelle.

Pépa allait sortir quand Nolan entra avec son sac dans les bras. Il offrit à sa belle-sœur d'aller la reconduire. Maïa insista pour être du voyage. Revenu à la maison grise, Nolan déposa sa fille sur le perron, alla dételer et fit rentrer ses vaches pour faire son train.

À table pour le souper, Armelle était impatiente d'entendre son mari raconter sa visite à Clodey. Maïa parla en premier.

— Papa, papa, s'exclama-t-elle, maman et moi, on veut savoir qu'est-ce que tu as fait au village.

— Vous êtes bien curieuses, dit-il en les regardant tout en fronçant les sourcils, ce qui faisait rire sa fille à tous les coups.

— Alors Nolan ? demanda Armelle. Raconte-nous, ne nous fais pas languir. Tu as rencontré monsieur Poncelet ?

— Oui, il va bien et il aimerait bien te voir à la fête.

Nolan rapporta ce qu'il avait appris et vu. Leila était enceinte. En juillet, ils emménageraient dans leur logement. Leur centre devrait ouvrir à la fin d'août. Gwenn s'extasiait toujours devant la beauté et la grâce de Leila, et la transformation d'Alexan DéMouy. Les étals devant le magasin étaient bien achalandés. Et les deux fumeurs de pipe s'en donnaient à cœur joie, ils n'étaient jamais à court de commentaires qui se voulaient drôles ou ironiques.

— J'aimerais bien que tu m'accompagnes à la fête du village, insista Nolan.

— Est-ce que j'ai une robe convenable à me mettre ? se demanda Armelle.

— Mais oui ! Tu peux sûrement t'arranger quelque chose de bien avec ce que tu as dans la penderie. Mon père garderait Maïa. Tu ne peux pas manquer cette fête. Pense que c'est notre première chance de rencontrer le couple DéMouy.

Le repas s'achevait. Armelle se disait qu'elle aimerait bien être à la fête pour entendre Alexan DéMouy parler, voir Leila et écouter son mari jouer du violon. Elle aimait toujours l'entendre jouer. « Il joue toujours aussi bien que la première fois chez mes parents. » Et les jours de pluie ou de grand froid, quand il travaillait à son établi à l'étage, il prenait de temps en temps une pause pour jouer quelques-unes de ses mélodies préférées. Ça le détendait. Ces airs charmeurs se répandaient dans la maison du grenier à la cave et donnaient du cœur à l'ouvrage. Quand elle entendait son père jouer, Maïa s'arrêtait, écoutait et disait toujours : « Papa joue bien, hein, maman ? »

La petite avait fini son dessert. Elle se leva et se dirigea vers la porte d'entrée.

— Papa, maman, vite, dépêchez-vous, on va s'asseoir sur les marches. Le bébé fait dodo. Vous pouvez venir tout de suite.

— Vas-y, ma fille, lui dit son père, on va te rejoindre, ça ne sera pas long.

— Non, j'aime mieux vous attendre.

Quelques minutes plus tard, la petite famille alla s'asseoir sur les marches de l'escalier. Le beau temps était revenu, au-dehors comme au-dedans…

Le beau temps était au rendez-vous pour le dernier dimanche de juin. La fête du Solstice aurait lieu. Tout était en place dans le grand jardin communal : les tables longues et les chaises, la piste de danse, l'estrade pour accueillir les musiciens et le meneur de la danse.

Dès le début de l'après-midi, les gens étaient venus en grand nombre, c'était déjà très animé. Les deux violoneux, les frères Bouïos, étaient arrivés avec leur femme. Armelle s'était confectionné un joli petit ensemble. Elle tenait son bébé dans ses bras. Sa belle-sœur, aussi fière, avait trouvé une tenue appropriée.

À la dernière minute, Gwenn Poncelet avait déniché un vieux joueur de cuillères de bois, un tapeux de cuillères, comme on appelait ces musiciens populaires dans le pays, un dénommé Agobard Bourdieu. Il habitait le rang du Crépuscule des dieux. Bourdieu était paysan, la mi-quarantaine, court de taille, robuste, puissant de poitrine, les bras noueux, les épaules légèrement tombantes, les cheveux grisonnants bien fournis. Il aimait bien manger, son tour de taille le prouvait. Il arborait un sourire permanent un peu forcé pour masquer sa timidité. Il aimait jouer. Le son des cuillères lui faisait oublier cette faille de sa personnalité.

Les cuillères, c'était une vieille technique, toute simple, mais qui malheureusement se perdait. On tenait le manche d'une cuillère entre le pouce et l'index, et l'autre manche entre l'index et le majeur. Les dos des cuillères s'entrechoquaient. Avec un mouvement de haut en bas, on tapait sur la cuisse avec les cuillères, la paume de l'autre main au-dessus de celles-ci. Ça donnait un rythme plus ou moins saccadé, selon la distance entre la main tendue et la cuisse. Cette cadence musicale accompagnait ou soulignait la sonorité du violon.

Gwenn Poncelet, jugeant le moment venu d'ouvrir les festivités, monta sur l'estrade. De sa puissante voix, il demanda un moment de silence pour s'adresser à la foule: «Vous me connaissez, je n'ai pas besoin de présentation. Je vous souhaite la bienvenue à cette première célébration du Solstice d'été. Et sachez que ce ne sera pas la dernière. Nous entendons, moi et mes collaborateurs, en organiser une autre pour l'Équinoxe d'automne, fin septembre. On la jumellera avec la fête des Moissons, ça durera deux jours. Et l'instigateur de cette première fête est un fils du pays qui nous revient après six ans d'absence, et marié en plus. Il va vous dire quelques mots.»

Gwenn invita Alexan et sa femme à monter sur l'estrade. Ils furent applaudis chaudement. Alexan portait un complet noir deux-pièces, une chemise blanche à col ouvert. Leila, elle, étrennait une longue robe noire, manches longues, légèrement cintrée à la taille, souliers assortis et bijoux classiques. Ses longs cheveux noirs étaient coiffés avec goût.

Alexan prit la parole: «Je vous souhaite la bienvenue, dit-il, c'est votre fête, notre fête, celle du peuple. Nous faisons revivre à Clodey une coutume ancienne que nous allons garder vivante contre vents et marées. Ma femme et moi sommes venus nous établir ici pour de bon. Nous serons au service de la communauté. Notre centre ouvrira en août. Allez, ayons du plaisir ensemble.» Alexan se tourna vers Leila, elle souriait, elle salua de la main. On l'applaudit. Grande, belle, droite, svelte, au maintien royal, Leila inspirait le respect dû à une reine, oui, reine de cette journée, oui, reine de Clodey. Elle était déjà aimée, on la couronnait en ce jour.

Tous les participants de la fête viendraient les saluer au cours de l'après-midi. «Merci, Alexan, d'être revenu.» Tous étaient sous le charme de Leila. «Vous êtes si belle et si élégante madame Leila.». La prestance d'Alexan charmait et fascinait la gent féminine. L'éblouissante Leila faisait rêver les hommes.

Les parents d'Alexan n'étaient pas venus, ils préféraient d'abord rencontrer leur fils en famille à la ferme.

Le maître de danse, tout heureux, monta sur l'estrade à son tour. Télesphore Crochetière animerait la danse. Haut de taille, élancé, il avait les épaules larges, légèrement voûtées, la démarche vive. Sobrement vêtu : un pantalon brun foncé et une chemise à manches courtes fleurie. Sa voix forte et agréable malgré un léger nasillement portait. Homme charmant, il aimait sourire et faire plaisir aux gens. Un visage aux traits fins, une physionomie gaie, un petit nez retroussé. Il portait ses cheveux poivre et sel rejetés vers l'arrière.

L'animateur, la quarantaine, était un homme aimé et bien connu comme postillon dans le canton. Toujours à l'aise en compagnie des dames, Télesphore n'en était pas moins resté célibataire. L'homme connaissait toutes les danses populaires, mais il ne dansait pas, il préférait animer.

« Que la fête commence ! Place à la musique et la danse ! » lança le maître de cérémonie. Les trois musiciens arrivèrent avec leurs instruments. Le couple royal fut appelé à faire les premiers pas sur cette nouvelle piste de danse. Les deux violoneux jouèrent une valse lente. Les cuillères restèrent silencieuses. Peu à peu, les autres danseurs se joignirent à eux. Ce serait leur seule danse, Alexan et Leila consacreraient leur après-midi à rencontrer les gens.

Puis ce fut un rigodon au rythme endiablé qui se fit entendre. « Les femmes au milieu, les hommes font le tour, les femmes au milieu, les hommes font le tour. » Au centre de la piste, les femmes, immobiles, formaient un cercle, tournées vers l'extérieur. Autour de ce cercle, les hommes tournaient dans le sens contraire des aiguilles d'une montre tout en sautillant et claquant des pieds. La musique s'intensifiait, le rythme s'accélérait. On distinguait bien le claquement des cuillères. Puis après un moment : « Changez de côté, vous vous êtes trompés, changez de côté, vous vous êtes trompés. » Les hommes tournaient maintenant dans le sens des aiguilles d'une montre. « Les femmes au milieu, les hommes font le tour, les femmes au milieu, les hommes font le tour. » Les danseurs sautillaient de plus en plus.

Après plusieurs tours : « Saluez votre compagnie, swingnez la suivante, saluez votre compagnie, swingnez la suivante. » Les hommes s'arrêtaient, se tournaient vers la femme à leur droite, saluaient et faisaient swingner la suivante. Et ça tournait et virevoltait partout sur la piste. Le son des violons et des cuillères s'amplifiait, grondait, rendait insouciant, nourrissant le corps et l'âme, et laissant émerger le mouvement. Et ça tournait... et ça tournait...

Et puis : « Deux par deux, grande promenade, deux par deux, grande promenade. » Côte à côte, les couples, les uns derrière les autres, circulaient maintenant autour de la piste, sautillant et tapant du pied. « Deux par deux, grande promenade, deux par deux, grande promenade. » On scandait la musique avec les pieds, le mouvement émergeant de l'intérieur. « Deux par deux, grande promenade, deux par deux, grande promenade. » Toute cette intensité, les pas scandés, la musique qui emplissait l'esprit et le cœur, les cris de joie, libéraient du connu et réinventaient le présent. « Deux par deux, grande promenade, deux par deux, grande promenade. » On accélérait, on accélérait, on tournait, on tournait de plus en plus vite.

Et à brûle-pourpoint : « Grande chaîne, main droite, main gauche, grande chaîne, main droite, main gauche. » Et l'on changeait de partenaire sans fin. Le rythme s'accélérait, les rires fusaient, la joie éclatait avec des cris et des gestes de la main libre. « Grande chaîne, main droite, main gauche, grande chaîne, main droite, main gauche. » Les regards se cherchaient et se croisaient, les couleurs sonores rapprochant et enivrant. Finalement : « Swingnez, swingnez votre compagnie, swingnez, swingnez votre compagnie. » Et les couples tournoyaient partout sur la piste au son de plus en plus envoûtant des violons et des cuillères de bois. « Swingnez, swingnez votre compagnie, swingnez, swingnez votre compagnie. » Et après un long moment de tournoiement : « Domino les femmes ont chaud, domino les femmes ont chaud. » La musique se tut, les danseurs firent un dernier tour de piste, puis s'arrêtèrent. C'était ainsi qu'on mettait fin à ce quadrille des plus endiablés.

Ce fut la pause. Les danseurs et les danseuses reprirent leur souffle, se désaltérèrent, se complimentèrent sur leur connaissance et leur exécution des divers pas de ces danses. Un joyeux brouhaha s'élevait des lieux.

Puis la musique reprit, la fête se poursuivit jusqu'à la fin de l'après-midi avec autant d'entrain. Et puis la dernière mélodie se fit entendre. Il fallut s'arrêter et penser à partir. Les salutations se prolongèrent, c'était comme si les gens ne voulaient pas quitter ce lieu qui leur avait procuré, ce jour-là, tant de joie, et qui leur était interdit depuis si longtemps. À regret, mais heureux, on rentra chez soi, se promettant bien d'être de la prochaine fête. « Et il ne faudrait pas oublier de remercier Alexan et Gwenn, se répétaient les participants, et de rendre hommage à la reine… »

14

Les deux couples Bouïos rentraient. Le petit Tristan dormait dans les bras de sa maman. C'était ce qu'il avait fait une bonne partie de l'après-midi.

— C'est une grande dame, Leila DéMouy, dit Pépa, elle est venue nous parler tout simplement, te féliciter et te dire qu'elle avait hâte d'être mère comme toi.

— Une grande dame ! J'aime beaucoup cette femme. On voit bien qu'elle est d'une autre classe que nous, mais elle sait se mettre à notre niveau, commenta Armelle.

— Mais je me demande si notre belle Leila va pouvoir s'adapter à notre petite communauté. Elle a l'allure d'une princesse, ça, c'est vrai, mais Clodey, c'est un bien petit royaume.

— Oui ! rétorqua Armelle. Avec tout l'amour qu'Alexan visiblement lui porte, elle le suivrait n'importe où et ferait de ce lieu son domaine, sa patrie. Puis elle va avoir un premier enfant, ça va l'enraciner dans notre milieu, c'est à n'en pas douter.

— Je lui souhaite de tout mon cœur, ajouta Pépa. Ils forment un si beau couple, ils vont apporter une nouvelle vitalité à Clodey. Que les mauvais dieux ne nous les enlèvent pas !

— As-tu vu comme Gwenn avait l'air heureux de ce qui se passait dans le jardin ? demanda Armelle.

— J'ai très bien remarqué. Gwenn est un bel homme, ça m'intrigue qu'il soit toujours célibataire.

— Ça doit être parce qu'il est trop occupé : son commerce et tous ses engagements humanitaires, en conclut Armelle.

Les deux femmes continuèrent de parler, les maris les écoutaient. Nolan observait sa femme du coin de l'œil, elle avait l'air heureuse, ça le réjouissait. « Ça lui fait du bien de sortir de la maison et d'avoir une conversation entre femmes. »

Durant la fête, le couple royal était passé tout près. Leila s'était approchée d'Armelle, l'avait complimentée sur son ensemble et lui avait confié avoir hâte de tenir comme elle son premier bébé dans ses bras.

« Merci, madame Leila, c'est très gentil », avait répondu Armelle, émue. Des paroles réconfortantes qu'elle porterait toujours en son cœur. « Elle m'a saluée comme si j'étais importante. » Puis Leila avait rejoint Thélya Coignaud et Priana Pingault et elles allèrent rencontrer d'autres femmes.

Ils arrivaient à la ferme. Axel s'avança jusqu'à la maison pour laisser descendre son frère et sa belle-sœur. Nolan prit le bébé dans ses bras et aida sa femme à descendre du boghei. Axel reviendrait un peu plus tard reconduire Maïa.

Cette fête retrouvée allait insuffler une nouvelle vie à la commune. Il y en aurait d'autres. Alexan ouvrirait son centre. On se promettait bien d'assister à son ouverture. C'étaient les sujets dont les citoyens débattirent sur le parvis du temple, le lendemain de la célébration du Solstice. Mais que serait la réaction des ministres du Culte ? Ils allaient sûrement essayer de mettre des bâtons dans les roues, car selon eux, le bonheur ici-bas n'était pas une option pour le peuple. Or, une nouvelle ère se levait sur la région et les prolétaires auraient leur mot à dire. « Nous avons dorénavant un défenseur. »

Juin avait tiré sa révérence. Et juillet fut accueilli par un soleil généreux. Et l'on souhaitait qu'il s'invite pour les deux prochains mois, qui seraient importants pour la communauté, en ce sens qu'il s'y déroulerait des événements importants. Et c'était toujours plus gai quand les choses se passaient sous le soleil.

La température fut idéale pour l'agriculture. Les récoltes s'annonçaient abondantes. Chez les Bouïos, les deux frères s'entraidaient pour diverses tâches. Le père mettait souvent la main à la roue. Les enfants se portaient bien. Tristan avait toujours aussi bon appétit et grandissait à vue d'œil. Armelle n'était pas allée aux fraises cette année-là, trop compliqué de trimballer une petite de plus en plus remuante et un bébé qui avait presque toujours faim. Mais il y aurait le miel d'Axel à l'automne, ça compenserait.

Au village, les étals devant le magasin général regorgeaient de produits frais de la ferme. C'était encore plus achalandé et animé depuis la fête du Solstice. Les gens se rencontraient et se parlaient plus spontanément. Le sujet principal d'échange c'était, bien sûr, la fête dans le jardin et le couple royal.

Tout le mois de juillet fut un mois d'intenses activités pour Leila et Alexan. Ils aménageaient peu à peu leur logis. Elle voulait en faire un nid douillet. La plupart des meubles avaient été livrés. Leila avait commandé au magasin général les autres articles tels que les rideaux et la literie. La jeune maîtresse de maison avait réussi à confectionner, avec les conseils de Priana, sa première courtepointe. Mais elle sentait néanmoins qu'il manquait ici et là de petits bibelots pour compléter la décoration. Et le souvenir de cette petite échoppe située sur la ruelle du Flâneur lui revint en mémoire. « Je vais y aller, je suis sûre que je vais y trouver des choses intéressantes pour notre demeure. »

Un après-midi, Leila avertit son mari de l'endroit où elle se rendait, puis elle prit la direction de la petite boutique Aux Trouvailles. Depuis trois mois qu'elle était arrivée à Clodey, elle pouvait s'orienter facilement. Arrivée au commerce, elle entra, il y avait un homme derrière le comptoir qui, selon elle, devait être le propriétaire.

— Bonjour, monsieur, je me présente, je…

— Je sais qui vous êtes, l'interrompit gentiment l'homme. Vous êtes Leila DéMouy.

— C'est la première fois qu'on se voit, répliqua celle-ci.

— En effet, mais on ne parle que de vous dans tout le canton.

— J'espère qu'on me voit un peu moins étrangère maintenant.

— J'en suis sûr, vous êtes des nôtres dorénavant, nous vous avons adoptée avec la plus grande des joies. Et ce que j'ai entendu raconter est donc vrai. Vous êtes la plus belle des femmes, dit-il avec le plus beau des sourires.

— Vous me voyez confuse, réagit-elle en rougissant. Je ne suis pas encore habituée à ce genre de compliment de la part d'un étranger. Monsieur ?

— Éwenn LeGeleux, propriétaire. Vous savez, de tels compliments venant d'un homme de mon âge ne peuvent être que désintéressés. Soyez bien à votre aise.

— Merci, monsieur.

— Je présume que vous venez magasiner ce que j'ai à offrir, allez, regardez, faites le tour et si vous avez des questions, n'hésitez pas.

— Merci, je suis sûre que je vais trouver de belles choses pour notre logement que nous sommes en train d'aménager.

Leila circula, s'attardant devant les plus belles créations, admirant ces petits chefs-d'œuvre placés sur de jolies étagères et orientés de façon à faire ressortir leur profil le plus séduisant.

Éwenn LeGeleux était âgé pour l'époque, mais il portait bien ses soixante ans. Il était court de taille, la carrure imposante. Il se tenait droit. Des traits harmonieux, un nez légèrement arqué, une moustache blanche bien fournie et soigneusement taillée, une chevelure blanche abondante qui lui tombait sur les épaules, ce qui lui donnait une allure bohème. Bref, une bouille bien sympathique qui transpirait la joie de vivre. L'air taquin, il aimait rire et faire rire. Veuf, grand-père, il avait consacré sa vie à sculpter ces petits bibelots plus originaux les uns que les autres pour agrémenter celle de ses concitoyens. Jusqu'à tout récemment, il avait toujours eu un travail d'appoint, car la sculpture faisait difficilement vivre son homme dans la région. Ça lui faisait toujours plaisir quand les gens venaient et revenaient à son échoppe pour découvrir ses nouvelles créations, même s'ils n'achetaient pas à chacune de leur visite.

Leila se sentait en confiance, seule, sous le même toit avec cet inconnu. C'était tout à fait nouveau pour elle. Elle repéra un certain nombre de pièces qu'elle voulait pour son logement.

— Monsieur LeGeleux, j'ai choisi ces pièces, mettez-les-moi de côté, je reviendrai les chercher avec mon mari.

— Avec plaisir, madame. À ce moment-là, j'aurai le plaisir de jaser un peu avec notre grand dieu des routes.

— À ce que je vois, il est bien apprécié depuis notre retour. J'en suis bien heureuse.

— Il l'était avant, je vous l'assure, mais c'est un homme nouveau qui nous est revenu, à ce qu'on raconte. Il va apporter du renouveau à notre communauté.

— Je suis bien contente qu'on ait une si grande confiance en lui. À bientôt, monsieur LeGeleux, dit-elle en quittant les lieux.

— Au plaisir, madame.

Quelques jours plus tard, Alexan et Leila prenaient leur dernier dîner à la pension.

— Priana, dit Leila, je veux te remercier de m'avoir accueillie chez toi d'une façon aussi chaleureuse, je me suis sentie à l'aise tout de suite ici.

— J'étais très contente de revoir Alexan, expliqua celle-ci, et j'avais une grande envie de connaître la femme qu'il ramenait de son long périple.

— Et tu m'as initiée à l'art du tricot, de la broderie et surtout de la courtepointe. Nous en aurons une sur notre lit.

— Je serai toujours très heureuse de partager mon savoir-faire avec toi.

— Et tous ces moments palpitants passés ensemble à la cuisine, au salon, au jardin, mentionna Leila.

— Nous allons nous revoir. Thélya se joindra à nous.

— Ah oui, quel plaisir nous aurons.

— Grâce à vous, Priana, intervint Alexan, Leila s'est intégrée bien plus rapidement à son nouvel environnement. Merci.

— Je l'ai fait avec grand plaisir, Alexan, ma demeure vous sera toujours ouverte.

— La nôtre aussi, enchaîna Leila. Quand nous serons bien installés, tu seras notre première invitée.

— Merci, ça me touche beaucoup, fit Priana.

Alexan paya ce qu'il devait et ils déménagèrent leurs effets dans leur nouveau logis. Le commis du magasin était venu leur donner un coup de main. « C'est gentil, Loïc, d'être venu nous aider », remercia Leila. « Le plaisir est pour moi, madame. »

Alexan et Leila trouvèrent une petite heure pour aller chercher ce que Leila avait fait mettre de côté Aux Trouvailles. Monsieur LeGeleux fut bien heureux de rencontrer le nouvel Alexan et de faire un bout de conversation avec lui. Ce dernier régla la note. « Bonne chance à vous deux », leur souhaita le propriétaire de l'échoppe. « Merci, monsieur, je vais venir visiter votre boutique de temps en temps », lui assura Leila. « Ça sera toujours un grand plaisir de vous revoir, madame. » Puis ils rentrèrent. La nouvelle maîtresse de maison voyait déjà où elle placerait chacun des bibelots achetés. Ça compléterait bien la décoration de leur logement. On les retrouverait sur la tablette du foyer, sur la table et le buffet de la salle à manger, sur les tables de nuit dans leur chambre et sur les quelques petites tables de la salle de séjour.

Les deux époux prirent leur premier souper dans leur demeure. Sous une grande fenêtre donnant sur la rue, Leila avait à sa disposition un comptoir où préparer ses mets. Sous le comptoir, on voyait des tiroirs et au-dessus, des armoires. Tout à côté, se trouvait le poêle à bois.

Cette nuit-là, leur magnifique chambre fut le théâtre de leurs ébats passionnés… Puis ils restèrent un long moment enlacés sans bouger. Leila était heureuse. « Tu es content, mon amour? Nous sommes déjà dans notre maison et tout ce que je souhaitais est en place: le foyer, l'espace ouvert, le plancher de bois franc, la tapisserie exotique et le tissu fin pour les rideaux dont les couleurs s'harmonisent si bien avec la couleur naturelle du bois du plancher, merci. » Alexan serra tendrement sa femme. « Oui, ma princesse, te voir heureuse me réjouira toujours autant. » Ce soir-là, la future maman, comblée dans son corps et dans son cœur, s'endormit en pensant à son bébé à naître…

Durant le mois d'août, Alexan fut bien occupé à parachever les travaux d'aménagement de son centre. Tout devrait être prêt pour la fin août. L'écriteau « Havre de l'Espoir » était bien accroché au-dessus de la porte d'entrée, à l'arrière du bâtiment. La préparation de la potion de l'oubli avait été réussie. L'ouverture officielle se ferait le dernier samedi du mois d'août, tôt en soirée. Tout le canton était au courant. Le centre serait ouvert tous les jours en fin d'après-midi et en soirée, excepté le lundi.

Alexan avait écrit à sa mère pour lui annoncer qu'ils iraient dîner l'avant-dernier dimanche du mois d'août. Elphège et Cunégonde n'auraient pas à venir les chercher, ils viendraient par leurs propres moyens. Le fils exilé avait bien hâte de se retrouver dans la maison où il était né. Il imaginait son père heureux de le revoir et le félicitant de son mariage, de ses entreprises.

Dès qu'elle reçut la lettre de son fils, Cunégonde s'énerva. « Mon Dieu ! Mon fils revient nous visiter après sept ans d'exil. Est-ce que j'aurai assez de temps pour me préparer ? Il me faut faire du ménage. » Sa maison était toujours aussi bien tenue, toujours aussi propre. « Qu'est-ce que je vais cuisiner de bon, de différent pour mes deux invités de marque ? » se demandait-elle, même si sa table regorgeait toujours de mets succulents et variés pour satisfaire l'appétit omniprésent de ses trois fils. Elphège s'étonnait de retrouver sa femme dans tous ses états, entreprenante comme il ne l'avait pas vue depuis bien longtemps. Il ne la reconnaissait plus. Elle s'activait sans arrêt comme si elle avait rajeuni de dix ans. « Elle donne l'impression qu'elle va recevoir des personnages royaux », ressassait-il.

Cunégonde retrouvait une joie de vivre qu'elle croyait avoir perdue à tout jamais. « Mon fils aîné revient dans sa maison, j'aurai tous mes enfants autour de moi. » Cette pensée lui arrachait des larmes de bonheur. Elphège, lui, se demandait comment se passeraient les retrouvailles. Par moments, il s'inquiétait. Il craignait que ressurgissent ses vieux démons. « Est-ce que je saurai me contrôler et ne pas réveiller les souvenirs douloureux ? »

Le dimanche arrivé, Cunégonde courait à la fenêtre à tout moment. Sa table était mise. Loïs était allé chercher sa fiancée, Bérangère Courtault, une grande fille, jolie, cheveux longs, souriante, d'apparence frêle. Les jumeaux venaient de rentrer de l'étable. « Qu'est-ce qu'ils font qu'ils n'arrivent pas ? » s'impatientait-elle. « Mon gars ne se souvient peut-être plus du chemin », ironisait le père. « Très drôle, très drôle, tu devrais plutôt penser à ce que tu vas lui dire pour être bien sûr de ne pas dire de bêtises », répliquait Cunégonde.

Puis un hennissement, le boghei d'Alexan empruntait l'entrée de la ferme DéMouy. « Enfin ils arrivent », s'exclama Cunégonde, surexcitée.

— Loïs, tu vas aller dételer leur cheval, s'il te plaît.

— Oui, certainement, sa mère, avec plaisir.

Loïs sortit, descendit les marches du perron pour accueillir son frère et sa belle-sœur. « Salut ! lança-t-il joyeusement, descendez, entrez, je vais aller dételer pour toi. » Alexan tendit les rênes à son frère. « Content de te revoir Loïs et merci pour le service. » Le frère aîné descendit de voiture, heureux de poser le pied sur ce sol qu'il avait foulé durant les dix-huit premières années de sa vie. Il aida sa femme à descendre du boghei, elle portait sa longue robe noire.

— Je te présente ma femme Leila, dit Alexan.

Loïs, impressionné, salua Leila qu'il voyait pour la première fois. « Tout le monde ici vous attend depuis qu'on a reçu la lettre d'Alexan », articula-t-il. « Je suis ravie d'être ici, Loïs. »

Le couple monta sur le perron. Elphège ouvrit la porte. « Bonjour, mon père, je vous présente ma femme Leila », lança le fils aîné. « Bonjour, madame », balbutia celui-ci.

Elphège, fasciné par le regard et le sourire de Leila, n'avait jamais imaginé que puisse exister femme aussi belle, aussi séduisante, aussi gracieuse, lui, qui n'avait connu toute sa vie que des paysannes. Il s'en trouva tout retourné. « Et c'est mon fils qui l'a trouvée et qui l'a ramenée ici dans notre coin. » Son cœur se gonfla d'un sentiment nouveau, si fort qu'il en avait mal : c'était la fierté de voir son fils devenu un homme qui en imposait. « Mon fils qui a fait revivre la vie sociale à Clodey, mon fils qui va ouvrir un centre, mon fils que tout le monde respecte dans le canton. » Il regrettait d'avoir jadis douté de lui.

— Ne restez pas sur le perron, entrez, les invita Cunégonde, le cœur chaviré par la présence de son fils après sept années d'exil.

— Bonjour, maman, je suis heureux de vous revoir, dit le fils aîné, ému, tendant la main à sa mère.

Cunégonde resta figée un moment. « Comme il est beau avec ses longs cheveux et son habit noir et il m'a appelée maman comme quand il était petit garçon. »

— Nous sommes tous très contents que tu reviennes nous voir, bredouilla-t-elle nerveusement, la larme à l'œil.

— Maman, ma femme Leila.

— Madame, soyez la bienvenue dans notre humble demeure.

— Le plaisir est pour moi, madame DéMouy. Votre intérieur est très coquet et très accueillant, reprit celle-ci en portant son regard sur ce qui l'entourait.

Cunégonde fut profondément touchée et décontenancée l'espace d'un instant par la remarque de sa bru. « Cette superbe femme, l'épouse de mon fils, se sent bien dans notre petite maison paysanne. C'est donc vrai ce qu'on raconte sur elle, c'est une grande dame. Et elle est enceinte, je serai grand-mère dans quelques mois. » Cunégonde flottait sur un nuage de bonheur, elle ne pouvait retenir ses larmes.

Alexan leva les yeux. Les jumeaux et la fiancée se tenaient à l'écart. Ses deux frères étaient intimidés par l'homme qu'était devenu leur frère et ils se demandaient quelle attitude adopter vis-à-vis de leur belle-sœur.

— Hé ! les jumeaux ! s'exclama Alexan, approchez un peu.

Les trois frères d'Alexan étaient devenus de grands jeunes hommes harmonieusement développés, aux membres solides. Éveillés, les jumeaux avaient gardé un peu de la spontanéité de leur enfance. Loïs, lui, dégageait plutôt un air sérieux, l'air de celui qui a commencé très jeune à assumer des responsabilités. Le frère aîné alla à la rencontre de ses deux frères : Alexis et Renaud. « Comme vous avez grandi vous deux. » Ils se serrèrent la main. Et une tape amicale sur l'épaule de la part du grand frère pour les faire se détendre un peu et les faire sourire.

Sur ces entrefaites, Loïs rentrait de l'étable. « Loïs est arrivé, passons à table, suggéra Cunégonde, c'est prêt. » Leila s'offrit pour aider au service. « Non, il n'en est pas question, vous êtes notre invitée, répliqua l'hôtesse, moi et ma future bru, on va suffire à la tâche. » Cunégonde fut remuée par l'offre de Leila. « Cette grande dame ne se prend pas pour quelqu'un d'autre, elle sait se mettre à notre niveau, je l'aime déjà. Alexan n'aurait pas pu trouver meilleure femme. »

À table, les jumeaux, qui s'étaient un peu dégelés, posèrent les premières questions. Où est-ce que Leila avait appris leur langue ? Alexan avait-il réussi à apprendre la sienne ? Et leur rencontre ? Ça les intriguait au plus haut point. Leila répondit aux deux premières questions, puis raconta comment ils avaient fait connaissance en omettant les détails énigmatiques. Personne ne fit de remarques sur son léger accent.

— Nous sommes bien installés, nous aimerions vous inviter tous à dîner un de ces dimanches, annonça Leila. J'ai commencé à apprendre la cuisine d'ici, ajouta-t-elle.

— Avec plaisir, acquiesça Cunégonde, mon mari est d'accord.

— Oui, corrobora Elphège, et par la même occasion, Alexan nous fera visiter son centre.

— Mais oui, avec grande joie mon père, agréa le fils aîné. Maintenant, j'aimerais entendre Loïs parler de ses projets, suggéra ce dernier.

Loïs et Bérangère allaient se marier durant les fêtes de fin d'année. Ils habiteraient à la maison paternelle. Loïs avait réussi à augmenter la productivité de la ferme familiale. Ainsi Elphège avait accepté le projet d'agrandir la maison. On y ajouterait une cuisine d'été et une autre chambre à coucher.

— Quand est-ce que nous serons grands parents? intervint Cunégonde, transportée par la pensée d'être grand-mère pour la première fois.

— Selon le docteur du village, je devrais accoucher en décembre. Soyez assurée, madame DéMouy, que vous serez parmi les premiers à le voir, le bébé. Et nous aimerions que vous acceptiez d'être parrain et marraine, votre mari et vous.

— De tout cœur! s'exclama la future marraine, merci beaucoup, ce sera notre plus beau cadeau.

Alexan, nageant dans une touchante euphorie, regardait les siens, ça l'emplissait d'une joie profonde et débordante. Le fils aîné se réconciliait avec la maison de son enfance, son père, sa famille. « Mon père et moi, nous pourrons nous parler d'homme à homme maintenant... »

Le Havre de l'Espoir était bondé. Les frères Bouïos, Nolan et Axel y étaient, ainsi que les amis et connaissances du maître des lieux. Le père et les frères de ce dernier ne viendraient pas à l'ouverture, mais un autre jour. On y servit la boisson du pays et du cidre d'automne. En début de soirée, alors que l'atmosphère commençait à être animée, Alexan, emballé, s'adressa à tous ses invités. Près du bar, faisant face à la salle, un petit lutrin devant lui où il avait posé son texte mûri depuis des semaines.

Mes concitoyens, je vous vois heureux de vous retrouver ici, vous m'en voyez ravi. Nous sommes ici pour raffermir notre joie de vivre, la trouver ou la retrouver. Je sais ce qu'est la vie dans ce coin de pays: routinière, exigeante, elle ne laisse pas beaucoup de répit. Il ne vous était plus permis de vous évader du réel de temps en temps. Comme si le lot du peuple n'était que de souffrir.

Nous nous faisons dire que c'est normal, que nous trouverons du soulagement de l'autre côté. Vous reconnaissez le discours. Laissez-moi vous dire que j'ai connu une autre façon de vivre. Nous allons nous en inspirer. Vous travaillerez tout autant, mais avec une âme légère. Vous viendrez ici faire un temps d'arrêt. Je vous épaulerai dans votre recherche du bonheur. Fini le temps du désespoir. Vous êtes ici au Havre de l'Espoir.

Nous ne chercherons pas l'affrontement ni la controverse, mais nous ne reculerons pas dans notre quête d'une vie plus libre. Je serai votre guide. C'est la mission qui m'a été confiée. Se tirer de sa couche le matin sera désormais moins difficile, et nos journées, toujours aussi longues, mais moins épuisantes.

J'ai découvert, au bout de mon périple, un breuvage qu'on nomme là-bas la potion de l'oubli. J'en ai ramené la recette. À chacune de vos visites, il vous en sera servi une toute petite quantité. Ça provoque une douce détente, une sensation nouvelle que vous découvrirez avec étonnement et qui vous aidera à mieux voir clair en vous. On évitera tout excès de boisson afin de ne pas prêter flanc à la critique et à la dénonciation de la part de l'autorité religieuse du coin.

Sachez que je serai toujours disponible pour écouter, conseiller et assister. Soyez heureux, fraternisez avec votre voisin de table. Je vous aime.

Alexan avait été écouté religieusement. Ses paroles avaient été appréciées. Il fut applaudi très fort. Il circula de table en table. Il pouvait se le permettre, il avait trouvé un bon employé, Orson Douville, du canton voisin. Fils majeur d'un paysan qui avait eu trop de fils. Plusieurs avaient dû quitter la ferme familiale. Un grand gars à l'esprit vif, débrouillard, à l'aise avec les gens. Il avait accepté l'offre d'emploi d'Alexan avec empressement.

Vers huit heures, ceux qui avaient la plus longue route à faire rentraient déjà. Ils se promettaient de revenir. Tous vinrent féliciter Alexan, le remercier de ses bons mots, de ses judicieux conseils et de cette potion magique. Des poignées de main chaleureuses, et voilà que les derniers clients partaient. Alexan était ravi de la tournure des événements. Ça démarrait du bon pied. Ces hommes allaient revenir à son centre. Les yeux brûlants, la voix enrouée, les épaules lourdes, les jambes endolories, Alexan était fatigué, mais satisfait. Il avait trouvé sa voie. Il avait hâte d'aller retrouver sa tendre moitié qui l'attendait à bras ouverts…

Les deux frères Bouïos rentraient, le fanal du boghei allumé. La noirceur envahissait lentement. Un quartier de lune s'affichait timidement. Ils filaient au petit trot, tout remplis du bien-être que leur avait procuré cette soirée.

— Est-ce que tu penses que le centre va rester ouvert bien longtemps ? demanda Axel.

— Je vois pas pourquoi il ne resterait pas ouvert, répondit Nolan.

— Trop beau pour être vrai à mon avis.

— Non ! Le jeune DéMouy se sent investi d'une mission importante. Il ne va pas lâcher.

— Je l'espère. Ça m'a fait du bien, ses paroles et son breuvage.

— Ça m'a réconforté, moi aussi, dit Nolan.

— Mais j'ai bien peur, reprit Axel, que nos robes noires ne vont pas tolérer ça, surtout quand ils apprendront ce qu'on boit là-dedans. Et puis, c'est juste à côté de leur temple.

— Ils ne vont sûrement pas aimer ça, continua Nolan, ça, c'est sûr, mais le temps de l'obéissance aveugle, c'est fini, comme le suggère

Alexan DéMouy. Je suis certain que ma femme et la tienne surtout seront d'accord avec cette attitude.

— Ma femme, renchérit Axel, aura une attitude encore plus tranchée.

Chemin faisant, Nolan revoyait sa soirée et réfléchissait aux propos échangés avec son frère. Il eut une pensée pour sa mère. « Nous sommes voisins et je la vois bien rarement maintenant, elle a sûrement autant de peine que moi. »

— Et puis la mère ? Comment est-ce qu'elle va ces temps-ci ?

— Elle va bien. Elle a repris sa besogne habituelle, répondit Axel.

— Je suis bien content d'entendre ça. Et puis, ce n'est pas trop difficile entre elle et ta femme ? s'enquit celui-ci.

— Notre mère a commencé à changer, je crois, car elle s'obstine de moins en moins avec Pépa.

Arrivé à la ferme de son frère, Axel s'arrêta pour le laisser descendre. Ils se saluèrent. Nolan s'engagea sur le court chemin menant à la maison. Il aperçut dans la fenêtre une flamme vacillante. « Les enfants sont couchés et dorment depuis un moment. Ma femme a allumé la lampe, elle m'attend. » Nolan sentit monter en lui une envie insistante de la rejoindre comme il n'en avait pas ressenti depuis des semaines…

Le lendemain matin, après l'office religieux, sur le parvis du temple, la soirée de la veille était sur toutes les lèvres. Les hommes s'étaient attardés pour en parler et pour exprimer leur façon de penser. « Les paroles d'Alexan, c'était bien plus stimulant que le sermon que nous venons d'entendre. » Puis un ancien d'ajouter : « Je n'ai jamais été témoin d'une telle fraternité entre citoyens comme hier soir dans le centre. » Tous s'engagèrent à y revenir et à participer aux fêtes organisées officiellement ou spontanément.

Les plus jeunes insistaient pour dire que ce qu'ils venaient de découvrir, le goût de la fête et du partage, devait se perpétuer. Mais les aînés craignaient la réaction des ministres du Culte. « Ces rabat-joie verront sûrement cette activité comme un relâchement des bonnes mœurs. » Les jeunes objectaient : « Nous allons veiller à ce que ça se continue. » Ces jeunes adultes ne craindraient pas de s'opposer aux manigances des autorités religieuses. Ils défendraient avec la plus grande énergie la nouvelle joie de vivre qui commençait à poindre dans la communauté.

C'est Alexan qui allait être satisfait d'entendre tous ces propos enthousiastes et positifs qu'on ne manquerait pas de lui rapporter.

Septembre s'était amené tout doucement avec ses jours qui raccourcissaient et ses nuits qui rafraîchissaient. Il avait fait son entrée timidement sans ses frasques habituelles : la pluie froide et le vent pénétrant.

Dans les campagnes, c'était un mois bien occupé. Les fermiers entamaient la récolte de leurs céréales. Et la moisson allait être abondante. À la ferme des Coignaud, le paysan-poète récoltait ses herbes qu'il ferait sécher et transformerait en épices dont les villageois étaient si friands. Il récolterait aussi les herbes qu'il avait fait pousser pour Alexan DéMouy. C'était à ce moment de l'année que Gwenn Poncelet se faisait demander : « Quand est-ce que les épices de notre paysan-poète seront en magasin. »

Leila DéMouy était de plus en plus considérée dans le village. Elle avait dû souvent sortir. Elle était revenue plusieurs fois au magasin général pour des commandes qui tardaient à rentrer. On aimait la voir aller et venir. On ne se retournait plus sur son passage, elle faisait partie de la communauté maintenant. Les gens lui parlaient spontanément, ce qui lui faisait bien plaisir. Elle avait toujours son sourire chaud et un mot simple et gentil pour chacun. « Cette femme, par sa seule présence, répand du bonheur autour d'elle », se disait souvent Gwenn Poncelet, incrédule.

Chez les Bouïos, les deux frères et leur père s'entraidaient toujours pour les grandes corvées de septembre : les moissons et le battage des céréales entre autres. Plus tard en saison, ce serait les grands labours d'automne. Axel attendait toujours avec impatience la fin de septembre pour voir si ces abeilles étaient généreuses. Cette année-là, elles l'avaient été, car il y eut peu de journées où elles n'étaient pas sorties pour butiner. L'apiculteur amateur avait déplacé ses ruches régulièrement durant la saison chaude pour qu'elles soient toujours près des arbres, des arbustes, des herbes ou des plants en fleurs ou sur le point de l'être. « Nous aurons du bon miel pour nos deux familles », se réjouissait Axel.

À la maison grise, Maïa avait toujours hâte que le bébé s'endorme après le souper pour qu'ils puissent aller s'asseoir sur les marches de l'escalier tous les trois. « J'aime ça m'asseoir avec mes parents sur les marches ». Et le souper ne venait jamais assez vite pour elle. Certains soirs, il avait fallu mettre une petite laine. Ce soir-là, le couple avait parlé de la fête des Moissons.

— Tu aimes jouer du violon devant un public, pas vrai ? fit remarquer Armelle.

— Oui, répondit Maïa, papa joue bien du violon et il aime ça quand il y a du monde pour l'écouter et l'applaudir. C'est beau ce qu'il joue dans le grenier, hein, maman ?

— C'est vrai, acquiesça sa maman, et ça me donne beaucoup de plaisir de l'entendre.

— Tant mieux que, toutes les deux, vous aimiez ce que je joue.

— Oui papa, maman et moi, on aime beaucoup tout ce que tu joues, affirma la petite avec un grand sourire joyeux.

— Je pense, continua Armelle que je vais m'arranger un autre ensemble pour la fête des Moissons.

— Pourquoi? Ce que tu portais en juin était très bien, rétorqua Nolan.

— Mais voyons! Jamais deux fois de suite le même ensemble!

— C'est la coquetterie féminine, ça?

— Oui, mon mari, répondit-elle sur un ton taquin.

— J'ai bien hâte de voir la surprise que tu vas nous faire, reprit-il.

— Maman, tu vas me faire une nouvelle robe à moi aussi?

— Oui, ma fille, bientôt.

Une autre belle soirée s'achevait sur ces paroles. Ils dormaient toujours mieux, tous les trois, quand ils avaient fait un bout de soirée assis sur les marches…

Ce matin-là, Nolan sortit pour faire son train. Un petit vent frisquet le fit frissonner. Un ciel lourd et bas chargé de nuages gris et menaçants s'offrait à sa vue. Puis il remarqua ce gros corbeau solitaire, immobile, juché sur le pignon de l'étable. « Qu'est-ce que tu viens nous annoncer cette fois-ci? » se demanda Nolan, alarmé comme il l'était toujours quand il apercevait un de ces oiseaux géants. Le paysan essaya d'effacer de son esprit ce sombre tableau. Il alla faire rentrer ses vaches. Après la traite, il les ramena à leur pacage. L'oiseau de malheur se trouvait toujours là. « Il se passe quelque chose », s'inquiéta-t-il.

Nolan écréma son lait, puis il rentra à la maison, préoccupé. Armelle avait commencé à préparer le déjeuner. Il garda pour lui ses inquiétudes. « Bonjour, papa, tu es arrivé pour déjeuner avec nous, Tristan a fini de boire son lait », annonça Maïa, toute joyeuse de voir son père. « Oui, ma fille, on va manger », répondit celui-ci avec un sourire un peu forcé. Il alla se laver les mains et les essuya lentement. « Il ne fait pas beau », constata Armelle en jetant un coup d'œil par la fenêtre. « Non, ça ne sera pas une bonne journée, mangeons, la petite a faim », se contenta de répondre Nolan. « Oui, papa, j'ai faim. »

Pendant ce temps-là, à la grande maison, Emma ne s'était pas présentée pour le déjeuner. Pépa ne s'inquiéta pas tout de suite. Elle avait pensé que sa belle-mère faisait la grasse matinée comme ça lui était arrivé quelques fois ces derniers mois. Firmin fit mine de se lever. « Laissez faire, beau-père, je vais monter voir », dit Pépa. L'instant d'après, elle descendait l'escalier quatre à quatre en criant: « Axel, Axel, cours vite chercher le docteur, ta mère ne bouge plus. » Le fils ne fit ni une ni deux, sortit en courant pour aller atteler et quelques minutes plus tard, il filait au galop vers le village. Il passa devant la ferme de son frère. Entendant un bruit de sabot martelant le tablier du pont, Armelle se leva et alla à la fenêtre. « C'est Axel, dit-elle, il se passe quelque chose à la grande maison. » L'atmosphère du déjeuner s'assombrit. « Après le déjeuner, je vais aller voir ce qu'il y a », dit Nolan, appréhendant le pire. Il finit son déjeuner en vitesse, sortit, le corbeau avait disparu. Inquiet, au pas de course, il prit la direction de la grande maison. « Quelque chose est arrivé à mon père ou à ma mère », craignait-il. Passé la petite courbe, il aperçut son père qui faisait les cent pas sur la grande galerie. « C'est ma mère, ma mère est morte. » Cette pensée lui arracha le cœur. Il accéléra sa course.

À la maison grise, sans comprendre pourquoi, Armelle pensa à sa belle-mère et aux événements malheureux qu'elle avait vécus à la grande maison. Et l'émotion qu'elle éprouva alors, elle ne savait trop comment l'interpréter, c'était confus et souffrant. « Pourquoi repenser à tout ça à ce moment-ci et faire revivre ce passé douloureux, il vaudrait bien mieux que je me remette à ma besogne. » Ce qu'elle fit, elle se sentit un peu mieux.

Axel et le docteur finirent par arriver. Axel sauta du boghei pour attacher son cheval. Le Dr Gorond descendit en vitesse avec sa sacoche. Pépa était à la porte, elle l'attendait. « Bonjour, docteur, venez, suivez-moi, montons », lui dit-elle. « Je vous suis, madame. » Le médecin entra dans la chambre où reposait Emma. Il procéda à un long examen. Après de longues minutes, d'une voix triste, il annonça la mauvaise nouvelle à Pépa, restée dans la chambre:

— Hélas! je suis arrivé trop tard. Vous m'en voyez attristé. Si vous permettez, je vais m'installer sur cette commode pour remplir ce formulaire.

— Bien sûr, répondit Pépa en lui avançant une chaise.

Tous attendaient, anxieux, dans la cuisine d'été. Quand ils virent descendre le docteur, l'air triste et résigné, ils comprirent qu'Emma avait fermé les yeux pour toujours.

— Merci, docteur, d'être venu aussi vite, dit Firmin.

— Nous sommes là pour ça, monsieur Bouïos, fit remarquer le bon docteur Gorond. Voici une copie du certificat de décès. Je suis désolé. Mes condoléances les plus sincères à vous tous! Je vais rentrer maintenant si vous permettez, d'autres patients m'attendent.

— Merci encore une fois, répéta le père Bouïos. Mon fils va vous reconduire au village tout de suite.

— Mes salutations à vous tous, bon courage.

Les trois hommes, le docteur et les deux frères, se retrouvèrent sur la route à un rythme plus lent. L'atmosphère était assez lourde. Pour l'alléger un peu, le docteur s'adressa à Nolan :

— La jambe que je t'avais réparée a l'air de bien aller.

— Elle va bien, docteur, merci, dit Nolan d'une voix triste, le regard fixe.

Le docteur comprit qu'il valait mieux laisser les deux frères à leur peine. À la ferme de son frère, Axel s'arrêta. En descendant, Nolan lui dit de ne pas oublier d'aller prévenir Gwenn Poncelet qu'ils ne seraient pas de la fête en fin de semaine.

— Je n'y manquerai pas, merci de m'y avoir fait penser.

— Salut, docteur.

— Salut, Nolan.

Nolan rentra à la maison un moment pour informer son épouse du décès de sa mère. Armelle sentit la douleur qui vrillait le cœur de son homme, mais elle ne savait comment exprimer son état d'âme ambigu. Elle se tut.

— Grand-maman est morte, papa ? demanda Maïa.

— Oui, ma fille, répondit-il, la voix étranglée, en sortant pour aller commencer sa matinée de travail.

— Papa a de la grosse peine, hein, maman ? dit la petite.

— Papa a de la grosse peine, reprit sa maman en croisant le regard triste de sa fille.

Puis la petite, l'air abattu et égaré, s'en retourna s'occuper de sa poupée de chiffon. Elle veillerait aussi sur son petit frère. Armelle partageait la peine de son mari, mais elle devait admettre que le décès de sa belle-mère la laissait impassible. La blessure était encore trop présente. Elle fit un effort pour se replonger dans son ouvrage. Et elle pensa à son mari, seul dans sa douleur. « Ce soir, je vais lui préparer son mets et son dessert préférés. »

Le reste du trajet vers Clodey se poursuivit en silence, un silence que le docteur respecta. Ce dernier sentait qu'Axel n'avait pas envie de parler. Ils arrivèrent au bourg. Axel déposa le docteur Gorond chez lui.

— Je vais m'occuper de prévenir l'embaumeur, dit le docteur, il devrait passer chez vous ce soir ou demain matin au plus tard.

— C'est bien apprécié, docteur, fit Axel. À la prochaine !

— À la prochaine ! salua le docteur.

Axel passa au magasin général annoncer la triste nouvelle à Gwenn Poncelet et lui dire que les violons des frères Bouïos resteraient muets en fin de semaine.

— Mes condoléances les plus sincères. Ne vous inquiétez pas, je vais nous trouver d'autres violoneux pour cette fête, lui assura le propriétaire.

— Merci, Gwenn, bredouilla Axel.

— À la revoyure et bon courage !

— Merci.

Axel rentra à la grande maison, au petit trot, l'âme triste. « C'est dur de perdre sa mère même si elle n'a jamais été très chaleureuse », se disait celui-ci. Ce sentiment qui le tenaillait, il ne saurait l'exprimer pour le partager et ainsi l'atténuer. « Il y en a pourtant des gens qui savent les dire leurs peines. Pourquoi est-ce que nous, moi et puis mes frères, on est incapable de le faire... ? » L'expression et le partage des émotions, ça n'avait jamais été une vertu innée, ça s'était toujours appris sur les genoux d'une mère. Et les fils Bouïos n'avaient pas acquis cette aptitude parce que leur mère n'avait jamais eu le loisir de prendre ses nombreux enfants sur ses genoux.

L'embaumeur vint le lendemain dans la matinée avec le cercueil. Une chambre du rez-de-chaussée fut aménagée en chapelle ardente où le corps d'Emma fut exposé durant trois jours. Les ministres du Culte vinrent le premier soir faire des prières. Les membres de la famille se reléguèrent pour veiller au corps.

Emma n'avait jamais été facile à vivre. Mais jamais elle ne s'était lamentée de son sort. Les siens étaient attristés de son départ. Ils auraient souhaité la garder encore un peu. Son départ laissait un grand vide. Nolan vint veiller au corps les trois soirs. Le deuxième soir, Armelle l'accompagna. Elle avait pensé que, devant le corps de sa belle-mère, cette profonde blessure qu'elle traînait depuis plus de quatre ans aurait pu alors commencer à se cicatriser. Mais elle se rendit compte qu'il n'en était rien. « Il me faudra encore du temps », reconnut-elle tristement. Elle eut quand même une pensée pour le voyage que devrait entreprendre l'âme de la défunte vers son Créateur.

Le quatrième jour, les funérailles furent célébrées dans le temple de Clodey. Emma fut enterrée dans le cimetière communal. Plusieurs personnes assistèrent à la cérémonie. Dix des douze enfants Bouïos étaient présents. Une des filles, Blanche, ne s'était présentée ni à la maison ni au temple. Quant à l'exilé, une lettre lui apprendrait la mort de sa mère. Après la cérémonie, ceux qui le pouvaient se retrouvèrent à la grande maison pour partager un repas frugal et la peine d'avoir perdu un membre important de la famille.

La marche du temps qui s'était ralentie un moment avait repris son cours à la grande maison. Il le fallait, avec toutes ces tâches plus pressantes les unes que les autres. Les familles Bouïos ne participèrent pas aux fêtes du village fin septembre. En ces temps, le deuil était porté longtemps.

Après la mort d'Emma, on se rendait aux champs le cœur plus lourd…

Les récoltes furent bonnes cette année-là. Ça aida à régler les comptes en souffrance. On put faire des provisions pour l'hiver qui vint tôt et qui s'avéra dur. Pas tant la neige que le froid intense qui durait souvent plusieurs jours d'affilée, un froid qui transperçait et congelait les membres.

Il n'y eut pas de célébrations de début d'année dans la famille. Firmin offrit sa bénédiction du Premier de l'an à ses deux fils, Axel et Nolan, une tradition ancestrale qui perdurait dans la famille. Un repas fut partagé à la grande maison par les deux familles dans un demi-silence respectueux en mémoire de la disparue.

Le temps passait et Tristan, accompagné de son Guide céleste, avait toujours aussi bon appétit. « Il grandit plus vite que les autres bébés », disait souvent Nolan. À la fin février, il aurait un an.

Bon anniversaire, Tristan…

15

Firmin Bouïos avançait d'un pas lourd et lent sur le bout de chemin qui menait à l'érablière familiale. C'était la troisième semaine de mars, la couche de neige avait commencé à fondre sous les rayons d'un soleil généreux. La luminosité et le beau temps chassaient peu à peu l'hiver. Firmin marchait sur cette neige mouillée avec ses raquettes à neige attachées à ses bottes. Ça sentait la saison des sucres. Le grand-père apportait une pelle, une hache et une scie. Il dégagerait les entrées de la cabane, scierait de longues branches, fendrait de grosses bûches et rentrerait le bois. Il vérifierait l'équipement et la bouilloire. Le lendemain, il attellerait la grosse jument grise au traîneau et passerait pour une première fois dans les sentiers de l'érablière pour tasser la neige. Ses deux fils arrivaient du chantier dans deux jours. Firmin irait les chercher à Clodey. Les trois hommes seraient alors fin prêts à commencer l'entaille des érables.

« Heureusement qu'il y a cette courte saison des sucres, se disait Firmin, pour faire oublier ces longs mois de neige et de froidure. » Firmin Bouïos en avait vu passer des hivers, mais le dernier, il l'avait trouvé bien dur. « Ma femme est morte depuis deux ans et demi, ça me semble si loin déjà », songeait le grand-père, ruminant son chagrin. Depuis qu'elle n'était plus là, tout lui demandait plus d'efforts, surtout l'hiver. À la mort de sa femme, quelque chose s'était brisé en lui. Le grand vide laissé par le décès d'Emma l'avait rendu plus vulnérable aux bouleversements survenus dans la famille et dans la grande maison. Pour lui, l'âme de sa défunte épouse l'habitait toujours, sa maison, mais il n'entendrait plus jamais sa voix aux intonations si particulières. Une pensée mettait cependant un peu de baume sur son âme meurtrie. Son fils Axel allait rentrer du chantier dans deux jours. Il parlait fort. Sa voix résonnait dans toute la maison avec des inflexions apprises auprès de sa mère. Et quand il entendait son fils parler, il avait parfois l'impression que sa femme revenait le visiter.

Ce qui faisait le plus souffrir Firmin, c'était d'être ignoré, d'être mis de côté dans sa propre maison. Quand sa bru avait affaire à lui parler, souvent elle ne le regardait même pas. « Ma femme, elle, se tournait vers moi quand elle m'adressait la parole et elle écoutait ce que j'avais à dire, même si la plupart du temps elle n'en faisait qu'à sa tête. »

Une nouvelle raison de vivre ensoleillait depuis peu le cœur de Firmin : son petit-fils Tristan, qui avait eu trois ans en février. Il l'avait rencontré à la fête du Premier de l'an. Le petit s'était intéressé à lui, lui avait posé tant de questions intelligentes. « Il a tellement grandi, le petit, et il parle aussi bien qu'un adulte qui est allé à l'école longtemps », s'était-il étonné. Le grand-père avait passé d'heureux moments en sa compagnie. Une relation privilégiée allait naître entre eux et s'intensifier au cours des ans.

Cette nuit-là, un vent violent charriant une neige folle avait gémi sans répit aux portes et aux fenêtres de la petite maison grise. Ce vent mauvais s'était glissé dans les moindres interstices et avait refroidi toute la maison. Dans son lit à demi vide depuis plus de deux mois, Armelle avait mal dormi, souvent réveillée par ce vent hurlant qui menaçait à chacune de ses rafales acharnées d'emporter le toit de la maison. « Rien ne va résister à la prochaine de ses sauvages bourrasques », s'affolait-elle. « S'il était là, mon homme, sa seule présence apaiserait mes peurs de femme, lui qui se rit du vent furieux et des angoisses de la nuit noire. »

Armelle finit par s'assoupir pour se réveiller en sursaut un peu plus tard. Des bruits familiers lui parvenaient de la cuisine. « Ah mon Dieu ! Je suis en retard ou bien c'est Maïa qui est debout plus tôt que d'habitude. » Cette dernière avait allumé la lampe et avait commencé à mettre la table. Les deux garçons dormaient à poings fermés.

Armelle repoussa les couvertures, s'assit sur le bord du lit. Il faisait frisquet dans la chambre encore plongée dans le noir. Le vent rugissait toujours à la fenêtre. Puis soudain surgit en elle, tel l'éclair illuminant un ciel assombri, la pensée énergisante qui sur le coup la fit récupérer les heures de sommeil perdues. « Mon homme rentre de chantier cet après-midi ; ce soir, il sera là, dans notre lit, je pourrai le toucher. » Elle imaginait la scène les yeux mouillés, le cœur battant, les doigts croisés. Elle entrevoyait ce moment depuis des jours. Le train de ce matin-là lui paraîtrait moins lourd. La brave paysanne se leva, alluma une chandelle, fit un brin de toilette, s'habilla, et devant le miroir de la petite commode plaça ses cheveux. « Cet après-midi, je les replacerai et mettrai une plus jolie robe pour son arrivée. »

Armelle entra dans la cuisine. « Bonjour, maman, je crois que tu as mal dormi, c'est bien la première fois que je me réveille avant toi », dit Maïa, souriante, contente de retrouver sa maman. « Oui, c'est ce damné vent qui n'a pas dérougi de la nuit, répondit-elle, je vais allumer le poêle pour chasser un peu l'humidité de la cuisine et faire chauffer de l'eau pour le thé. »

— J'ai mis de petites branches à côté de la boîte à bois, regarde maman.

— Merci, ma grande. C'est aujourd'hui que ton père arrive.

— Oui, je suis bien contente, je m'ennuie depuis deux mois et demi, toi aussi, hein maman ?

— Moi aussi, ma fille, moi aussi, fit Armelle d'une voix chaude et émue.

Sur ces entrefaites, Tristan sortit de sa chambre, il était déjà habillé. « Bonjour, maman, bonjour, Maïa. » Il alla jeter un coup d'œil à la fenêtre à demi givrée.

— Il y a encore une vilaine poudrerie. Nous allons sortir ensemble pour le train, maman. Je vais te précéder, tu marcheras dans mes pas, ce sera plus facile. Demain, ce mauvais temps va se calmer, alors papa et moi, on va bien nettoyer tous les sentiers.

— Merci mon grand, fit sa mère, touchée par l'initiative de son fils aîné.

Ils avalèrent une bouchée, Armelle prit un peu de thé. Bien chaussés, bien habillés, la mère et son fils sortirent, s'enfoncèrent dans un décor tout blanc pour affronter un vent incisif et une neige capricieuse qui virevoltait et collait au visage…

Armelle interrompait sa besogne à tout moment pour aller jeter un coup d'œil à la fenêtre.

— Tu n'as rien vu, maman ? demandait Tristan, qui donnait un coup de main à sa sœur. Elle pelait des pommes de terre et des carottes et lui équeutait des haricots pour le souper.

— Non, ils ne sont pas encore là, répondait Armelle..

C'était ce jour-là que Firmin ramenait du bourg de Clodey ses deux fils qui descendaient du chantier. Quelques minutes plus tard, Armelle annonçait d'une voix joyeuse la bonne nouvelle :

— J'aperçois le traîneau de votre grand-père sur la colline. Tristan, grouille-toi si tu veux aller rencontrer ton père au chemin.

Tristan sauta dans ses bottes. Sa sœur l'aida à enfiler et à boutonner son manteau. Il enfonça sa tuque jusqu'aux oreilles, mit ses mitaines de laine, sortit et dévala les marches de l'escalier. Et le voilà sautillant dans ce petit sentier qu'il empruntait tous les jours pour aller à la boîte aux lettres. Firmin arrêta son traîneau à l'entrée de la ferme. « Bonjour, grand-père, je suis content de vous voir », cria Tristan pour se faire entendre, car un vent cinglant balayait la fine neige qui tombait toujours. « Bonjour, mon p'tit gars, moi aussi, je suis content de te voir », répondit celui-ci. Nolan salua son père et son frère et descendit du traîneau.

— Salut, mon gars, comment vas-tu ? lança ce dernier sur un ton jovial, heureux de revoir son fils aîné.

— Bien, papa, merci. Maman, Maïa et mon petit frère Aymeric ont bien hâte de te revoir.

— Pas toi ? demanda le père sur un ton moqueur.

— Mais si, papa, je suis venu au chemin te rencontrer, répondit le fils, enthousiaste.

— Allez, avance, on s'en va à la maison rejoindre ta mère, ta sœur et ton petit frère.

Nolan, portant son baluchon et son sac à outils, suivait son fils dans ce petit sentier enneigé. « T'as encore grandi, toi ! » fit remarquer ce dernier. « Oui, je suis aussi grand que ma sœur maintenant », annonça-t-il fièrement en tournant la tête de côté pour bien se faire entendre.

— T'as bien travaillé avec ta mère cet hiver ? s'informa Nolan.

— Oui papa, mais j'aurais été plus utile si j'avais eu les bons outils, précisa Tristan.

— Qu'est-ce que tu veux dire, mon gars ?

— Il me faudrait des outils plus petits, ajustés à ma taille : une plus petite fourche avec un manche plus court pour sortir le foin de la grange et une petite gratte pour bien ouvrir les sentiers l'hiver.

— On va remédier à ça cet été, mon gars, le forgeron du village va nous arranger ça.

— Merci, papa, j'ai bien hâte de voir ce qu'il va pouvoir faire.

Ils arrivèrent à la maison, entrèrent : « Bonjour, vous autres ! lança Nolan en déposant son bagage. »

— Bonjour, mon mari ! Le voyage n'a pas été trop difficile du chantier au bourg ?

— Non, ç'a bien été, les chemins étaient assez bien dégagés malgré cette poudrerie.

Maïa était contente de revoir son père. Elle le salua avec un sourire chaud, mais dépouillé de la spontanéité qui la caractérisait à la petite enfance. Elle était devenue réservée en sa présence. La grosse voix de celui-ci, l'air sérieux qu'il prenait parfois l'intimidaient maintenant. Et il faut dire que son frère Tristan prenait de plus en plus de place. La grande fille parlait moins avec son père, ce qui l'avait amenée à se rapprocher de sa mère. Elle retrouvait sa volubilité quand elle était seule avec celle-ci.

— Le bébé est en bonne santé ? demanda Nolan.

— Oui, répondit Armelle, il est bien tranquille, il ne pleure pas et dort la plupart du temps.

— Il n'est pas comme son grand frère, ajouta celui-ci d'un ton moqueur en regardant son fils Tristan.

— Je pleurais, moi ? répliqua le grand garçon sur le même ton.

— Ah oui, enchaîna sa mère, mais juste quand tu avais faim et tu étais souvent affamé.

Nolan avait déposé son bagage. Il jeta un coup d'œil à l'horloge murale pour réaliser que c'était l'heure du train. « Ne te déshabille pas, mon gars, tu vas venir avec moi, on va aller commencer le train », proposa-t-il à son fils. « Oui papa, je t'accompagne », répondit celui-ci avec empressement. « Quel soulagement ! pensa Armelle, je n'aurai plus à prendre toutes ces petites décisions qui s'imposaient quotidiennement. » Elle était heureuse et rassurée du retour de son mari. « Une maison sans son homme, c'est comme un bateau en mer sans son capitaine. »

Nolan trayait ses vaches tandis que Tristan les nourrissait de leurs graminées préférées. Puis ce dernier alla sortir de la paille et du foin de la grange avec la fourche de son père qu'il trouvait bien encombrante. « Tristan, mon gars, pose cette fourche, tu finiras ça tout à l'heure quand je serai à la laiterie et viens me raconter vos trois mois d'hiver », lui suggéra son père. « Oui papa, avec plaisir. »

La petite famille se retrouva au complet pour le souper qui baignait dans une atmosphère sereine. La présence du père en faisait un événement festif. Ce dernier reprit sa place au bout de la table ; Tristan déménagea à l'autre bout. Maïa aidait sa mère à servir la soupe, puis le mets principal, boudin avec pommes, carottes, haricots et patates pilées. Armelle avait trouvé le temps de faire du pain.

— C'est bon de prendre le souper en famille, dit Nolan d'un ton chaud.

— Je suis bien heureuse que tu sois revenu dans notre maison, ajouta Armelle sur le même ton.

« Moi aussi, papa, je me réjouis de ton retour parmi nous », lui disait intérieurement Maïa tandis que son frère exprimait très fort sa jubilation à lui. Puis la conversation dévia sur des sujets plus terre à terre. La neige n'avait pas été trop abondante dans la forêt : l'abattage des arbres n'avait pas été trop difficile. Nolan avait fait beaucoup de sous.

— Vous allez commencer à entailler bientôt ? demanda Armelle.

— Demain, on s'y met tous les trois.

— Papa, s'imposa Tristan, je vais t'accompagner.

— Non, trancha sa maman, cette année, je préfère que tu ne t'éloignes pas de la ferme.

— Mais maman! fit le garçon, surpris par la réponse prompte et sèche.

— L'année prochaine, tu auras encore grandi, on verra alors, expliqua-t-elle à son fils dépité.

Tristan regarda son père, cherchant un allié dans sa requête. Nolan n'eut pas à parler, l'expression de son visage fit comprendre à son fils qu'il appuyait sa mère.

— Tristan, continua celle-ci, quand ils auront commencé à bouillir, un dimanche, nous irons avec ta cousine et tes cousins nous sucrer le bec. Et tu pourras goûter à la tire d'érable sur la neige pour la première fois.

— Très bonne idée, et je vais rencontrer mon grand-père par la même occasion.

Armelle se leva pour desservir et Maïa alla chercher au sous-sol la tarte aux pommes que sa mère avait faite durant la journée et la déposa au centre de la table.

— Merci d'y avoir pensé, dit Nolan en regardant amoureusement sa femme. Et c'est toi qui as la meilleure recette de tout le canton.

Leurs regards se rejoignirent et, l'espace d'un instant, leurs yeux se parlèrent. « C'est le soir, dans le grand lit vide, que ta présence me manquait le plus, mais ce soir, tes puissants bras m'enlaceront et effaceront d'un coup tous les tracas des derniers mois », songeait Armelle en coupant les morceaux de tarte. Le regard amoureux de sa femme l'enflamma tout entier. « Ce soir, enfin, pensa-t-il, je te tiendrai à nouveau dans mes bras et tu seras toute à moi. » Là-haut, au chantier, ce moment-là, Nolan l'anticipait depuis des semaines…

— Elle est bonne, maman, la tarte, s'exclama Tristan, ce qui ramena les époux à la réalité.

— Oui, mon gars, elle est bonne, confirma son père après sa première bouchée.

Maïa dégustait elle aussi son morceau de tarte. Elle n'avait pas parlé. La grande fille avait bien remarqué comment ses parents s'étaient regardés pendant un bref instant. Ça l'avait attendrie profondément. « Papa aime toujours autant maman », pensa-t-elle avec joie. Elle se sentait bien avec les siens.

Ce soir-là, on ne veilla pas tard à la maison grise… « Je te raconterai mes journées au chantier un autre jour si tu veux bien, mon gars. » Durant toute la soirée, Nolan avait été troublé par ce feu ardent qui brûlait dans les yeux bruns de sa femme, couleur que prenaient ses prunelles quand approchait le moment béni de la fusion des corps et des âmes.

Au lit, sous l'encombrante robe de nuit, Nolan laissa errer sa main sur le corps de cette femme qui l'excitait toujours après quatre grossesses. Lui, son corps d'homme était prêt. Mais sa femme se montrait plus passionnée lors de leurs ébats s'il prenait le temps de la caresser. Alors sa respiration s'accélérait, son désir s'amplifiait peu à peu.

« J'attendais ce moment depuis des semaines », susurra-t-elle langoureusement. D'une main frémissante, Armelle explorait elle aussi le corps de son compagnon et s'abandonnait de plus en plus aux caresses à la fois douces et viriles. L'excitation à son comble, le ton plaintif, et la voix altérée par le plaisir : « Oui Nolan, oui, aime-moi, aime-moi fort. »

Et ils s'aimèrent passionnément, éperdument, sans retenue… Transpirant, haletant, Armelle sentait son ivresse s'amplifier comme jamais auparavant. Sa respiration bruyante et profonde s'accélérait, elle gémissait, défaillait et allait perdre le souffle. Un monde irréel, mystérieux, l'engloutissait, un monde où tout n'était qu'amour, passion et plaisirs de l'âme et des sens. « Nolan ! Je deviens folle », soupirait-elle d'une voix bouleversée et étouffée. Puis ce fut une explosion de délices et de volupté. « Nolan, Nolan ! » Elle aurait voulu que ça ne s'arrête jamais…

L'épouse comblée reprenait peu à peu son souffle. Elle appuya sa tête dans le creux de l'épaule de son homme.

— Vas-tu me trouver encore attrayante quand je serai devenue vieille et laide ? s'inquiéta-t-elle un moment.

— Mais voyons donc ! Moi aussi, je vais vieillir, en même temps que toi.

— Merci, mon mari, je me sens tellement mieux depuis ton retour dans la maison.

— Moi aussi, je suis bien content d'être revenu chez moi avec vous autres.

Et le sommeil l'envahit doucement, Armelle passerait une bonne nuit…

Le lendemain, les deux frères et leur père s'attelèrent à la tâche. Sur un traîneau plat tiré par la grosse jument docile, les trois hommes avançaient dans les sentiers déjà banalisés. Ils s'arrêtaient fréquemment pour entailler leurs érables. Il faisait beau, les érables se mirent à couler dès le jour suivant. La saison s'étira jusqu'à la première semaine de mai. La récolte fut excellente et les prix payés par Gwenn Poncelet plus que raisonnables.

Les mois de mai et de juin furent consacrés aux tâches agricoles. Il y eut le hersage des terres labourées. Puis on procéda aux semailles : dans certaines pièces, ce fut à la volée, dans d'autres, en ligne. En juin, le foin était prêt pour une première coupe.

Après ses occupations de la matinée, Tristan allait aux champs. Il restait sur le chemin qui traversait la terre du nord au sud et observait son père, son oncle et son grand-père travailler. Le grand garçon aurait aimé conduire les chevaux. Ces grosses bêtes le fascinaient, ne l'effrayaient pas, il les côtoyait à l'étable. Le cheval symbolisait pour lui la force, la liberté et l'évasion. Sa mère lui avait répété plus d'une fois: « N'importune pas ton père avec ça. L'année prochaine, tu auras grandi, il te permettra probablement de le faire. » Tristan n'avait pas insisté.

Mais le grand garçon avait participé à la toute première corvée: le ramassage des cailloux que la terre faisait remonter à la surface des pièces labourées. On déposait les pierres sur un traîneau plat tiré par la jument obéissante: on avait seulement à lui crier de s'arrêter, puis de se remettre en marche. Ce fut la contribution de Tristan pour l'été de ses trois ans et demi.

— C'est mon premier travail aux champs, papa, avait-il dit tout fier.

— Oui, mon gars et ça ne sera pas le dernier.

Quand Nolan était rentré du chantier, il avait été frappé par les transformations qui s'étaient opérées tant chez sa fille que chez son fils aîné.

Maïa lui apparaissait maintenant comme une grande fille un peu gênée et réservée en sa présence. « Elle qui était si démonstrative, il n'y a pas encore longtemps. » Nolan ne s'expliquait pas ce changement. « Elle doit être en train de devenir une jeune demoiselle, s'entourant déjà de mystère. »

Maïa avait eu six ans fin janvier. Elle était grande et le calme était l'une de ses qualités. Elle avait des yeux mignons de couleur verte. La grande fille affichait un air sérieux, mais elle avait gardé intacte sa facilité de sourire. Ses cheveux bruns mi-longs, Maïa les attachait sur les côtés avec de jolies barrettes. L'été, elle portait de petites robes à manches courtes, à col ouvert.

La grande fille était généreuse et dévouée, qualités apprises par sa mère. Elle aidait à la cuisine et s'occupait souvent de son petit frère Aymeric qui avait eu un an en mai. Ses conversations avec son frère Tristan lui procuraient beaucoup de plaisir. Elle éprouvait toujours autant de joie en compagnie de son père, mais elle n'arrivait plus à exprimer librement ce sentiment comme quand elle était petite fille.

Nolan voyait son fils aîné comme un grand garçon. Il le trouvait si attachant. Sa seule présence le remplissait de joie. Son développement harmonieux et accéléré le déroutait cependant. Sa maîtrise de la langue et des idées le laissait perplexe. Tout cela dépassait son entendement. « C'est à ne pas se tromper le petit être dont m'avait si souvent parlé ma femme. »

Tristan, qui avait eu trois ans à la fin février, ne ressemblait en rien aux autres garçons du village. Il se distinguait par sa taille — il était aussi grand que sa sœur —, par sa facilité à s'exprimer — il parlait aussi bien qu'un adulte instruit — et par sa force physique qui rappelait celle d'un adolescent. Doué d'une intelligence qui dépassait largement le stade de l'enfance, Tristan n'avait pas le regard naïf des jeunes enfants. Ses amis seraient des adultes. Ses tantes ainsi que les clientes du magasin général lui disaient qu'il était beau. De son corps se dégageait une impression d'harmonie et d'équilibre. Et il ne projetait pas l'image d'un enfant ayant grandi trop vite.

On s'attachait à ses jolis yeux bleus, ronds et expressifs, à son nez délicat, à ses cheveux châtain foncé. Tristan avait demandé à son père de les laisser allonger un peu. Celui-ci voulait une frange qui couvrirait le haut de son front dans toute sa largeur. Il détestait les têtes presque rasées de ses cousins. Le grand garçon portait des chandails à manches courtes, à col fermé et des pantalons longs couvrant le dessus du pied. L'été, comme sa sœur, il allait pieds nus. Le fils aîné était sérieux. Avec sa sœur, il parlait, discutait, il ne jouait pas ou très peu. Il avait le sens de l'humour. On le trouvait parfois un peu pince-sans-rire. Il pressait de questions sa mère, son père, son grand-père et son Guide céleste dans sa hâte d'apprendre. Sa seule présence suffisait à répandre du bonheur autour de lui.

Ce dimanche-là, on dîna plus tôt que d'habitude à la petite maison grise. C'était le dernier dimanche de juin. Il faisait beau. On allait fêter le Solstice d'été dans le jardin communautaire de Clodey. C'était devenu une tradition maintenant. Cette rencontre dansante était toujours attendue avec fébrilité. La popularité de ce rassemblement ne s'était pas atténuée et cela malgré la réprobation des ministres du Culte.

— Dépêche-toi de finir ton dessert, Tristan, nous allons vous conduire chez votre grand-père. Il va vous garder pour l'après-midi, annonça Armelle.

— Je prends ma dernière bouchée, fit celui-ci.

— Tu parles encore la bouche pleine, Tristan, le sermonna sa maman, ce n'est pas un bel exemple à donner à ton petit frère.

— Bon, j'ai tout avalé, excuse-moi maman. Je vais vous aider avec la vaisselle, offrit-il.

— Non, merci, répliqua Maïa, ça ne sera pas nécessaire, va retrouver papa qui est sorti atteler.

— J'y vais tout de suite, se contenta de dire le grand frère.

Maïa et sa mère desservirent et mirent la vaisselle à tremper dans le plat à vaisselle. Sur ces entrefaites, Nolan et Tristan arrivaient dans le boghei.

Armelle sortit avec Aymeric accroché à ses jupes. « Donne la main à ta sœur pour descendre l'escalier », lui dit celle-ci. Tous montèrent dans le boghei et Nolan mit sa monture en marche. « Je pourrai parler avec mon grand-père », s'exclama Tristan, tout joyeux. « Oui, mon gars, tant que tu voudras. » À la grande maison, Élodie, la cousine du même âge que Maïa, les attendait sur la galerie avant. « Bonjour, ma tante, bienvenue », cria-t-elle. « Bonjour », répondit en premier Maïa. Les enfants descendirent. C'est alors que Pépa et Axel sortirent. Firmin faisait sa sieste.

— Nous sommes prêts, dit Axel, son étui à violon sous le bras, je vois que tu n'as pas oublié le tien, nous montons avec vous.

Et le joyeux quatuor prit la direction du bourg de Clodey. Quand ils arrivèrent, le parc était bondé. On n'attendait plus que les deux violoneux pour commencer la danse. Le tapeux de cuillères de bois était déjà installé sur l'estrade. Le couple le plus populaire du village ouvrirait la danse. « M'accorderiez-vous cette danse, madame ? » demanderait plus d'une fois Gwenn Poncelet à Armelle, à Pépa et à d'autres durant l'après-midi. Et la fête joyeuse, bruyante se déroulerait sous le soleil chaud de l'été. « Comme Maïa aurait aimé entendre jouer son père... », songea Armelle, heureuse.

Son déjeuner terminé, Nolan sortit, alla atteler et, la cigarette au bec, se mit en route pour le bourg de Clodey. Armelle commença à débarrasser la table. Maïa déposa son petit frère Aymeric sur le plancher, il aimait encore se traîner à quatre pattes. Après un moment, visiblement fatigué, sa grande sœur le mettrait dans son parc où il pourrait, en s'agrippant aux barreaux, se tenir debout et gazouiller ses premières syllabes. Il regarderait sa mère et sa sœur finir de desservir la table et laver la vaisselle tout en bavardant. Seule avec sa mère, Maïa retrouvait son exubérance. « Tu parles plus quand nous sommes juste entre nous », lui faisait remarquer celle-ci. « C'est vrai, je suis un peu mal à l'aise avec papa maintenant et puis Tristan parle presque tout le temps », avoua-t-elle. « Ne t'inquiète pas, ma fille, nous allons passer beaucoup de temps ensemble. » Ces paroles rassurèrent la grande fille.

Tristan était sorti. La première chose qu'il faisait dans la matinée depuis le printemps, c'était de lever les œufs dans le poulailler, plutôt les voler qu'il disait, car les poules gardaient leurs œufs sous elles dans le but de les couver. Il fallait les leur enlever presque de force. Et le coq qui le surveillait essayait parfois de lui picoter les jambes. « Éloigne-toi, méchant coq, sinon je vais me fâcher et tu vas le regretter. » Après la levée, les poules sortaient pour aller picorer dans la cour où elles trouvaient toujours quelques graines à avaler. Tristan rentra avec sa récolte d'œufs.

— Regarde, maman, le bon travail, annonça-t-il, tout joyeux, pas un de brisé.

— Bien fait, mon grand.

— Maman, tu as ramassé les miettes et gardé les croûtes dures du pain ?

— Oui, Tristan, j'ai tout mis dans le même plat et il est à la même place que d'habitude.

Tristan sortit avec la nourriture préférée de ses canards. Derrière le poulailler, son père avait creusé pour faire un étang, une mare à canards assez grande pour un couple adulte et leurs canetons. Les champs s'égouttaient dans les fossés et les eaux collectées alimentaient cette canardière. Cette famille de canards qui avait son coin réservé dans le poulailler aimait, tôt le matin, aller se dégourdir les pattes dans l'eau. Il fallait les voir se rendre à l'étang d'un pas lourd et balancé. Les petits à la queue leu leu derrière leur mère caquetant joyeusement. Et quand le soleil était haut dans le ciel et chauffait trop, ils allaient se mettre à l'ombre et ne bougeaient plus jusqu'à la fin de l'après-midi. Alors ils revenaient dans la cour chercher quelques graines à manger.

Les canardeaux, quand ils apercevaient Tristan venir avec son plat, se mettaient à cancaner, s'attendant à de la meilleure bectance que celle qu'ils trouvaient au fond de leur mare. Tristan s'asseyait au bord du petit lac et lançait son pain, quelques miettes à la fois, quelques croûtes à la fois. Son plaisir était de les voir se quereller pour attraper les croûtons ou les miettes. « De vrais enfants qui se chamaillent pour avoir le plus gros morceau. » Tristan restait parfois à contempler ses petits amis jusqu'à l'heure du dîner.

— Tristan, viens manger, ton père est rentré, lui cria sa mère, c'est l'heure du dîner.

Il arriva en courant, entra, alla se laver les mains avant de passer à table. Maïa aidait sa mère à servir. Le petit Aymeric dormait ; il avait eu son boire.

— Papa, es-tu allé chez le forgeron ? demanda le fils aîné.

— Oui, répondit celui-ci, il va te fabriquer des outils à ta taille et va essayer de te trouver une petite brouette.

— Ah oui ? Quand est-ce que je vais les avoir ?

— Dans deux semaines, m'a promis le maréchal-ferrant du village.

— Merci, papa, tout sera propre quand tu seras parti au chantier et maman n'aura plus à marcher dans la neige. Les sentiers seront toujours bien nettoyés.

— Dis-moi, Nolan, as-tu parlé à monsieur Poncelet? s'informa Armelle.

— Bien sûr, ma femme.

— Alors, raconte, quoi de neuf? insista-t-elle.

Nolan lui fit part des informations qu'il avait pu glaner. Leila était enceinte de son deuxième. Elle venait souvent au magasin avec son premier. Les gens aimaient lui parler. Leur centre allait bien. Gwenn Poncelet la remerciait de ses compliments sur ses qualités de danseur. «Voilà tout ce que j'ai appris de nouveau. Ah, j'ai rencontré le tailleur.»

— Le tailleur? s'étonna-t-elle. Qu'est-ce que tu es allé faire là?

— Pour savoir s'il coupait aussi des robes. Ben oui, il m'a montré des patrons.

— Pourquoi? Pour qui? s'enquit celle-ci encore plus surprise.

— Pour toi, tu étrenneras une nouvelle robe à la fête de l'Équinoxe, fin septembre et c'est aussi pour souligner nos huit ans de mariage.

— Tu as pensé à ça mon mari, merci, fit-elle d'une voix pleine de tendresse et de reconnaissance.

— On ira choisir un modèle qui te plaît. Tu devrais pouvoir en trouver un.

— J'en suis sûre. Une nouvelle robe pour la fête des Moissons! Je n'en dirai rien à Pépa, je veux lui faire la surprise.

— Bonne idée! dit Nolan. Je me demande ce qu'elle va dire, la belle-sœur.

Les enfants avaient écouté, silencieux, ils étaient contents de voir leurs parents heureux. Le repas terminé, Nolan sortit avec sa tasse de thé, se roula une cigarette, l'alluma. Il partirait aux champs dans un moment. Tristan alla souhaiter bon après-midi à son père, puis se retira pour sa sieste. Maïa aida à desservir la table et à laver la vaisselle. «C'est l'heure de ta sieste à toi aussi, ma fille», lui mentionna doucement sa maman après leur besogne.

Armelle venait de commencer son repassage. C'est à ce moment-là que Tristan se réveilla. En sortant de la chambre, il aperçut sa mère en train de repasser un drap.

— Papa va t'acheter une nouvelle robe, maman. Tu es contente?

— Oui, bien sûr. Ça me fait grand plaisir.

— Moi aussi, maman!

— Toi aussi, quoi?

— Je me sens encore plus heureux quand tu es contente, lui avoua son fils aîné.

— Je suis bien contente d'apprendre ça, mon grand.

— Ça fait neuf ans que tu as rencontré papa au magasin général d'Aubrey. C'est là qu'il a commencé à te parler, pas vrai?

— Comment as-tu appris ça, toi? s'étonna Armelle.

— Je l'ai vu dans le rêve que j'ai fait pendant ma sieste, répondit-il, tout bonnement, comme si ça allait de soi d'apprendre les choses dans ses rêves.

— Tu en vois des choses dans ton sommeil, mon grand! J'aimerais que tu me les racontes maintenant, tes rêves, si tu veux bien.

— D'accord, mais juste les plus beaux, précisa-t-il.

— Parce que tu en fais aussi des mauvais, ajouta celle-ci.

— Mais oui, maman, c'est la vie. Bon après-midi, dit-il, en se dirigeant vers la sortie.

— À toi aussi, mon grand.

Armelle resta un moment interloquée par ce que son fils venait de lui dire. Interloquée, oui, mais aussi ravie, car cet enfant allait mettre de plus en plus de piquant et d'inattendu dans leur vie de paysans.

Tristan alla faire du nettoyage dans l'étable et le poulailler. «Ça va être tellement plus facile quand j'aurai les outils à ma taille.» Et il pensa à son père seul aux champs... Ensuite, il s'affaira à déposer dans la mangeoire de chaque vache de l'étable un peu de ce mélange de graines nourrissantes. Puis ce fut l'heure de les faire rentrer. En sortant de l'étable, il les aperçut agglutinées près de la barrière. Elles savaient ce qu'elles allaient manger à l'intérieur. La barrière ouverte, elles se dirigèrent toutes seules jusqu'à leur place dans l'étable. Il n'eut qu'à les attacher. Comme il sortait, son père rentrait des champs. Joyeux, Tristan alla à sa rencontre.

— Tu les as soignées, les vaches, mon gars? demanda Nolan en s'arrêtant à la remise pour ranger ses outils.

— C'est fait, papa, elles sont en train de se régaler, répondit-il.

— Régaler! Veux-tu me dire, mon gars, où tu apprends tous ces mots que j'ai rarement entendus?

— Je ne sais pas, dans mes rêves, je crois, dit-il tout simplement.

— Dans tes rêves! Bon, quand j'aurai fini de les traire, tu les reconduiras à leur pâturage. Après, on va rentrer souper.

— O.K., moi, je vais aller voir mes canards.

— Non, reste ici, on va jaser, lui suggéra son père.

— D'accord, papa, j'aime beaucoup mieux jaser avec toi qu'avec mes canards, déclara-t-il avec un sourire entendu.

Nolan aimait avoir son fils près de lui et l'écouter parler et poser toutes ses questions. Sa présence lui faisait du bien, il se sentait énergisé. Mais il ne comprenait pas pourquoi il en était ainsi. « C'est sûrement ce que cette voix intérieure a voulu me dire lors de sa naissance. »

Après le souper, Tristan suivit son père dehors. Nolan s'assit sur les marches de l'escalier avec sa tasse de thé. Il faisait beau, une soirée agrémentée d'une petite brise fraîche. Nolan se roula une cigarette, l'alluma. « Je vais aller tout de suite faire ma ronde », dit Tristan. « Bonne idée, mon gars, tu viendras nous rejoindre sur les marches. » Le grand garçon partit vérifier si les poules, les canards et les oies étaient bien rentrés pour la nuit et ferma les portes que son père rouvrirait le lendemain matin en se rendant faire son train. Il fit le tour des bâtiments pour bien s'assurer qu'il n'y avait aucun traînard. C'était important parce que, chaque nuit, des renards ne manquaient jamais de venir rôder. L'hiver, le matin, on pouvait reconnaître les empreintes de leurs pas dans la neige fraîche. Parfois, Nolan remarquait des traces différentes, inconnues : des bêtes qui ne pouvaient venir que de la grande forêt… Sa patrouille complétée, Tristan ne rejoignit pas les siens sur les marches de l'escalier, mais alla plutôt s'asseoir au bord de la mare aux canards. Tout en fixant l'eau calme de l'étang, il songeait à son Guide céleste. Il ne l'avait jamais envisagé avec une forme physique, mais il le sentait plus présent depuis quelques mois. Il lui parlait, lui faisait part intérieurement de ses pensées et de ses émotions plus distinctement qu'avant. Et son Guide lui répondait de façon plus structurée.

Mais ce soir-là, Tristan se sentait frustré et délaissé…

Chasse ces pensées négatives tout de suite, lui dit cette voix intérieure familière.

— Vival ! Tu es là, s'exclama joyeusement Tristan en sentant la présence de son Guide.

Je te l'ai répété souvent, je ne te quitte jamais dans un sens physique.

— J'ai essayé de te joindre ces derniers temps, mais c'était comme s'il y avait un mur.

L'obstacle était de ton côté. J'ai toujours continué à communiquer. Ton incapacité à m'entendre m'a causé de la peine.

— Ah oui ? Mais c'est moi qui devrais être mécontent. J'ai demandé à mon grand-père de me raconter la légende du gouffre et l'histoire de la maison hantée. Il m'a répondu que je ne devais pas parler de ces choses. Et ce soir-là, dans mon sommeil, tu m'as pas renseigné.

Est-ce si désolant que tu oublies celui qui veille sur toi ? Ton grand-père ignore tout de ces mystères. Patience !

— Je veux connaître l'explication de tout ce qui m'entoure.

Tu veux tout apprendre, tout savoir, trop vite, tu ne peux pas brûler les étapes normales de ta vie sur terre. Patience !

— Dis-moi quelque chose. Tu ne sais rien ?

Tout viendra à son heure, tu auras l'explication des choses quand tu seras prêt. Patience !

— Et la longueur de ma vie sur terre ? demanda Tristan, je sens qu'elle sera courte.

Le cours de ta vie doit te demeurer inconnu pour que tu puisses suivre ta voie et grandir par tes expériences. Si je te donnais tout de suite toutes les réponses à tes questions, ce serait te priver de ces étapes essentielles que tu as à vivre. Les réponses les plus authentiques émergent souvent des épreuves qu'offre cette vie terrestre. Patience !

— Alors, tu l'ignores, commenta Tristan.

Je ne ressens rien m'indiquant que tu viendras nous rejoindre bientôt. Il faudra une circonstance tragique pour que ton retour soit envisageable. Et si ça se présentait, sois assuré que je guiderais ton voyage retour. T'appuyer est ma véritable mission de tous les instants, ne l'oublie pas.

— Quand ? Qu'est-ce qui pourrait arriver ? insista Tristan.

Mais le jeune protégé sentait déjà la présence de son Guide s'éloigner, s'estomper…

Les mots que Tristan avait retenus : « Patience, patience et patience. » Il se demandait ce que son Guide avait voulu lui faire comprendre. Le grand garçon n'eut pas le temps de compléter sa réflexion que les cris de sa mère le ramenèrent brusquement à la réalité : « Tristan, Tristan, rentre, c'est l'heure du coucher. » Ce dernier se releva et courut vers la maison où l'attendaient ses parents et sa sœur pour rentrer.

Ce matin-là, vers la mi-août, sous un ciel couvert et menaçant, Nolan et Armelle décidèrent d'aller au bourg de Clodey. Là, ils laissèrent leur courte liste d'achats au magasin général. Leur arrêt important était chez le tailleur.

La boutique du tailleur occupait tout le rez-de-chaussée de cette petite maison carrée située sur l'avenue principale. Pour y entrer, on montait trois marches attachées à un petit perron ceinturé d'un garde-fou. À l'avant de la boutique, il y avait un comptoir où l'artisan recevait ses clients pour discuter et leur faire voir tissus et patrons. Au fond à gauche, une porte s'ouvrait sur une cabine d'essayage. À droite de cette cabine, on voyait de larges tablettes où s'empilaient des rouleaux de tissu de différentes textures et de couleurs variées. De grandes fenêtres éclairaient bien toute cette grande pièce. La table de travail occupait une grande partie de l'espace. On y trouvait étalé tout ce qui servait au travail de l'artisan : des bobines de fil de différentes couleurs et de différentes grosseurs, des épingles, des aiguilles plantées dans de grosses pelotes, des ciseaux, des rubans gradués, des patrons, des parties de vêtement déjà taillées, etc. Le tailleur se servait d'une machine à coudre à manivelle rudimentaire fixée à un coin de la grande table.

Le propriétaire, Cédric Calmet, était un homme de petite taille dans la quarantaine. Il aimait beaucoup son art, qu'il avait appris de son père. Monsieur Calmet avait trois enfants, dont un fils qu'il essayait de convaincre de se joindre à lui. Il y avait assez d'ouvrage pour deux personnes. De nature joviale, le tailleur accueillait ses clients avec le plus chaleureux des sourires. Il portait toujours des costumes du plus chic et à la fine pointe de la mode. On remarquait ses mains délicates et agiles, et son visage avenant marqué de quelques rides d'expression. Il avait une chevelure noire abondante. Adepte de la sobriété en tout, Cédric Calmet présentait encore une silhouette mince. Le tailleur du village gagnait bien sa vie. Il s'efforçait toujours, par souci professionnel, de trouver le patron, le style, le tissu qui mettrait en valeur la personnalité de son client, de sa cliente. Le visage épanoui de la personne essayant son nouveau vêtement le comblait toujours de joie.

Quand Nolan et Armelle entrèrent, Cédric Calmet travaillait assis devant sa machine à coudre. Il les entendit refermer la porte d'entrée, se leva et vint les rencontrer devant le comptoir.

— Bonjour, monsieur, madame, bienvenus chez moi, lança-t-il joyeusement.

— Bonjour, monsieur Calmet. J'ai emmené ma femme aujourd'hui pour qu'elle fasse son choix.

— Heureux de faire votre connaissance, madame. Est-ce que vous avez une idée de ce que vous voulez comme robe ? demanda le tailleur.

— Non, pas vraiment, j'aimerais voir vos patrons.

Cédric Calmet sortit quelques patrons qu'il étala sur le comptoir. Il alla chercher des échantillons de tissu aux couleurs de l'été. Après plusieurs questions et de longues minutes d'hésitation, Armelle arrêta son choix sur un modèle et un tissu qui lui plaisaient bien. Le maître tailleur prit les mesures dont il avait besoin pour la confection de sa robe.

— Voilà, madame, ça sera prêt dans deux semaines.

— Merci, monsieur, dit Armelle. J'ai bien hâte de venir l'essayer.

— Je vais vous attendre avec plaisir. Bon retour.

Nolan et Armelle sortirent de la boutique. Ils firent un saut au magasin général pour ramasser leur commande et échanger quelques mots avec le propriétaire.

— Vous allez nous faire danser encore, moi et ma belle-sœur, à la prochaine fête ? demanda Armelle.

— Ça va me faire grand plaisir.

— Je trouve, et ma belle-sœur aussi, que vous dansez bien, le complimenta celle-ci.

— Merci bien, madame Armelle.

Nolan paya la commande, ramassa le sac, ils saluèrent Gwenn et sortirent du magasin. Leur dernier arrêt fut à la forge du village où Nolan trouva tout ce qu'il avait commandé. « Tout est là, mon Nolan, j'ai même pu te trouver la petite brouette », dit, tout content, le maréchal-ferrant. Nolan régla ce qu'il lui devait, et avec l'aide de ce dernier, entassa le tout dans le boghei. « Merci, monsieur, à un de ces jours ! » salua Nolan. « À la revoyure ! »

Sur le chemin du retour, Nolan pensait à son fils. « Tu ne trouves pas qu'il grandit trop vite ? » dit-il. « Pourquoi demandes-tu ça ? C'est ce que laissait entendre ma prémonition. » Celle-ci souligna que leur fils avait un développement harmonieux. « Tu n'as pas à t'inquiéter, mon mari, nous avons un enfant exceptionnel, mais normal. » Nolan se dit qu'il s'inquiétait probablement pour rien. Il n'y avait rien d'anormal chez son fils, c'était tout simplement un enfant prodige. « Il est si fort pour son âge », ajouta-t-il. « C'est le fils que je t'avais tant de fois décrit, mon mari. » Le couple arriva à la ferme juste à temps pour le dîner que Maïa avait commencé à réchauffer. Nolan arrêta son attelage près de l'escalier. Armelle descendit, prit le sac et commença à monter les marches. C'est à ce moment-là que Tristan sortit en poussant la porte-moustiquaire.

— Papa, papa, s'exclama-t-il, je vois que tu as mes outils, je veux les essayer tout de suite.

— On va d'abord dîner, mon gars, rétorqua son père, puis après ta sieste, tu auras tout ton temps pour t'amuser avec tes nouveaux instruments de travail.

— Vite, vite, viens manger, commanda le fils. Maïa a mis au four ce que maman avait préparé pour le dîner.

— J'arrive, j'arrive, tempéra le père, se dirigeant vers la remise pour y déposer ce qu'il transportait.

Tristan le suivit pour voir de près ses nouveaux outils tout neufs et les toucher. Puis Nolan alla dételer. Maïa avait mis la table. La grande fille aida à servir. Tous mangèrent avec appétit. Aymeric réclamait son lait.

— Qu'est-ce que tu as au programme cet après-midi ? demanda Armelle, s'adressant à son mari.

— Axel vient me donner un coup de main. Le foin est assez mûr pour être fauché. On va faire les pièces au bout de la terre. Et toi ?

— Je vais travailler un peu dans le potager. Il faut rechausser les plants de tomates et de concombres, et les attacher plus solidement à leurs tuteurs, car au premier coup de vent, tout risque d'être emporté.

— Et moi, intervint Tristan, après ma sieste, je vais étrenner ma nouvelle brouette.

— Tu nous raconteras ça au souper, lui suggéra son père.

Après sa sieste, le grand garçon partit, fier et heureux, avec sa brouette rouge vif en direction des champs. À la première pièce, il chargea son petit véhicule de ces pierres des champs, les transporta derrière la maison, les déchargea sur ce tas qui grossissait d'année en année. « Ce n'est pas trop lourd pour toi ? » lui demanda Armelle qui achevait son travail dans le potager. « Oui, c'est lourd, encore un ou deux voyages, puis c'est tout. »

Ces pierres étaient entassées là depuis bien avant la construction de la petite maison grise. Elles remontaient à la surface des champs labourés, étaient ramassées tôt le printemps et puis déposées le long du chemin qui traversait la terre. L'automne, pendant les journées moins occupées, on les charriait derrière la maison. À sa troisième brouettée, fatigué, essoufflé, mais content, le grand garçon alla se reposer un moment sur le banc de bois appuyé au mur arrière de la maison, banc construit par son père lors de l'emménagement à la ferme. On venait s'y détendre après un moment passé au potager. Armelle buvait alors quelque chose de frais, Nolan fumait sa cigarette habituelle. Tristan fit encore un voyage de cailloux, puis alla faire rentrer les vaches.

Deux semaines plus tard, par un après-midi de beau temps, Nolan et Armelle se réservèrent quelques heures pour aller chez le tailleur du village. Armelle attendait cet heureux moment depuis des jours. Rendus à Clodey, ils se dirigèrent directement à la boutique. Cédric Calmet les reçut avec sa bonhomie habituelle. « Je suis content de vous revoir, madame Bouïos, votre robe est prête, dit-il, vous allez pouvoir l'essayer, je vais la chercher. » Le tailleur présenta la robe à Armelle. « Comme elle est jolie. » Celle-ci, impatiente de la revêtir, prit la robe, tâta délicatement le tissu, entra dans la cabine d'essayage. Elle en ressortit pour se regarder dans le grand miroir collé à la porte de la cabine.

C'était une robe en popeline de couleur bleu turquoise à manches courtes, fermée au cou. Armelle avait choisi une jolie coupe droite ajustée sous la poitrine et marquée d'un galon de soie. Une robe mi-longue qui couvrait les genoux. Armelle se sentait bien dans sa nouvelle robe : elle s'abandonna à ce doux sentiment. Cette attention de son mari lui procurait tant de joie ! Elle se rappela les paroles de sa mère : « Ça te fera le meilleur des maris.» Le tailleur s'était éloigné un peu pour laisser le couple seul.

— Nolan, qu'est-ce que tu en penses ? lui demanda-t-elle, tournant sur elle-même, levant et étendant légèrement les bras.

— Cette robe te va très bien, ma femme, la rassura-t-il, tu vas attirer les regards et les compliments.

— Merci encore, mon mari. Je vais l'étrenner à la fête des Moissons.

— C'est en plein la place pour la faire voir.

Nolan régla la note. Avec la robe soigneusement pliée et délicatement emballée, ils sortirent.

— À un de ces jours ! salua Nolan.

— Bon retour, vous serez toujours les bienvenus.

Armelle déposa son précieux colis sur le siège arrière du boghei. Ils se mirent en route. Ils arrivaient au magasin général. « N'arrêtons pas, dit-elle, filons directement à la ferme, je n'ai pas d'achats importants à faire. » Armelle, choyée, préférait être seule avec son homme pour partager avec lui cet intense sentiment qui la submergeait. Ils rentrèrent au galop sous un beau ciel bleu et un soleil radieux.

Durant le trajet, Armelle rappela à Nolan qu'au début septembre, les enfants d'âge scolaire retournaient à l'école ou y faisaient leur entrée. C'était dans deux semaines. Maïa commencerait ses classes cette année-là. Son inscription avait été faite à la petite école du village d'Aubrey. Elle habiterait chez ses grands-parents. Il y avait une petite école dans le rang voisin — la Grande Côte — au nord du Ruisseau sacré. Pour le rejoindre, Maïa aurait dû passer devant la maison hantée, puis traverser un petit bois. « Je ne veux pas que ma fille aille toute seule sur les grands chemins, et on ne sait jamais qui on peut rencontrer dans les bois. » La cousine de Maïa, Élodie, elle aussi d'âge scolaire, logerait chez ses grands-parents maternels, il y avait une école tout près. « Nous irons la conduire quelques jours avant le début des classes », dit Armelle. Maïa avait confié à sa mère avoir hâte de commencer l'école, mais être attristée de devoir s'éloigner de sa famille.

— Elle va me manquer énormément, mentionna Armelle.

— Ça va me faire bien étrange de ne pas la voir dans la maison à côté de toi ou près de son petit frère, déclara Nolan.

Maïa taquinait souvent son frère au sujet de sa rentrée à l'école.

— Tu as beau être aussi grand que moi et plus fort que moi, mais je commence l'école avant toi, lui répétait-elle d'un ton supérieur.

— Ça ne me dérange pas, répliquait-il d'un ton railleur, moi, je n'irai pas à l'école.

— Ah non ? Toi, tu n'iras pas à l'école !

— Non ! Moi, j'en aurai pas besoin, affirmait le grand garçon sur le même ton.

Armelle, déroutée, n'avait pas osé intervenir quand elle avait entendu son fils parler ainsi. Ça l'avait laissée songeuse. « Comment peut-il dire ça à son âge ? » Elle n'en avait pas encore discuté avec son mari. Nolan avait ralenti l'allure du poulain. C'était le moment tout choisi pour le faire. Elle lui rapporta ce que Tristan avait dit.

— Tu comprends quelque chose, toi, dans les propos que tient notre fils au sujet de l'école ?

Nolan resta coi un long moment. Il n'essaierait pas de décrypter les paroles de son fils. Il ne lui en parlerait même pas. Dans trois ans, son discours allait sûrement changer, sinon ils aviseraient alors.

— Ça t'inquiète ?

— Oui, un peu, on ne devrait pas lui en parler ?

— Non. À quoi ça servirait maintenant ? Ce n'est que dans trois ans qu'il rentre à l'école. C'est notre fils, ma femme. Nous ne sommes pas au bout de nos surprises, je crois bien, mais je ne m'en ferais pas outre mesure. Nous avons un bon fils, tu ne crois pas ?

— Oui, nous avons un bon fils…

16

Ce matin-là, une légère brise avait réussi à chasser les quelques gros nuages gris qui s'étaient accumulés haut dans le ciel durant la nuit. Il ferait beau.

Tristan s'occupa d'abord de ses canards. Ils les avaient accompagnés à leurs quartiers diurnes : l'étang. La petite troupe comptait quelques canetons de plus. Nolan avait décidé de laisser la cane couver ses œufs. La vente des canards adultes rapportait un petit bénéfice. C'est avec de joyeux cris aigus que les mignons volatiles attrapaient, à qui mieux mieux, les bouchées que Tristan leur lançait. Ensuite, le grand garçon alla faire la levée des œufs au poulailler. Aujourd'hui, il laisserait les meilleures pondeuses couver leurs œufs. Son père trouvait qu'il n'y avait pas assez de poussins dans la basse-cour. Tristan ramènerait seulement quelques œufs à la maison.

— Regarde, maman, je rapporte trois œufs.

— Tu as laissé les autres couver, comme ton père te l'avait demandé ?

— Oui, nos deux meilleures pondeuses, précisa-t-il.

— Nous allons avoir d'autres poussins, ajouta sa mère.

— Est-ce que papa vient dîner ?

— Non, il va rester à dîner chez ton grand-père. Cet après-midi, il va continuer de leur donner un coup de main. Pour le moment, je te demanderais d'aller au potager me chercher deux grosses tomates bien mûres pour notre dîner à nous.

— Tout de suite, maman.

Armelle et Maïa achevaient de préparer le repas. Aymeric s'amusait avec quelques petits jouets. Tristan revint avec les tomates. Armelle put finir la préparation de son dîner.

Après sa sieste, Tristan sortit, alla à la remise. En sortant avec sa brouette toujours aussi brillante — il la garderait propre —, il entendit des bruits aigus de grelots provenant du côté de la rivière. Le grand garçon aperçut alors sur le pont une curieuse roulotte toute jaune. Le petit véhicule avançait lentement en direction de la ferme, traîné par un gros cheval visiblement fourbu et conduit par un monsieur haut perché portant un drôle de chapeau rond. Tristan, intrigué, laissa là sa brouette, courut vers la maison et entra.

— Maman ! maman ! cria-t-il, regarde qui vient sur le chemin.

Armelle alla à la fenêtre, elle aussi avait entendu le tintement des grelots.

— Je crois que c'est un marchand de bananes, dit-elle, cours au chemin avec ta brouette et fais signe au monsieur de s'arrêter. On va acheter des bananes.

— Qu'est-ce que c'est des bananes ? demanda le garçon, dont la curiosité venait d'être mise en éveil.

— C'est un fruit, tu verras, grouille-toi.

Tristan fila au chemin, traînant sa brouette. La roulotte s'arrêta à l'entrée sur le bord de la route. Le cheval mit au repos une de ses pattes arrière. L'homme descendit de son siège. Cette grande roulotte à toit pointu comptait quatre fenêtres pour l'aération, une de chaque côté, une dans chacune des deux portes arrière.

— Je m'appelle Tristan Bouïos et vous, monsieur ? demanda le grand garçon, nullement intimidé par cet étranger à l'air débonnaire.

— Amir Cohen, petit, répondit l'homme avec un accent que Tristan entendait pour la première fois.

Ce vendeur itinérant aimait aller rencontrer les gens dans leur environnement. Court sur jambes, petite barbe grisonnante couvrant le menton, il avait les oreilles légèrement décollées, de petits yeux ronds brillants, un regard éveillé. Il portait des vêtements noirs défraîchis, mais propres, ainsi qu'un chapeau melon de la même couleur, usé sur les côtés par de trop nombreuses frictions de la main droite. Chaque fois qu'il saluait, il soulevait son chapeau, puis le remettait tout de suite. Un sourire semblait accroché à ses lèvres en permanence.

Les autres arrivèrent, Armelle portant Aymeric dans ses bras. « Bonjour, madame », salua le marchand. « Bonjour, monsieur. » Le vendeur itinérant les amena à l'arrière de sa roulotte. Les deux portes étaient gardées ouvertes pour ralentir le mûrissement des fruits.

— C'est des bananes ? s'enquit Tristan en pointant de la main les gros régimes de fruits jaunes de forme allongée suspendus au plafond de la roulotte.

— En effet, petit, confirma le marchand. Je crois que t'as pas encore goûté ce fruit ?

— Non, pas encore, est-ce que vous allez nous faire goûter avant que ma mère en achète ? demanda Tristan, impatient de découvrir une nouvelle saveur.

— Bien sûr, je vais vous en choisir une bien mûre tout de suite.

Le marchand détacha une banane du premier régime, la pela et la tendit à Armelle. Chacun prit une bouchée du fruit mûr. « C'est bon maman, je vais en prendre une deuxième bouchée », dit Tristan qui n'avait jamais perdu son grand appétit. « Tiens, mon grand gourmand », fit Armelle, le laissant mordre à nouveau dans le fruit. Aymeric aussi voulut son morceau de banane.

Le marchand expliqua qu'il venait du Sud, là où l'on cultivait ce fruit. Il achetait ses bananes vertes, elles mûrissaient durant le voyage vers la région de Clodey. Le vendeur itinérant aimait venir dans la région, c'était comme un voyage d'aventure pour lui.

— Est-ce que vous allez vous rendre jusqu'à Aubrey ? voulut savoir Tristan.

— Non, répondit monsieur Cohen, je m'arrête à la maison voisine, chez tes grands-parents, et je rebrousse chemin.

— Mais pourquoi pas ? poursuivit le garçon, vous iriez chez mes grands-parents maternels.

— Je n'aime pas ce rang désert et ce rocher à Lucifer.

— Mais nous, on passe là…

— Tristan ! le coupa Armelle, arrête avec tes questions, laisse-moi parler au monsieur. Excusez-le, il est un peu bavard.

« Il est un peu bavard… » D'abord surpris et déconcerté par les paroles de sa maman, le fils aîné, après un instant de réflexion, reconnut qu'elle avait raison. Il lui arrivait de laisser peu d'espace aux autres pour prendre la parole. Tristan se tut, il écouta parler sa maman. Maïa était restée silencieuse, elle s'occupait de son petit frère.

— Ça me dérange pas, madame. C'est de la bonne curiosité. Vous allez m'acheter des bananes ?

— Oui, je vous en achète un régime. Vous le déposerez dans la brouette de mon fils.

Armelle choisit un régime de ces fruits jaunes pas trop mûrs, elle voulait qu'ils se gardent le plus longtemps possible dans son sous-sol. Elle régla le montant de son achat. Pendant que le marchand déposait le régime dans la petite brouette, Armelle lui demanda pourquoi on ne l'avait pas vu dans le coin depuis des années, selon ce qu'on disait. Il avait été malade, les docteurs avaient eu de la difficulté à diagnostiquer son mal. Son affection s'était résorbée, mais il en gardait des séquelles, il n'avait plus la même énergie. Monsieur Cohen avait un fils qui aimerait le remplacer, mais il le trouvait encore un peu jeune.

— Contente de voir que vous allez mieux, ce qui veut dire que vous allez revenir l'année prochaine, en conclut Armelle.

— J'y compte bien madame, répondit le marchand. Puis dans un avenir pas trop éloigné, ce sera mon fils qui me remplacera.

— Bonne route, monsieur, souhaita la petite famille au vieux vendeur itinérant.

— Au revoir à vous tous, fit celui-ci en soulevant son chapeau, puis il grimpa difficilement sur son siège.

Une fois assis, monsieur Cohen se tourna vers Tristan: « Continue de poser toutes tes questions, mon petit, c'est comme ça qu'on découvre le monde. »

— Merci, monsieur, je n'oublierai jamais votre conseil, promit celui-ci.

Le cheval s'ébroua et se mit au petit trot. Amir Cohen s'arrêterait à la grande maison où Pépa lui achèterait deux régimes de bananes. Cette dernière avait plus de bouches à nourrir.

— Ta promesse, ça veut dire que tu vas parler encore plus? ironisa Maïa.

— Mais non, ma sœur, je vais te laisser beaucoup parler maintenant, tu vas bien voir, répliqua le grand frère d'une voix attendrie.

La petite famille rentra, Tristan poussant allègrement sa petite brouette. Il aida sa mère à descendre le régime de bananes à la cave pour qu'il soit à la fraîche. Armelle monta quelques fruits pour le souper. Ce soir-là, elle préparerait comme dessert des bananes dans de la crème fraîche. Nolan aimait bien ce fruit dont on se régalait durant un trop court laps de temps durant l'été. Tristan raconta son échange avec le marchand que son père avait déjà rencontré à la grande maison.

— Notre fils est un peu bavard, un peu plus, je n'arrivais pas à dire un mot au marchand, fit remarquer Armelle tout en jetant un coup d'œil amusé à son fils.

— Notre fils, bavard, ben voyons donc! renchérit Nolan.

Tristan ne disait mot, il souriait. Il comprenait que ses parents le taquinaient. Maïa le regarda du coin de l'œil, esquissant un sourire à la fois câlin et entendu. Le grand garçon volubile se résolut alors à mieux écouter les personnes qui l'entouraient, sa sœur entre autres.

Les célébrations de fin septembre, l'Équinoxe d'automne et la fête des Moissons approchaient à grands pas et déjà un climat festif se faisait sentir dans le grand Clodey. Deux jours consacrés aux retrouvailles des citoyens. Les organisateurs étaient à pied d'œuvre depuis un moment pour tout mettre en place.

Le samedi fut une journée maussade: un ciel couvert, une légère bruine intermittente, ce qui n'empêcha pas les maraîchers et les artisans de venir très tôt monter leurs kiosques où ils offriraient leurs produits. Ce temps incertain ne découragea personne. « Ça ne va pas durer, l'Almanach annonce du beau temps », disait l'un. « Vous avez bien raison », confirmait un autre. Cette première journée fut quand même assez achalandée, à la grande satisfaction des organisateurs. Sur le site, les gens circulaient. « Vous avez passé un bon été ? » entendait-on de-ci de-là. « Oui, assez bien, nos champs n'ont pas été infestés de ces maudites sauterelles », répondaient les paysans. Tout un chacun s'informait, s'extasiait devant une création artistique, achetait ou échangeait. On pratiquait encore le troc à cette époque lors de certaines fêtes foraines.

Le lendemain, la bruine avait cessé, le ciel s'était dégagé. Tout de suite après le dîner, Armelle et Nolan allèrent conduire leurs deux fils à la grande maison où Firmin les garderait. Et les deux couples se mirent en route vers Clodey.

— Cachottière, va ! Tu ne m'avais pas parlé de cette nouvelle robe, lança Pépa, examinant et tâtant le tissu de la robe qu'étrennait Armelle.

— Je voulais te faire la surprise et voir ta réaction, répliqua celle-ci.

— Là, je dois avouer que tu n'as jamais porté robe aussi jolie, ma belle-sœur, dit Pépa.

Armelle fut touchée par le compliment de sa belle-sœur, elle qui s'y connaissait en beaux vêtements. Nolan remarqua le visage de sa femme : elle avait la mine épanouie. Il la voyait heureuse en ce beau dimanche après-midi. « Voilà des sous bien dépensés », songea-t-il.

— Tu vas faire de l'ombre à notre belle Leila, ajouta Pépa.

— Tu exagères pas mal, se dépêcha de répliquer Armelle qui se laissa quand même flatter par ce compliment exagéré.

Les deux couples arrivèrent au village. Ils allèrent attacher leur monture dans la cour du forgeron. En entrant dans le jardin, Gwenn Poncelet leur souhaita la bienvenue. Ce dernier remarqua la nouvelle robe que portait Armelle. « Cette robe vous va très bien, madame. » Une belle animation régnait dans le jardin. Les gens étaient arrivés pour s'amuser : danser, chanter et écouter des histoires. Les deux violoneux furent invités à rejoindre les deux autres musiciens : le tapeux de cuillères de bois et le nouveau venu, un accordéoniste. L'accordéon apporterait de la douceur au son grêle des violons et aux notes scandées des cuillères.

Gwenn Poncelet avait réussi à convaincre cet accordéoniste de se joindre aux autres musiciens. Il était originaire d'Orbey, un petit village du canton voisin. Osmond Imbaud était un paysan retraité au début de la soixantaine. Réservé, d'humeur égale, court de taille, le pas encore solide, il avait les cheveux courts en broussaille tout blancs, une calvitie naissante sur le dessus de la tête, une grosse moustache blanche. Sa vue avait baissé ces dernières années, mais il avait gardé l'acuité de son ouïe et la souplesse de ses doigts. Sa musique l'avait aidé à rester jeune d'esprit et de cœur.

Le vieux musicien avait appris à jouer de l'accordéon de son grand-père, qui lui avait légué son instrument. Il n'avait jamais joué que pour les siens. En parlant avec Gwenn Poncelet, une envie soudaine de se faire applaudir par un public se manifesta en lui. Le père Imbaud parlait peu. Il s'extériorisait vraiment quand il avait son instrument en main. Pendant qu'il jouait, il lui arrivait de fermer les yeux pour mieux goûter les sons qu'il faisait jaillir de son accordéon.

Le maître de la danse, Télesphore Crochetière, annonça le début des festivités. Une valse lente invita les danseurs sur la piste. Seuls les violons firent entendre cet air entraînant et chaud. Leila et Alexan DéMouy furent parmi les premiers à monter sur la piste de danse, comme à toutes les fêtes. Gwenn Poncelet vint dès le début inviter Armelle à danser. Ainsi toute la communauté remarqua sa nouvelle robe. « Comme il est gentil cet homme, et il avait deviné ma hâte de me retrouver sur la piste de danse. » Armelle avait envie de partager son bonheur avec tous les participants.

Puis vinrent les danses populaires, les quadrilles. Ce fut l'occasion pour l'accordéoniste et le tapeux de cuillères de faire valoir leur talent. Le meneur de la danse, de sa puissante voix, dirigeait les variations des différentes danses qui se succédèrent. Les couples tournoyaient sans relâche, ne semblaient pas manquer de souffle. Les deux pièces les plus populaires, les plus dansantes, restaient encore et toujours les rigodons du diable et du pendu.

Armelle et Pépa étaient assises tout près de l'estrade. Fières, elles observaient du coin de l'œil leur homme jouer tous ces airs endiablés et captivants et contemplaient le joyeux spectacle qui s'offrait à leurs yeux. « Merci, mon mari, je me sens rajeunie aujourd'hui », songeait Armelle. Elle se rendait compte qu'elle était regardée, et admirée peut-être. En dépit de toutes ces longues heures de labeur à la ferme, elle se voyait en ce jour encore belle et désirable. Ça lui faisait oublier qu'elle n'était que femme de paysan.

Il y eut une courte pause pendant laquelle les danseurs reprirent leur souffle et s'offrirent quelques rafraîchissements. C'était le moment choisi pour les jeunes hommes de se trouver une autre partenaire ou d'essayer de garder celle qu'ils avaient fait danser.

La danse allait reprendre. Au son d'un doux air d'accordéon, le meneur de la danse appela les couples sur le plancher de danse. C'est alors que Gwenn Poncelet s'approcha d'Armelle. « Madame, me faites-vous l'honneur d'une autre danse ? » demanda-t-il d'une voix douce. « Oui, monsieur, avec grand plaisir. » Armelle se sentait valorisée en dansant avec le gentil géant.

Déjà la fin de l'après-midi ! La musique dut s'arrêter. Les danseurs quittèrent lentement la piste de danse ; certains s'attardèrent. C'était le moment de rentrer. On bavarda encore un peu. On se promit d'être de la prochaine fête officielle. Les plus jeunes se retrouveraient le dimanche suivant. Les maraîchers et les artisans commencèrent à démonter leurs installations et à remballer ce qui était resté invendu. L'artiste Éwenn LeGeleux de l'échoppe Aux Trouvailles était en train de remballer ses choses.

— Hé ! monsieur LeGeleux ! Vous avez fait de bonnes affaires pour une première présence à la Foire ? lui demanda sa voisine, Floriane Bigué.

— Oui, madame, répondit celui-ci, je suis bien satisfait pour une toute première expérience. Et pour vous, ça valait le déplacement ?

— Je pense bien que oui. C'est mon fils qui gère l'exploitation maintenant. Je suis seulement venue donner un coup de main. C'est ma première participation à une fête du village.

— Vous n'avez pas dansé, je crois, commenta l'artiste.

— Non, pas aujourd'hui, pas cette fois-ci.

— Mais pourquoi donc ? s'étonna le père LeGeleux.

— Je n'étais pas assez bien mise pour me montrer sur la piste de danse parmi tous ces gens endimanchés pour la circonstance.

— Excusez-moi, fit le vieil artiste, une femme a son amour-propre, n'est-ce pas ?

— Peut-être une prochaine fois, qui sait.

— J'espère que nous vous reverrons à la prochaine Foire agricole. Et entre-temps, si vous venez à Clodey durant la saison froide, passez à mon échoppe, ruelle du Flâneur. Et si vous ne trouvez rien à acheter, peu importe, nous pourrons jaser un peu.

— Merci bien ! Je retiens l'invitation, dit-elle en offrant au vieil homme un sourire affable.

Floriane Bigué était une belle grande femme aux jolis contours féminins, qu'elle avait harmonieux et généreux. Un maintien digne et une démarche assurée. Elle portait bien ses quarante-huit ans. Ses longs cheveux bruns flottaient sur ses épaules. Elle les attachait parfois pour travailler dans la maison ou au potager. Ses yeux bruns offraient des reflets de son âme : ardeur et générosité. Le sourire facile, la parole spontanée.

Floriane avait toujours porté un soin particulier à sa santé et à son apparence. On remarquait la délicatesse de la peau de son visage et de ses mains. Mais elle s'était négligée depuis la mort de son mari. Une crise cardiaque l'avait emporté à l'âge de cinquante-cinq ans, il y avait un peu plus d'un an. Elle aimait beaucoup son mari qui la traitait bien. Cette mort inattendue l'avait laissée désemparée dans sa vie de femme. Heureusement, elle avait des enfants merveilleux. Son fils aîné avait pris la relève. Il s'était avéré un bon administrateur de leur exploitation agricole du chemin des Sapins. Sa famille comptait une fille et deux autres fils.

Floriane Bigué était d'une grande force morale et naturellement portée vers les beaux côtés de la vie. « Je vais retrouver le sourire et reprendre ma vie en main », s'était-elle promis. Cette veuve, encore jeune de cœur, ne se laisserait pas enterrer dans sa maison, dans son rang, dans son âme et dans son cœur. « Je vais sortir. » Toutes les semaines, Floriane accompagnerait dorénavant son fils au village pour faire les emplettes au magasin général. Et elle avait en outre décidé de participer aux fêtes de la commune et aux Foires agricoles.

Éwenn LeGeleux et Floriane Bigué s'étaient remis à la tâche de ramasser leurs affaires, l'artiste seul, la veuve avec son fils. Les festivaliers se dispersaient peu à peu. Quelques-uns restaient derrière. De nouvelles amitiés étaient nées, on voulait échanger un dernier mot. Les salutations s'étiraient…

L'automne, saison des récoltes, c'était aussi celle du cidre. Nolan apportait ses pommes et son baril de bois à la cidrerie. Le jus était recueilli dans ce baril que Nolan garderait dans la cave de la maison grise. Le moût commencerait alors à fermenter doucement, laissant aux dieux le loisir de venir y glisser la saveur si caractéristique de ce doux nectar. C'est ainsi que ce liquide légèrement sucré se transformait en une boisson discrètement alcoolisée qu'on nommait dans ce coin de pays « cidre d'automne ».

De temps en temps, Tristan et son petit frère descendaient au sous-sol en cachette et goûtaient ce liquide et chaque fois, ils faisaient une grimace de dégoût. « Ouache ! Que c'est méchant ! » s'exclamaient immanquablement les deux frères. Mais les deux jeunes lurons revenaient quand même en prendre une nouvelle gorgée une fois oublié le goût qu'ils avaient trouvé si désagréable.

En ce pays aux changements de saison bien marqués, c'était en octobre que les jeunes paysans en santé songeaient à monter au chantier pour l'hiver. Mais avant le départ, à la fin d'octobre, s'imposait une corvée automnale traditionnelle essentielle à la survie de toute maisonnée paysanne : l'abattage du porc le plus gras de la porcherie. Ce soir-là, au souper à la maison grise, ce fut le sujet de discussion. Tristan était inquiet, il se demandait comment ça se passerait.

— Demain, on fait boucherie, annonça Nolan. Dans la matinée, ici, et dans l'après-midi, chez votre oncle Axel. Puis après-demain, nous partons pour le chantier.

— Tu veux dire, précisa Tristan, que vous allez tuer le plus gros cochon. Pourquoi ?

— Il faut bien se nourrir, mon gars.

— Nous pourrions acheter la viande, non ? avança le fils aîné.

— Ouais, mais ce serait trop cher pour nos moyens, répliqua le père. Et ce cochon aurait été tué ailleurs de toute façon.

Tristan ne voulait absolument pas assister à cette mise à mort qu'il imaginait cruelle. Il ne sortirait pas de la maison. Il ne voulait pas entendre le cochon crier ni le voir souffrir. Mais il l'entendrait même s'il se bouchait les oreilles. Un porc traîné vers sa mort sentait ce qui l'attendait. Il criait, plutôt hurlait. Le condamné à mort poussait des rugissements effrayants, insoutenables. Ces sons lugubres, suraigus, ne pouvaient que s'enregistrer à jamais dans la mémoire d'un enfant.

— Changeons de sujet, suggéra Nolan. Quand je serai parti, tu vas aider ta mère avec le travail de la ferme. Tu as des outils à ta taille maintenant. Il faudra aussi surveiller ton petit frère, ta sœur ne sera pas là. Tu penses que tu pourras faire tout ça, mon gars ?

— Oui, papa, répondit Tristan avec assurance. Et maman et moi, on va penser à toi tous les jours en faisant le train.

— Moi aussi en abattant mes arbres.

La petite famille continua de manger en silence pendant un moment. Maïa n'était plus là pour partager les tâches à la cuisine. Armelle devait servir et desservir seule. Aymeric était tranquille dans sa chaise haute, il ne demandait pas trop d'attention.

— Quand allez-vous descendre du chantier ? demanda celle-ci.

— Nous devrions être ici quelques jours avant la fin décembre, estima Nolan.

— Nous allons t'attendre papa, lança Tristan sur un ton emporté.

— Tu vas venir à ma rencontre au chemin ?

— Je te le promets.

Le lendemain, on tua le cochon. Tristan resta dans la maison. Il se boucha les oreilles, en vain. « Maman, j'en peux plus d'entendre ces cris », se lamentait-il. « Patience, mon grand, ça sera plus très long », essayait de le raisonner sa maman. « Aide-moi plutôt à éplucher ces pommes de terre et à peler ces oignons pour le dîner », lui proposa-t-elle dans le but de lui changer les idées. La journée se passa. Tristan mangea peu au souper, il n'avait rien pu avaler au dîner.

Ce soir-là, Tristan se retrouva au lit à son heure habituelle. Il n'arrivait pas à fermer l'œil. Le besoin d'entendre son Guide se faisait sentir.

Je t'écoute, fais-moi part de ce qui te trouble, dit sa voix intérieure.

— La vie, est-ce qu'elle doit nécessairement être cruelle ? Les gros animaux mangent les plus petits. Les humains mangent ceux qu'ils élèvent. Il ne pourrait pas en être autrement ?

Non, c'est prévu ainsi dans le grand Plan de l'univers où tu as été envoyé. Cette vie que tu découvres, c'est aussi souffrir un peu et parfois beaucoup. La souffrance est une partie intégrante de la réalité terrestre.

— Et je devrai apprendre à vivre avec cette réalité, je présume.

Oui, tu y arriveras et quand tu auras besoin de parler pour soulager ton mal de vivre, je serai toujours là pour t'écouter et t'encourager. Et il y a ta maman, ne l'oublie pas. Tristan. Ne t'inquiète pas, ton cheminement sur cette planète Terre se déroule comme prévu. Maintenant, il est l'heure de dormir, demain, il y a du travail qui t'attend, conclut son Guide.

Tristan remonta ses couvertures. Il arriva à s'endormir. Il passa une bonne nuit malgré la journée troublante qu'il avait vécue. Il ne fit aucun cauchemar, son Guide veillant sur sommeil.

Le surlendemain, Armelle prépara un copieux déjeuner. Ce jour-là, son homme montait au chantier pour deux mois.

— Nolan, j'ai mis dans ton baluchon des vêtements, du savon, des serviettes, ton tabac et du papier à cigarette. Tu as ton sac pour tes outils. Est-ce que j'ai oublié quelque chose ? s'enquit Armelle.

— Non, je ne pense pas, merci, ma femme. Tristan, ça va être toi l'homme de la maison pendant mon absence. Tu vas être à la hauteur, tu crois ?

— J'en suis sûr, papa, affirma-t-il.

— Ils arrivent, annonça Armelle, en jetant un coup d'œil à la fenêtre.

Firmin venait chercher Nolan. Celui-ci prit sa dernière bouchée, se leva et se dirigea vers la porte où l'attendaient son baluchon et son sac à outils. Il se chaussa, s'habilla, prit ses bagages, ouvrit la porte, se retourna et sourit à sa famille.

— Salut ! Deux mois, c'est vite passé ! dit-il, n'étant ni convaincu ni convainquant.

— Au revoir, mon mari, sois prudent, lui recommanda sa femme sur un ton triste en pensant qu'elle ne le verrait pas durant les deux prochains mois.

— Au revoir, papa, dit Tristan d'une voix mal assurée...

Nolan sortit avec ses bagages pour rejoindre son frère et son père qui l'attendaient au chemin. Une petite neige tombait mollement, la première de la saison. Firmin conduirait ses deux fils au bourg de Clodey et de là, ils seraient conduits au chantier.

« C'est vite passé deux mois vu que j'aurai beaucoup de choses à faire chaque jour, songea le fils aîné, mais tu vas me manquer, papa, et à maman aussi... » Et il alla à la fenêtre rejoindre sa mère qui regardait la voiture s'éloigner jusqu'à ce qu'elle disparaisse derrière la petite colline...

Nolan revint du chantier quelques jours avant la fin de décembre. La neige avait été abondante durant novembre et décembre, mais les paysans avaient réussi à garder leur bout de chemin assez bien déblayé. La circulation n'avait pas été trop perturbée.

Viateur Priaux vint reconduire Maïa pour sa pause du temps des fêtes. À leur arrivée, Nolan sortit pour les accueillir, il descendit l'escalier pour aller aider sa fille à descendre du traîneau. « Bonjour, ma fille, content de te revoir après quatre mois », dit-il avec sa voix la plus chaleureuse, « entre vite, tout le monde t'attend. »

— Bonjour, papa, j'avais hâte de te revoir, moi aussi, fit la grande fille, touchée par l'attention de son père et émue par le ton de sa voix qui lui rappelait de doux souvenirs de sa petite enfance.

— Beau-père, entrez tout de suite, vous aussi, je vais aller dételer, lui offrit Nolan.

— C'est pas de refus, mon gendre, ça va faire du bien de réchauffer mes vieux os.

Maïa monta les marches de l'escalier en courant et entra en coup de vent : « Je suis contente de vous revoir tous », lança-t-elle souriante et transportée. « Nous aussi, ma grande, nous aussi, on t'attendait », lui répondit sa maman d'une voix ravie et attendrie, « ce matin même, ton père demandait quand tu revenais. »

Viateur entra derrière sa petite-fille, salua, enleva ses bottes, son manteau et son couvre-chef en peau de rat musqué.

— Le voyage a dû vous mettre en appétit, mon père, on va passer à table dès que Nolan rentrera de l'étable.

— Oui, ma fille, ça va être bien apprécié, fit celui-ci.

Viateur avait une lettre pour sa fille, c'était sa mère qui lui écrivait. Armelle la mit dans sa poche de tablier, elle la lirait après le dîner. « Ce n'est sûrement rien de grave, sinon mon père me l'aurait déjà annoncé », se dit-elle. Peu après, Nolan rentrait, on passa à table.

— Maïa va ben à l'école, déclara le grand-père. C'est la maîtresse qui l'a noté dans son dernier bulletin.

— Je te félicite, ma grande, je suis fière de toi.

— Moi aussi, je te félicite, intervint Tristan avant que sa sœur eût le temps de lui répondre.

— Merci beaucoup. La maîtresse, continua-t-elle, est très gentille, mais il faut obéir à la lettre. Elle a une grosse règle en bois et elle en donne des coups sur la paume des mains des garçons désobéissants ou turbulents.

— Comment ça? répliqua Tristan, juste les garçons reçoivent des coups de règle. Et les filles, elles?

— Les filles, elles, répondit sa sœur, sont sages et font ce que demande la maîtresse.

— Grand-père, continua Tristan en changeant le sujet de la conversation, comment va le fou du village?

Viateur expliqua qu'il n'en savait rien. Il l'apercevait traînasser dans les quelques rues du village. Il n'avait jamais essayé de lui adresser la parole. Qu'est-ce qu'on peut dire à un fou du village? Le grand-père n'osait même pas le regarder.

— Moi, je vais lui parler quand je vais le voir, affirma Tristan.

— Ce n'est pas sûr qu'il aura des choses intelligentes à te dire, rétorqua sa mère.

— Les Joyandet, reprit le grand-père en changeant encore de sujet, ont toujours de la misère à trouver d'aussi bons employés que vous deux.

— Ça fait du bien d'entendre ça, commenta Nolan qui n'avait pas dit grand-chose durant le repas, ayant préféré écouter son beau-père et sa petite famille.

On arrivait au dessert, une tarte au sirop d'érable. Il y avait aussi du sucre à la crème pour souligner le retour de la grande fille. Armelle aurait aimé voir sa mère, elle qui lui avait appris à faire tous ces bons desserts. « Pourquoi est-ce que vous n'avez pas emmené ma mère? » demanda-t-elle. Viateur expliqua qu'Évélina n'aimait plus sortir par grand froid et qu'elle se sentait encore affaiblie par l'été difficile qu'elle avait passé. Ses allergies saisonnières l'avaient affectée plus que d'habitude. « Ta mère se porte pas très bien par les temps qui courent. »

— Et ma cousine Mignonne, vous avez de ses nouvelles?

— Elle va bien, on a appris dernièrement qu'elle était enceinte.

— Enfin! Elle qui avait tellement hâte de tomber enceinte.

Son dessert fini, le grand-père se mit longuement à rapporter tout en prenant son thé les plus récents potins de son coin, mais il évita, bien sûr, de parler de ses esclandres à lui. La grand-mère le ferait. On l'écouta attentivement. Quand Viateur partait sur une lancée, il ne fallait pas l'interrompre.

Viateur prit un deuxième thé, puis jugea qu'il était temps de rentrer à Aubrey, il voulait arriver avant la brunante. Après le départ de son père, Armelle prit quelques minutes pour lire la lettre que lui avait écrite sa mère.

Merci de m'avoir écrit cet automne. Je suis bien contente d'apprendre que tu vas bien malgré la surcharge de travail, mais tu as Tristan pour t'aider. Il est si fort et si travailleur. J'espère pouvoir aller vous visiter l'été prochain. Ton père est bien difficile à convaincre de sortir d'Aubrey. Il est toujours aussi malcommode, mais je dois dire qu'il est bien aimable avec Maïa. Elle lui rappelle sûrement sa fille préférée. Tu l'as bien élevée, ta fille. Elle a bon caractère et de belles manières. Et elle est si serviable dans la maison. Tous les soirs, elle s'installe sur la table de cuisine pour faire ses devoirs près de la lampe à l'huile. Elle va bien à l'école. Le mois dernier, elle est arrivée première. J'ai hâte qu'elle revienne. Avec elle, je peux parler, le temps me semble moins long. Tes sœurs vont bien. Écris-moi.

Quand elle vit que sa mère avait fini de lire la lettre, Maïa arrêta sa besogne.

— Tiens, ma grande, tu veux essayer de la lire ? dit Armelle en lui tendant la lettre.

— Merci, maman.

Maïa ne comprit pas tous les mots qu'elle lisait, mais elle put saisir le message que transmettait cette missive. Ça lui fit du bien. La grande fille se sentit encouragée à continuer à travailler fort. Cette lettre inattendue de sa mère avait profondément touché Armelle. Sa fille réussissait bien à l'école et elle avait établi une bonne relation avec son grand-père. « Quel beau cadeau, merci ! »

Deux jours plus tard, par un après-midi de froid mordant et de petit vent cinglant, les parents de Tristan se rendirent au magasin général de Clodey pour y trouver des gâteries pour le Jour de l'an : des douceurs sucrées et des oranges. C'était la seule période de l'année où Gwenn Poncelet offrait à ses clients ce délicieux fruit en assez grande quantité pour répondre à la demande. Les oranges étaient importées du sud du grand pays. Une gâterie qu'on s'offrait seulement à cette période de l'année, car ce fruit exotique coûtait trop cher pour les moyens de la majorité des citoyens de Clodey. La veille du Jour de l'an, Armelle accrocherait trois bas à la rampe de l'escalier, comme ça se faisait dans toutes les chaumières. Le lendemain matin, les enfants, tout surpris et tout contents, trouveraient dans leur bas une belle orange et quelques douceurs.

Au magasin général, Gwenn Poncelet se trouvait sur place, tout sourire, accueillant ses clients et les conseillant sur leurs achats.

— Bonjour, monsieur Poncelet, dit Armelle, comment allez-vous ?

— La santé, ça va, merci. Et vous deux ?

— Ça va, répondit-elle. Nous sommes venus pour quelques emplettes et pour nos achats des fêtes.

— Et qu'est-ce que vous avez en tête comme achats ?

— Nous voulons, précisa Armelle, quelques douceurs et des oranges.

— Regardez, vous trouverez tout ce qu'il vous faut sur les comptoirs.

À cette période de l'année, les comptoirs regorgeaient de douceurs de toutes sortes et d'un certain nombre de petits jouets. À chaque bout du plus long comptoir se trouvait une grosse caisse d'oranges. Armelle se choisit des oranges et des petites gâteries pour les enfants ainsi que quelques jouets. Elle se présenta à la caisse avec son sac où l'attendait Nolan.

— Tu as trouvé tout ce que tu voulais ? demanda celui-ci.

— Oui, je suis contente de mes achats : les oranges, les douceurs et les jouets. Nous allons rentrer tout de suite avant la noirceur si tu veux bien.

— D'accord, acquiesça Nolan, je vais payer et nous y allons.

Gwenn prit l'argent que lui offrit Nolan, l'argent gagné au chantier.

— Merci bien. Bonne rentrée et bonne année à vous deux.

— Bonne année à vous aussi.

À la petite maison grise, après le souper, la petite famille se regroupa autour du poêle qui répandait sa chaleur, douce et assoupissante. Ce serait une soirée tranquille. Le lendemain, le Premier de l'an, il y avait une fête à la grande maison comme chaque année, excepté l'année du décès d'Emma. La parenté était attendue à la fin de l'après-midi pour le souper et la danse qui suivrait. Armelle apporterait quelques desserts qu'elle aimait bien cuisiner et Pépa ferait étalage encore une fois de son talent culinaire.

Nolan alla chercher son violon, s'installa avec les siens près du poêle et joua plusieurs airs du pays. « J'aime toujours autant t'entendre jouer, papa », songea Maïa. « Merci, mon mari, de jouer pour nous en cette veille du Jour de l'an. » Tristan se disait qu'il apprendrait à jouer du violon un jour. « J'ai sûrement ce talent. » Sous l'effet combiné des airs doux du violon et de la chaleur diffuse dégagée par le poêle, Tristan et Maïa s'assoupissaient peu à peu. Aymeric dormait depuis un bon moment. Cet enfant dormait beaucoup, son père l'appelait souvent *mon chat dormeux*. « Allez les enfants, c'est l'heure d'aller se coucher, lança Armelle, nous avons une grosse journée demain. » Sans rechigner et d'un pas chancelant, Tristan et Maïa allèrent se mettre au lit.

Le lendemain matin, alors que Nolan était sorti faire son train et qu'Armelle et sa fille préparaient le déjeuner, Tristan sortit de sa chambre, il aperçut les bas accrochés à la rampe de l'escalier. « Maman, qu'est-ce qu'il y a dans les bas ? » s'exclama-t-il tout excité. « Regarde et tu le découvriras », lui répondit sa sœur. Ce qu'il fit sur-le-champ. Le grand garçon déposa le contenu des bas sur la table. Il y avait dans chacun des bas une orange et des douceurs, ces douceurs qu'on offrait aux enfants seulement durant cette période de l'année. « Merci beaucoup maman », dit-il en regardant sa mère avec ce sourire unique qui l'émouvait chaque fois.

— Nous allons manger une moitié d'orange ce matin et l'autre moitié, ce midi, suggéra Armelle.

— Bonne idée, maman, comme ça, nous allons faire durer le plaisir, approuva d'emblée le grand garçon.

Le déjeuner baigna dans une atmosphère détendue, joyeuse et magique. Ce fut un repas de partage de nourriture, de petites douceurs et de grand bonheur. « Papa, comment c'était les fêtes quand tu étais enfant ? » s'enquit Tristan. Nolan raconta qu'alors la vie était rude et que les enfants recevaient moins de gâteries. « On n'avait pas une orange chaque année. » Sa mère était sévère, mais lui, ses frères et sœurs avaient quand même eu une enfance heureuse.

— Tu vois, ma sœur, nous sommes nés dans la bonne famille et à la bonne époque, en conclut Tristan le plus sérieusement du monde.

— Pour une fois, mon frère, je suis d'accord avec toi, répliqua Maïa, adoptant un ton jovial.

Les deux parents regardaient leurs enfants se parler amicalement. Ça leur apportait une grande joie vivre, ça mettait un baume sur leur vie parfois dure de paysans. Le déjeuner se prolongea. Au dîner, on se contenterait d'une soupe avec du pain de ménage, et de sa moitié d'orange. Nolan tenait à ne pas arriver le dernier à la grande maison. Il ferait son train de bonne heure.

Nolan et sa famille furent reçus à la grande maison par son père, heureux de les voir. « Allez, entrez, déshabillez-vous, venez rejoindre les autres, Axel va s'occuper d'aller dételer ton cheval », dit le père Firmin, affichant son air des beaux jours.

— Bonjour, grand-père, lança Tristan d'une voix forte et enjouée, je suis content de vous revoir.

— Moi aussi, mon p'tit gars, moi aussi, fit celui-ci.

On se salua et échangea ses vœux pour la nouvelle année. Firmin offrait un verre aux hommes. Pépa, quant à elle, servait un verre sans alcool aux femmes. Les enfants auraient pour leurs jeux la chambre principale où gisaient pêle-mêle sur le grand lit manteaux, pardessus et pelisses.

Quand tous les invités furent arrivés, Pépa les invita à passer à table. Deux grandes tables montées dans la cuisine d'été ouverte pour l'occasion accueillirent les convives. Les enfants avaient leur table dans l'autre cuisine. Élodie et Maïa s'occuperaient de les servir. Pépa viendrait jeter un coup d'œil de temps en temps. Tous et toutes bien installés, un des fils, Dorius, se leva son verre à la main : « Levons nos verres à la mémoire de notre mère et à la santé de notre père et de notre belle-sœur qui nous reçoivent. » Et en chœur, tous répondirent : « À notre mère et à notre père. » Firmin, gêné, touché, sourit et remercia.

Et la grande cuisine d'été baigna dans une atmosphère conviviale, magique et bruyante. Cette grande maison qui avait vu grandir tous les enfants Bouïos les conviait à fêter sans retenue. Tout un chacun mangea, but, raconta des histoires et chanta des chansons à boire. Eusèbe et Honoré, bonnes fourchettes, acceptèrent une deuxième assiettée, mais ils ne se privèrent pas de dessert pour autant. Petits et grands firent leurs délices de ce gâteau aux fruits, spécialité du Premier de l'an, du gâteau aux carottes, des tartes aux œufs et au sirop d'érable. Mais l'hôtesse avait gardé le meilleur pour la fin : les carrés aux dattes selon une recette propre à Armelle.

À la fin du repas, la fille aînée de la famille, Attala, se leva et, d'un geste grave, imposa le silence : « Je voudrais au nom de tous et de toutes remercier notre père et en particulier Pépa de recevoir la famille comme ils le font depuis la mort de notre mère. » Tous applaudirent, les mains levées et tendues vers l'hôtesse. « Merci, merci beaucoup ! » fit celle-ci, bien contente de voir son travail de préparation reconnu. « Maintenant, poursuivit Pépa, nous allons desservir et puis danser au son des violons. » L'approbation fut générale. Les tables furent débarrassées, les mets et les desserts restant déposés dans la chambre froide. Les hommes accotèrent la plus longue table au mur, y déposèrent deux chaises. Nolan et Axel y montèrent avec leur violon. Le centre de la pièce fut libéré, la danse pouvait commencer.

Un des fils Bouïos, Florian, s'improvisa maître de danse et invita les couples à s'avancer : « Tout le monde en place, on commence par un premier quadrille.» Les couples s'amenèrent au centre de la pièce. Les deux violoneux firent entendre le rigodon du diable. «Tout le monde balance et tout le monde danse, tout le monde balance et tout le monde danse...» Et les couples s'élancèrent tout autour de la piste de danse dans un tourbillon qui semblait ne jamais devoir s'arrêter. Et les couples s'abandonnèrent au plaisir que faisait naître cet air au rythme frénétique, échevelé. Cette musique à la fois légère et grave, affolante et rassurante transportait, faisait s'évader et oublier pendant un moment les soucis de sa vie de tous les jours. On aurait voulu que ce soit sans fin. Mais après de nombreux tours de piste: «Domino, les femmes ont chaud, domino les femmes ont chaud.»

Il y eut une courte pause qui allait permettre de retrouver son équilibre et son souffle et de prendre quelques gorgées de boisson du pays ou de cidre d'automne. Puis la danse reprit et ça se continua durant des heures.

Pendant que la majorité dansait, d'autres chantaient, certains tapaient des mains au rythme de la musique, le père Firmin, lui, était assis dans sa berçante devant la fenêtre à côté du poêle. Il avait dansé une seule fois dans sa vie, le jour de ses noces. Mais le spectacle qui se déroulait sous ses yeux le réjouissait. Les quelques verres qu'il avait pris augmentaient l'ivresse qui l'avait envahi. Durant ces moments précieux, c'étaient les images du passé qui, avec nostalgie, ressurgissaient dans sa mémoire.

Le grand-père réfléchit un moment à sa vie qui s'achevait. «Comme c'est vite passé une vie même longue, on ne prend jamais le temps de la regarder filer. Et quand on a le temps de le faire, c'est trop tard, il ne nous reste que quelques souvenirs.» Depuis la mort de sa femme, Firmin se faisait souvent cette réflexion. Emma montrait très rarement sa joie, même lors des fêtes familiales, mais il avait toujours su, lui, qu'elle prenait plaisir à voir les siens se rassembler et s'amuser. «Tu aurais pu rester encore un peu», lui reprocha-t-il gentiment, l'imaginant au milieu des siens, «ce soir, tu aurais été heureuse, dix de nos enfants sont venus festoyer dans cette maison qui les a vus naître et grandir.»

Firmin était veuf depuis quatre ans. Il lui arrivait souvent de se sentir seul dans la grande maison, même s'il était entouré de plusieurs personnes. «On ne me parle plus.» Mais son petit-fils Tristan, quand il le gardait, lui, lui parlait, il se sentait moins vieux quand ils étaient ensemble. Emma parlait peu, mais ses paroles peuplaient encore son univers. Elle avait été l'âme de la grande maison. Avec sa mort, c'était une bonne partie de sa ferveur de vivre qui s'était refroidie.

Certains événements restaient encore et toujours mystérieux pour l'aïeul. Il n'arrivait toujours pas à comprendre pourquoi son fils Aubin s'était exilé. Il aurait bien pu s'accommoder des remarques blessantes adressées à sa femme. « Mais Aubin, c'était le moins coriace de mes gars. » Une autre pensée douloureuse l'assaillait souvent. Sa plus jeune fille, Blanche, sa préférée, il ne l'avait pas revue depuis tant d'années. « Je sais que ce n'est pas facile pour toi, ma fille, j'espère que tu arrives à t'arranger malgré tout ce chagrin qui est le tien. Mon vœu le plus cher, c'est qu'on se revoie avant ma mort. Bon courage, ma fille ! » Firmin accepta le verre que lui offrait Axel, il en prit une bonne gorgée. Il observait les siens s'amuser et essayait d'oublier un peu ce qui lui faisait mal. « Si l'on pouvait se souvenir que des belles choses… »

Pendant tout ce temps-là, les enfants jouaient dans l'autre cuisine et dans la chambre principale. Tristan avait été accepté comme meneur de jeu. Tous faisaient de bon gré ce qu'il demandait ou suggérait. Le grand garçon sentait que ce rôle lui convenait bien.

Et la musique se fit discrète. Les derniers pas de danse résonnèrent sur le plancher de bois franc. Peu à peu, le calme revint dans la grande maison. Les conversations continuèrent un moment. Il commençait à se faire tard, il fallut penser à rentrer. Les invités se souhaitèrent encore une fois une bonne année et remercièrent leurs hôtes. Et l'on dut se résoudre à se laisser.

Trois jours plus tard, Maïa retournait à l'école à Aubrey. Le lendemain, les frères Bouïos remontaient au chantier, ils reviendraient pour la saison des sucres.

Ce soir-là après le train, Tristan et sa maman rentraient à la maison.

— Si tu le voulais, mon grand, tu pourrais rester dehors et nettoyer rapidement les sentiers, lui suggéra celle-ci, ça serait fait pour demain, le temps n'est pas à la neige.

— Oui maman, bonne idée, accepta-t-il d'emblée.

— À tout à l'heure, je vais t'attendre pour le souper.

Le ciel était dégagé. La lune et les étoiles avaient fait leur apparition depuis un moment. Il avait neigé un peu durant la journée, une neige légère facile à déplacer. Tristan monta derrière sa mère pour aller chercher sa gratte qu'il laissait toujours sur le perron près de la porte, appuyée contre le mur, et il se mit en devoir de déblayer ses sentiers.

Le sentier le plus long était celui qui menait à la boîte aux lettres. Arrivé au chemin, Tristan planta sa gratte dans la neige et ouvrit la boîte aux lettres. Elle était vide bien entendu, il était venu vérifier durant la matinée. Il pensa à son père, perdu dans une grande forêt. « Il ne peut pas écrire du chantier, c'est bien sûr. Quand il reviendra, j'aurai quatre ans, je pourrai alors l'accompagner à la cabane à sucre. » C'est à ce moment-là que Tristan aperçut un majestueux corbeau qui plongeait à tire-d'aile vers lui, c'était un corbeau à la nuque blanche. « Est-ce que c'est toi qui avais souhaité la bienvenue à ma mère lors de notre arrivée à la maison grise ? Je me souviens, j'étais dans son ventre. » L'oiseau géant fit demi-tour, revint vers Tristan et plana près de lui. Le grand garçon ne broncha pas, il ne sentait pas cette manœuvre le moindrement menaçante. C'était la réponse à sa question.

« Ta présence est de bon augure. » Le corbeau à la nuque blanche tourna la tête vers Tristan, puis reprit de l'altitude en direction de la grande forêt. « Ce corbeau est venu m'annoncer de bonnes nouvelles : la santé de maman va se maintenir, Aymeric n'attrapera pas de maladie grave comme la coqueluche, grand-père va passer un autre hiver, ma sœur Maïa va encore bien faire à l'école et il ne tombera pas trop de neige dans la forêt où travaille papa. »

Tristan reprit sa gratte, tous ses sentiers étant dégagés, il rentra.

— Ô maman ! Pourquoi les quatre chandelles allumées sur le gâteau au centre de la table ? s'exclama-t-il en ouvrant la porte, surpris.

— C'est pour toi, mon grand, c'est ton anniversaire de naissance aujourd'hui, tu as quatre ans. Bonne fête Tristan !

— Ah merci, maman, d'avoir pensé à ma fête ! murmura-t-il d'une voix émue et les yeux brillants de larmes, des larmes de joie et de reconnaissance.

Armelle n'oubliait jamais les anniversaires des siens. Un mois avant, c'était l'anniversaire de Maïa, elle avait eu sept ans. Elle lui avait écrit une lettre de bons vœux de fête de sa part, de la part de son père, de Tristan et de son petit frère Aymeric.

« Mon grand, tu vas éteindre les quatre chandelles d'un seul souffle et ton souhait le plus cher va se réaliser. » Tristan pensa à la santé de sa maman à la ferme. Il souffla les quatre bougies.

Ce soir-là, la petite famille, sans le père au chantier, sans la grande fille chez ses grands-parents, prit un bon souper et dégusta un succulent dessert, un gâteau aux carottes. Le petit Aymeric dans sa chaise haute réclamait lui aussi son morceau de gâteau.

Tristan avait une âme sensible, il ressentait profondément ses émotions. Il mit du temps à sécher ses larmes qui s'obstinaient dans ses yeux. Cette attention de sa mère l'avait touché jusqu'au fond du cœur, l'avait chaviré. « Ma mère, avec sa surcharge de travail et les responsabilités de la famille et de la ferme reposant sur ses frêles épaules, ne cesse de penser à nous. Et elle réussit à trouver le temps et l'énergie de souligner nos anniversaires. Je n'oublierai jamais, maman, merci... »

17

En ce début de mai, les semences étaient terminées dans la grande région de Clodey. Les terres avaient été ensemencées de blé, d'avoine, d'orge et de sarrasin, ce blé noir, comme disaient encore les anciens. Cette céréale, plus résistante aux maladies et aux grandes chaleurs, avait remplacé le blé durant les grandes sécheresses des temps passés.

Ce matin-là, le train terminé, Nolan et son fils Tristan rentraient pour le déjeuner. Ils avaient faim. Le fils trottait devant son père qui avait allongé le pas. Le temps était doux. Armelle avait ouvert la porte de la cuisine : l'odeur du mets préparé se répandait à l'extérieur.

— Dépêche-toi papa, lança Tristan à son père en tournant la tête de côté, maman a préparé notre déjeuner préféré, une omelette.

Les deux affamés entrèrent.

— Ça sent bon ici dedans, ma femme, dit Nolan d'un ton jovial.

— Oui, papa, maman a fait une omelette au jambon pour nous deux, enchaîna le fils aîné.

— Ta mère et ton frère ? le coupa celle-ci, est-ce qu'ils vont avoir le droit d'y goûter ?

— Mais, voyons donc, maman ! Tu sais bien que oui ! se reprit Tristan, un peu mal à l'aise. Tu es la meilleure cuisinière du canton, pas vrai, papa ? ajouta-t-il, essayant de racheter sa bourde.

— Bien d'accord, acquiesça celui-ci.

— Je vais mettre mon frère dans sa chaise haute et nous allons nous approcher de la table pour manger, continua le grand frère.

— Voyons Tristan ! Qu'est-ce qui t'arrive, on oublie les bonnes manières ce matin, on se lave plus les mains avant les repas ? lui fit remarquer sa mère en haussant un peu le ton.

— Excuse-moi, maman, je suis un peu impatient. Il y a cette bonne omelette qui nous attend et je sens que cette journée sera bonne pour toute la famille.

— Bon, dit Nolan, la journée va être bonne d'après notre fils, commençons-la par un succulent déjeuner. Il s'est lavé les mains, alors on peut passer à table.

Chacun mangea avec appétit. Tristan aidait de temps en temps son petit frère Aymeric, pas encore très habile avec sa fourchette.

C'était une belle matinée de la mi-mai. La débâcle de la rivière avait causé peu de dégâts ce printemps-là. C'était à cette période-là que la petite rivière se gonflait et regorgeait de poissons qu'on ne retrouvait plus durant l'été. Les eaux avaient commencé à se retirer. C'était le moment idéal pour la pêche. La veille, les deux frères et leur père avaient décidé que le lendemain soir, ils feraient leur première partie de pêche.

— Mon gars, annonça Nolan, mange bien, fais une bonne sieste, ne te fatigue pas trop parce que tu vas veiller avec nous ce soir.

— Qu'est-ce que nous allons faire, papa ?

— Nous allons à la pêche. Tu vas nous accompagner, depuis le temps que tu en parles. Ton grand-père et ton oncle Axel y seront.

— Oui, je vais aider grand-père à faire le feu. Et puis nous allons parler devant notre feu parce qu'il ne pêche plus, mon grand-père. Il m'a dit que tu invitais toujours le vieux garçon malcommode.

— Il tient à être de chacune de nos parties de pêche, fit remarquer Nolan.

Le vieux garçon bougon se nommait Séverin Baudrillard. Il habitait à la croisée des chemins — les rangs du Ruisseau sacré et des Quat'Matins — une vieille maison de briques rouges, coin sud-est. Du pont, c'était à vingt minutes de marche. Grand gaillard, de forte carrure, aux gros membres, aux larges épaules et aux mains massives, Séverin était fort comme quatre. Le vieux célibataire paraissait plus vieux que ses quarante-cinq ans. La vie l'avait usé prématurément. Il laissait voir un front plissé par les soucis réels ou imaginaires. Le malcommode, comme on l'appelait dans le canton, présentait une démarche raide et lourde, mais il avançait à grandes enjambées, même quand rien ne pressait. Il portait toujours de grosses chaussures, ce qui alourdissait son allure.

Séverin avait les cheveux noirs taillés en brosse et les sourcils épais. On voyait bien ses grands yeux gris enfoncés chargés de défi et qui reflétaient la plupart du temps une colère mal dissimulée. Il prenait plaisir à dévisager sans vergogne les gens, surtout les étrangers. Un visage rond, fermé, souvent mal rasé. Toute coloration avait disparu de son visage, il ne restait plus que son nez rosi par tout cet alcool dont il abusait quotidiennement. Fils unique, il habitait seul depuis la mort de ses parents. L'homme vivait pauvrement. Sur sa petite ferme, il gérait un modeste élevage de bœufs de boucherie. Il achetait son foin et ses céréales des Bouïos.

Baudrillard affichait toujours l'air grave et sévère des gens qu'il valait mieux éviter. Il s'était donné une façade derrière laquelle il s'était réfugié il y a longtemps. Son sourire se faisait rare, mais les blagues grivoises que les hommes se racontaient entre eux déclenchaient chez lui un rire gras et tonitruant : un de ses rares moments de plaisir.

D'apparence calme, l'homme sortait de ses gonds au moindre mot de travers qu'on lui adressait. Rongé pas ses démons intérieurs — la solitude, la banalité de son existence, une routine de vie dérisoire, le manque de projets —, Séverin sentait néanmoins au fond de lui le besoin des autres, mais sa personnalité revêche les repoussait. Il avait eu maille à partir au cours de sa vie avec presque tous les hommes du canton, excepté les Bouïos. Jeune, il avait compris que ces derniers ne pourraient être intimidés par ses yeux méchants, sa voix autoritaire, ses mots grossiers et ses poings brandis. Il s'était plutôt rapproché d'eux : ses seuls amis. Le vieux grognon respectait aussi son voisin, le forgeron et le gentil géant du magasin général.

Le triste personnage comptait peu de plaisirs dans sa vie : faire le faraud, prendre sa ration quotidienne d'alcool, rencontrer de temps en temps le père Bouïos et ses fils, et la pêche du printemps.

— S'il est si grognon, pourquoi l'inviter ? demanda Tristan, perplexe.

— Parce que c'est une vieille connaissance, expliqua Nolan. Puis avec nous, il a toujours été correct. Plus jeune, il était moins grincheux. Il raconte des histoires qui nous font bien rire. C'est un bon travailleur. Mon père l'a engagé plus d'une fois. Il a travaillé à la construction de nos bâtiments de ferme. Et en plus, il nous laisse ses prises. Il n'aime pas le goût du poisson.

— J'ai bien hâte de lui voir la binette, enchaîna le fils.

— Il faudra faire ça discrètement, mon gars, Séverin n'aime pas beaucoup les enfants.

— Il n'y aura pas d'alcool à la rivière ? s'inquiéta Armelle.

— Non, Baudrillard sait très bien qu'il ne doit rien apporter à boire quand il nous rencontre.

— J'espère que tu vas attraper de mon poisson favori, dit Tristan.

— T'inquiète pas, mon gars, il y en a beaucoup à ce temps-ci de l'année de ton poisson favori, la barbote.

Ce jour-là, Tristan fit une sieste écourtée, il avait mis du temps à s'endormir. Le grand garçon trouva la journée longue. Après le souper, le père et son fils allèrent rejoindre les trois autres qui venaient d'arriver à la rivière pour la soirée de pêche. Nolan avait apporté son matériel de pêche et les vers de terre que Tristan avait déterrés dans le potager.

— Bonsoir vous autres, lança Nolan sur un ton jovial.

Axel et Firmin rendirent la salutation sur le même ton et Séverin Baudrillard fit de même, heureux d'être là pour la pêche avec des gens qu'il aimait bien.

Le grand-père avait commencé à marcher le long de la berge pour ramasser du bois rejeté par la rivière lors de la débâcle et qui traînait çà et là. « Attendez-moi, grand-père, je vais aller ramasser des branches avec vous », cria Tristan. « Arrive, mon p'tit gars, c'est pas le bois qui manque cette année. » À la nuit tombée, il ferait frisquet, la chaleur et la lueur d'un bon feu seraient les bienvenues. Les trois pêcheurs s'installèrent au bord de l'eau et mirent en œuvre leurs stratégies et tactiques de pêche. Séverin parlait fort, mais il avait adopté un ton joyeux. Il savourait ces moments privilégiés.

Il y avait un peu en retrait cinq grosses bûches autour de l'emplacement où l'on faisait le feu année après année. Le grand-père et le petit-fils se choisirent une bûche et s'assirent devant le tas de petites branches et d'écorces séchées bien placées. Ça s'enflamma facilement et le feu naissant laissait entendre de joyeux crépitements.

— Grand-père, mon père m'a dit que vous fumiez la pipe déjà. L'avez-vous apportée ? Ça serait le bon moment de l'allumer ici près du feu, vous pensez pas ?

— Je fume plus, ma vieille pipe est au fond d'un tiroir.

— Mais pourquoi donc ?

— Quand ta grand-mère est morte, ta tante Pépa m'a fait comprendre expressément qu'elle ne voulait plus de fumée de tabac à pipe dans la maison. Ça sentait trop mauvais qu'elle disait. Et quant à fumer dehors, au froid l'hiver, j'ai préféré arrêter complètement.

— L'hiver, vous pourriez fumer dans l'étable au chaud, non ?

— On fume jamais dans l'étable, même la cigarette, trop dangereux pour le feu.

— Et vous n'avez pas protesté, même si mon oncle Axel, lui, fume la cigarette dans la maison ?

— C'est difficile de discuter avec ta tante Pépa, tu sais, c'est elle la maîtresse de maison. J'ai préféré arrêter et me taire pour avoir la paix.

— Moi, je pourrais lui parler, lui expliquer que ce n'est pas juste, proposa spontanément le petit-fils.

— Non ! Je ne veux pas, ça ferait de la chicane et je préfère éviter ça à la famille. Tu sais, à mon âge, on voit mieux ce qui est important et ce qui l'est moins. Fumer, c'est bon, mais c'est pas essentiel pour vivre alors que la paix dans la maison, ça l'est.

Firmin continua de se raconter ; Tristan écoutait religieusement. Le grand-père décrivit les parties de pêche d'antan quand trois ou quatre de ses gars l'accompagnaient. Ils faisaient un plus gros feu. « La rivière était plus généreuse dans le temps. » C'étaient de bons souvenirs, Firmin prenait plaisir à les raconter. « Et mon poisson préféré était et reste toujours la barbote, comme pour toi, dit le grand-père, mais malheureusement y en a seulement le printemps. »

Depuis plusieurs années, Firmin avait perdu le goût de sortir du poisson de l'eau. « Je n'ai plus envie de me mettre à quatre pattes dans le potager et de fouiller dans la terre avec les mains pour trouver des vers. » Et avec ses doigts raides, le grand-père avait trop de difficulté à enfiler le ver à l'hameçon. Mais il aimait toujours l'atmosphère dans laquelle baignaient ces soirées de pêche. Ça le rajeunissait : l'odeur du bois qui s'enflammait, les braises rougeâtres qui crépitaient, les cris de joie de ses fils sortant du poisson de l'eau. Et tous ces effluves montant de la rivière qui lui rappelaient un parfum de femme oublié…

Puis des paroles spontanées, plus criées que parlées, vinrent enterrer les derniers mots du grand-père. « C'est moi qui va avoir attrapé le plus gros de la soirée », s'exclamait Séverin, tout heureux. « La soirée n'est pas encore finie », répliqua aussitôt Axel sur un joyeux ton de défi, « tu vas voir ce que tu vas voir ! » Baudrillard n'ajoutait rien, il se sentait bien au bord de la rivière avec les Bouïos. Il pouvait retenir sa langue près d'eux.

— Il crie, grand-père, fit remarquer Tristan, on dirait qu'il est fâché.

— Pas du tout ! C'est sa manière d'exprimer sa joie, et il en a pas souvent l'occasion. Un jour, tu vas mieux comprendre, tu vas lui parler et il va t'écouter.

— Qu'est-ce qui vous fait dire ça, grand-père ? fit Tristan, surpris par le propos de son grand-père, je suis intimidé juste par le ton de sa voix.

— Une intuition, mon p'tit gars, une intuition.

— Je me demande ce que je pourrais bien lui dire, se questionna le petit-fils.

— Tu trouveras sûrement les bons mots à lui adresser quand l'occasion se présentera, ça ne m'inquiète pas, non pas du tout.

Et Firmin continua de parler et Tristan de l'écouter. Toute sa vie, Firmin l'avait vécue dans le vallon. Durant son enfance, la vie y était plus rude, plus mouvementée, plus inquiétante. « Par les temps qui courent, il semble que les bons esprits ont chassé les mauvais. J'espère pour vous autres que ça va continuer comme ça et que ta tante Pépa va pas contribuer à troubler cette paix avec ses pensées, ses paroles et ses actions étranges. Il paraît qu'elle veut visiter la maison hantée, quelle folle idée ! »

Durant ces années troubles, les enfants ne devaient pas s'éloigner de la maison. Les hommes sortaient armés. À la nuit tombée, les chemins étaient hantés par des bêtes étranges à l'aspect menaçant. Seule une urgence justifiait de s'y aventurer. Des bandes d'oiseaux géants au croassement lugubre survolaient le vallon, affolant les animaux. « Puis les bonnes fées de la grande forêt ont ramené le calme et la sécurité dans notre cher vallon, juste à temps pour ta venue», conclut le grand-père. Firmin était bien fier de faire revivre ces temps anciens et dangereux dont plus personne ne voulait entendre parler. « C'est du passé tout ça, inutile de raconter ça », lui disait-on avec un ennui bien apparent ou une crainte mal dissimulée. « C'est comme ça, mon p'tit gars, que l'histoire des générations passées s'efface à tout jamais. »

Cette fois-ci, ce furent les rires francs des trois pêcheurs qui vinrent les distraire, rires déclenchés par une autre histoire croustillante de Séverin. « Cette blague, c'est ma meilleure », s'esclaffa le conteur. Et la faible brise emportait au loin leurs rires bruyants…

La soirée avançait, calme et fraîche. Le feu brillait, répandait sa chaleur douce et sa clarté vacillante. « Je crois ben que c'est mon heure de rentrer », dit Firmin en regardant son petit-fils. Il se leva lentement, Tristan le raccompagna lentement jusqu'au chemin. « Maintenant que tu as la permission de sortir des limites de la ferme, tu viendras me voir de temps en temps, suggéra le grand-père, je sais que t'as beaucoup de choses à faire, mais c'est quand on est jeune qu'on doit donner du temps à ceux qui n'en ont presque plus. » Tristan était d'accord, il irait le visiter. « À bientôt, grand-père ! »

La fatigue pesait sur les épaules du vieil homme, il avançait à pas raccourcis. Il était content de cette soirée passée avec son petit-fils. Ses questions et ses mots de personne instruite le gardaient alerte mentalement. Le grand-père était fier de son petit-fils. « Un Bouïos qui va faire parler de lui. » Firmin espérait que le vallon reste calme pour qu'il grandisse en paix.

Tristan revint près du feu pour se réchauffer un peu et humer la calmante odeur du bois lentement consumé par la flamme. La fumée grise qui s'élevait doucement en décrivant de jolies arabesques le faisait réfléchir à la vie qui passait et ne s'arrêtait jamais, même pour les personnes qu'on aime. Il observa le vol maladroit et hardi de ces insectes nocturnes qui s'approchaient un peu trop des flammes et qui se brûlaient le bout des ailes. La lueur du feu laissait voir la surface de l'eau qui coulait tout discrètement. La rivière avait été généreuse. Tristan s'approcha des deux seaux de son père. Le plus grand contenait les gros poissons impropres à la consommation humaine : chair trop coriace. Les porcs s'en régaleraient. Dans l'autre seau, il n'aperçut pas son poisson préféré.

— Papa, as-tu pêché des barbotes ? s'empressa-t-il de demander.

— Mais oui, elles sont mélangées avec les autres poissons, on ne les voit pas, il ne fait pas assez clair, le rassura-t-il. Ne t'inquiète pas, tu auras ton poisson au menu demain.

Le feu s'éteignait, la soirée de pêche s'achevait. Les deux frères se partagèrent les prises, y compris celles de Séverin, puis on rentra. L'invité retournait avec son équipement seulement. Il ne mangeait pas de poisson. Son seul plaisir : laisser le poisson accroché à l'hameçon se débattre un moment, puis le sortir d'un coup de l'eau en poussant alors son cri victorieux. Le même rituel à chaque prise. « Curieux personnage, pensa Tristan, comme ces chasseurs et trappeurs qui ne mangent pas le gibier abattu ou pris au piège, de méchants braconniers… »

Le feu éteint, la rivière se retrouva plongée dans l'obscurité, la lune et les étoiles s'étaient faites discrètes ce soir-là.

Le lendemain matin, Tristan s'attarda à l'étable pour donner aux porcs une partie des poissons qui avaient été mis de côté pour eux la veille. Son père était rentré. En sortant de l'étable, le fils aîné leva les yeux et aperçut sur le chemin un individu qui s'engageait dans l'entrée. Cet homme lui parut louche. Il s'arrêta un moment pour l'observer. Cet étranger ne lui inspirait rien de bon : son apparence, sa démarche, son bâton à la main, son baluchon. Tristan courut à la maison, monta les marches à la course, entra en coup de vent.

— Papa, papa, il y a un inconnu qui vient dans l'entrée, il a l'air inquiétant, annonça-t-il, visiblement alarmé.

Nolan alla à la fenêtre jeter un coup d'œil, puis se tourna vers son fils.

— Calme-toi, mon gars, c'est le quêteux de la région. On l'a pas vu dans le coin depuis des années. Il n'a rien d'inquiétant, il est juste un peu étrange pour un quêteux.

— Est-ce qu'on va le recevoir, papa ? demanda celui-ci, hésitant, préoccupé par la suite des choses.

— Il va venir déjeuner avec nous, approche-lui une chaise. On va l'attendre.

— Mais papa, est-ce une bonne idée, questionna Tristan.

— Oui, mon gars, c'est imprudent de fermer sa porte à ces gens-là, ils pourraient jeter un mauvais sort à la maison inhospitalière à ce qu'on dit.

Le marcheur des grands chemins qui s'approchait de la maison était un homme sans âge et sans nom. On l'appelait seulement Quêteux ou monsieur Quêteux. Grand, bien bâti, l'homme avançait à grands pas. Il n'avait pas l'air rassurant, en effet, mais cet homme n'avait jamais essayé d'intimider qui que ce soit. Son long visage maigre au teint pâle était mangé par une barbe poivre et sel à l'aspect négligé. Ses épais sourcils dissimulaient ses petits yeux vifs. Il portait un vieux manteau brun rapiécé et maintenu fermé par une corde. Sa tête était protégée par une casquette à oreillettes en cuir. Un gros bâton de marche et une vieille poche grisâtre servant de baluchon complétaient son équipement. Ce quêteux avait beau sourire, son allure générale apparaissait mystérieuse et inquiétante aux yeux de la personne qui ne le connaissait pas.

Un bruit de raclement de pieds sur la galerie leur confirma qu'on s'apprêtait à cogner à la porte de la maison grise. Nolan alla ouvrir. « Entrez monsieur le quêteux, on vous a fait de la place pour le déjeuner. » Le visiteur enleva sa casquette, entra et salua.

Apercevant l'homme, Aymeric s'était précipitamment réfugié derrière sa maman qui elle aussi s'était d'abord alarmée, mais le calme de son mari l'avait aussitôt rassurée. Tristan, quant à lui, s'efforçait de ne rien laisser voir de son émoi.

— Vous allez passer à table avec nous, l'invita Nolan. Enlevez votre manteau, ce n'est pas un peu trop chaud pour la saison ?

— Ouais, mais quand t'es pris pour passer la nuit à la belle étoile, précisa celui-ci, t'es bien content d'avoir un manteau chaud.

— Je vous présente ma femme Armelle et mes deux enfants, Tristan et Aymeric. Nous avons une grande fille qui est chez son grand-père à Aubrey pour son école.

— Vous êtes une belle femme, madame, et vous avez de beaux enfants, dit l'homme.

Armelle rougit, flattée et surprise que cet homme aux habits délavés, à la barbe mal rasée et au parler tranchant sache complimenter une femme. Armelle commença, détendue, à servir le déjeuner. À table, Aymeric jetait de temps en temps un regard craintif à l'étranger qui avait pris place à côté de son père. Tristan camouflait bien son malaise, croyait-il. Il regardait l'homme, il lui poserait des questions.

— Comment vous débrouillez-vous ? s'informa Nolan, curieux et toujours aussi fasciné par la vie nomade de ces hommes qui un jour avaient choisi de tout laisser tomber pour aller errer sur les grands chemins.

— On rencontre partout des gens intéressants et généreux qui vous donnent quelques sous ou vous offrent un bon repas. D'autres vous réservent un coin chaud pour la nuit en échange d'un petit service. T'es pas sans savoir que les quêteux sont des hommes à tout faire.

— Ça fait bien longtemps qu'on vous a pas vu dans le coin, commenta Nolan.

— Ouais, la dernière fois que je suis passé dans le rang, c'était en construction ici. Je m'étais arrêté chez tes parents, vous veniez de déménager. Vous êtes très bien installés ici à ce que je vois.

— C'est gentil, remercia Nolan, c'est ma femme qui a imaginé la disposition des pièces et qui a choisi le mobilier.

— Félicitations, madame !

Après avoir avalé quelques bouchées de son omelette au jambon, l'homme des grands chemins félicita l'hôtesse sur ses qualités de cuisinière.

— J'apprécie votre compliment, merci, fit Armelle. Mais, dites-moi, monsieur, quel est votre nom et est-ce que vous venez de loin ?

— Ah, ma chère dame, mon nom est personne, on me nomme quêteux, ça me suffit amplement. Je suis de partout et de nulle part. En ce moment, je suis ici et ça me rend heureux. Et demain ? J'irai au gré de mon inspiration. Hier soir, j'ai soupé avec le forgeron et son excentrique et gentille femme. Puis le maître de forges m'a laissé un coin pour la nuit dans son atelier. Et ce soir, Dieu seul sait où je passerai la nuit.

— La femme de notre forgeron est peut-être un peu particulière, avança Nolan, mais elle fait bien la cuisine et elle est bien recevante à ce qu'on dit.

— C'est bien vrai, approuva le marcheur solitaire. Ce matin, j'ai refusé son déjeuner pour la simple et bonne raison que je voulais voir ta demeure, ta femme et tes enfants, Nolan. Laisse-moi te dire que tu es un homme choyé par les dieux.

— Je suis d'accord, acquiesça Nolan, je suis bien d'accord.

Tristan se permit d'intervenir pour apprendre à cet étranger la mort de sa grand-mère Emma.

— Bien triste nouvelle. Je garde d'elle un bon souvenir, elle a toujours été aimable et généreuse avec moi, déclara ce grand dieu des routes.

— Vraiment ? rétorqua Armelle d'un ton sceptique, elle a été avenante avec vous ?

— Oui, réaffirma celui-ci, comprenant très bien ce que la maîtresse de maison voulait faire entendre à mots couverts. Une personnalité peut faire voir différentes facettes selon ce qu'elle vit physiquement ou moralement. Je ne veux pas la défendre, je ne peux que vous dire ce que j'ai perçu.

Armelle n'ajouta rien à la réponse subtile et des plus éloquentes de leur visiteur. « Cet homme a dû dans une autre vie exercer une carrière où il avait à utiliser la parole pour démontrer, convaincre ou réfuter », imagina-t-elle.

— Monsieur, reprit Tristan, vous allez rendre visite à mon grand-père aujourd'hui ?

— J'en ai bien l'intention, mon garçon.

— Alors vous allez faire la connaissance de ma tante Pépa, continua celui-ci, qui avait retrouvé son aplomb, je ne sais pas si vous allez bien vous entendre parce qu'elle dit que les hommes comme vous jettent des mauvais sorts et elle craint leur pouvoir maléfique.

— Je suis certain que nous allons bien nous entendre, ça ne m'inquiète pas. Mais sache, mon garçon, que les quêteux ne jettent pas de sorts, bons ou mauvais, aux gens. Ce sont les croyances de ces gens qui leur apportent le malheur et non le pouvoir magique qu'ils prêtent aux personnes comme moi.

Nolan coupa court à cet entretien un peu trop obscur à son goût. En homme pratique, il demanda à son visiteur ce que serait son itinéraire à partir de la grande maison. Celui-ci reviendrait sur ses pas. À la croisée des chemins, il tournerait à gauche, s'engageant dans le rang des Quat'Matins, saluerait le forgeron et continuerait jusqu'à la petite côte. Son arrêt suivant, l'homme venu d'ailleurs le ferait à la ferme d'élevage de moutons, propriété de Nollen Bouïos, cousin germain de Nolan. Le postillon déposait parfois le courrier de l'un dans la boîte aux lettres de l'autre. À compter de cet été-là, c'était Tristan qui allait porter la lettre laissée dans leur boîte par distraction. Puis un peu plus loin, le marcheur solitaire emprunterait le rang de la Grande Côte.

— Bon, je crois que je vais vous quitter, dit l'homme après son deuxième thé; je sais que vous avez une journée de travail à entreprendre. Un grand merci pour votre hospitalité.

Le visiteur se leva, mit sa casquette, mais n'enfila pas son manteau, le temps s'était réchauffé. Armelle s'approcha et lui remit un petit sac contenant un goûter. « Bonne route, monsieur, et merci de votre visite. »

— Merci, madame, ça vous sera rendu, je vous l'assure, et si j'en avais le pouvoir, c'est un bon sort que je jetterais sur votre maison, fit celui-ci, affichant un sourire goguenard.

On se salua. « Quand vous repasserez dans le coin, monsieur, n'oubliez pas de vous arrêter chez nous », dit Tristan. « C'est promis, mon garçon ! » L'homme, radieux, quitta ses hôtes sans cérémonie comme il était venu.

Après le départ du quêteux, Aymeric retrouva son entrain habituel. Nolan resta à table un moment, s'alluma une autre cigarette, but encore du thé pendant qu'Armelle desservait. Il régnait dans la maison une paix sereine qu'avait laissée ce visiteur humain et éclairé. Nolan entendait encore les mots que l'homme avait prononcés et il se souvenait aussi de ceux qu'il avait laissés à la grande maison à sa dernière visite avant son mariage. « Ne pas résister à sa vie, mais plutôt se laisser couler dedans, penser avec le cœur. » Une des phrases qui l'avaient beaucoup fait réfléchir. Sa mère avait écouté attentivement, il s'était toujours demandé si ça lui avait fait autant de bien qu'à lui. Mais c'était le genre de questions que l'on ne posait pas à Emma.

— Tu vois, mon gars, lança Nolan, sortant de sa brève rêverie, ce n'était pas la peine de s'énerver, tu t'es inquiété trop vite.

— Tu as raison, papa, réagit Tristan, je vais retenir la leçon. Tout un personnage que ce quêteux! Il n'est pas ce qu'il laisse paraître. Quand le reverrons-nous d'après toi?

— Ça mon gars... Un jour, il arrivera à l'improviste comme aujourd'hui.

Cet après-midi-là, Tristan allait s'éloigner de la ferme. Il voulait d'abord faire connaissance avec le forgeron qui avait sa forge à la croisée des chemins. Après sa sieste, le grand garçon salua sa mère. « Sois prudent, mon grand », lui conseilla-t-elle. « Il n'y a pas de danger, maman, je serai de retour pour faire rentrer les vaches. »

Tristan se retrouva sur le grand chemin, nu-pieds. Il avançait lentement, comme pour goûter chacun de ses pas. C'était sa première sortie, par lui-même, hors des limites de la ferme. Au milieu du pont, le jeune marcheur s'arrêta, leva les bras pour toucher le parapet de ses mains. Il fixa l'eau qui coulait plus vivement en ce temps-là de l'année. Son niveau était encore haut. Le petit homme eut envie d'entendre son Guide. Il sentit aussitôt sa présence.

Je suis là, ta première sortie semble t'inquiéter un peu, n'est-ce pas?

— Oui, je suis à la fois exalté et craintif. J'ai tellement entendu dire que ce n'était pas prudent de s'aventurer seul sur les grands chemins.

À la nuit tombée parfois, mais bien rarement en plein jour. Tu n'as rien à craindre. Tout le monde a entendu parler de toi dans le canton. On te protégera. Le Ciel veille sur toi.

— Merci de me rassurer. J'ai un peu honte de ma réaction de ce matin à l'arrivée du quêteux.

Mais pourquoi? Réaction normale devant une situation imprévue et troublante. Tu ne dois pas oublier que tu es aussi humain. Ta mère également a été déconcertée, mais elle n'a rien laissé paraître et que dire de ton petit frère. Tu deviendras de plus en plus sûr de toi.

— Merci, Vival, de toujours être là.

Tu peux continuer ta route sans crainte, je t'accompagne...

Tristan avait hâte de reprendre sa route. Il se sentait habité d'un bien-être tranquille. Le ciel était dégagé, il faisait beau. Arrivé en haut de la petite côte, il s'arrêta un moment pour admirer cette immense et impressionnante plaine qui se déroulait devant ses yeux. Des maisons et des bâtiments s'élevaient souvent près de petites forêts. Ce qui retenait son regard, c'étaient surtout ces hauts silos de couleurs vives montant la garde près de certaines granges.

Tristan descendit lentement la petite côte en direction de la forge située à la croisée des chemins, côté nord-est. Plus il approchait, plus le bruit de l'atelier lui parvenait et le captivait, un bruit nouveau, étrange, différent de ceux de la ferme. Il distinguait vaguement des cognements de marteau sur une enclume. Quand le jeune visiteur arriva, les grandes portes à deux battants donnant sur le rang des Quat'Matins étaient grandes ouvertes. Pour la première fois, l'intérieur d'une forge s'offrait à son regard émerveillé. Il remarqua le fourneau adossé au mur, la hotte qui aspirait la fumée et la poussait à l'extérieur par le toit. Il y avait le soufflet à pédale actionné par le forgeron. Les deux doubles fenêtres à guillotine étaient ouvertes. Sur l'établi, l'artisan trouvait tous les outils nécessaires à son travail. Sous ce même établi, des barillets de clous et de fers à cheval. Une porte au fond communiquait avec une remise qui servait aussi d'écurie.

Ce forgeron tenait une plus petite boutique que celle du bourg de Clodey. Il n'acceptait pas les gros travaux. Il faisait un minimum d'heures, car il s'adonnait à une autre activité qui lui tenait à cœur. Le maître de forges était en train de marteler sur l'enclume une pièce de métal enflammée pour lui donner la forme voulue. De longues flammèches s'en détachaient, s'envolaient et emplissaient ce coin de la boutique : une féerie de couleurs et de lumières. Chaque coup de marteau recréait la foudre des grandes tempêtes.

— Monsieur le forgeron, cria Tristan, impressionné, je suis venu vous rendre visite.

L'artisan arrêta son geste, leva la tête, aperçut son visiteur, déposa la barre rougeâtre et de sa main libre replaça une mèche de cheveux rebelle.

— Patiente un peu, répondit celui-ci, heureux d'avoir la visite attendue depuis un moment.

Après quelques minutes de martelage, satisfait de la forme qu'il avait réussi à donner à cette tige métallique, l'artisan la plongea un moment dans un bac d'eau froide, puis la déposa pour la laisser refroidir.

— Viens Tristan, l'invita celui-ci, sortons, allons-nous asseoir sur le banc, je vais allumer ma pipe et prendre une pause en ta compagnie.

— Bonne idée, monsieur, vous la méritez cette pause, vous avez bien travaillé, je crois, commenta Tristan. Vous connaissiez mon nom ?

— Ben voyons ! Qui ne connaît pas le nom du jeune Bouïos de la petite vallée ?

— Je suis enchanté de faire votre connaissance, monsieur Stroder.

— Moi aussi, mon garçon.

Le maréchal-ferrant qui recevait Tristan s'appelait Markel Stroder. La mi-quarantaine, un homme petit de taille, rondelet, aux membres solides. Il apparaissait à première vue comme un bon vivant. L'homme de la forge se tenait droit. Il présentait une allure imposante et équivoque. De petits yeux et un regard qui laissait entrevoir le côté obscur de sa personnalité. Quelques plis soucieux lui barraient le front. L'artisan arrêtait de temps en temps son geste pour remonter les rares mèches de cheveux poivre et sel qui garnissaient encore sa tête. On le disait excentrique. Il était parfois silencieux, perdu dans ses pensées. L'homme fronçait souvent les sourcils pour exprimer son scepticisme à propos de tout et de rien. Le forgeron Stroder avait un grand cœur et une âme généreuse. Ces qualités innées l'avaient toujours poussé à travailler au soulagement des maux, aussi bien du corps que de l'âme, de ses semblables en plus de son travail à sa forge. « Plus on donne, plus on reçoit de la vie », disait-il souvent.

Le maître de forges était marié. Sa femme se prénommait Cordélia. De même grandeur que son mari, bien en chair, celle-ci avait fière allure et marchait elle aussi la tête haute. Au début de la cinquantaine, madame Stroder ne faisait pas son âge. Elle savait bien s'arranger, et elle avait toujours veillé au maintien de sa santé et de celle de son mari par une bonne alimentation et de saines habitudes de vie. Des yeux rieurs et un visage rond qui affichait peu de rides. Elle aimait remonter et attacher ses longs cheveux roux.

La femme du forgeron avait perdu son premier enfant à l'accouchement. Elle n'avait plus connu d'autres grossesses. « Aussi bien ainsi, car cet enfant n'aurait pas vu son père bien souvent. » Sociable, Cordélia aimait la vie, mais elle n'avait pas beaucoup d'occasions de rire avec un mari trop souvent retiré dans son monde ésotérique ou enfermé dans sa petite boutique à l'arrière de la maison qu'il gardait fermée à clé. Elle parlait à ses voisins. Séverin Baudrillard ne l'intimidait pas. Tout aussi excentrique que son compagnon, madame Stroder se faisait remarquer par ses coiffures originales et ses tenues vestimentaires coquettes. « Mon mari ne voit plus ce que je porte, mais au moins les gens s'en aperçoivent et me complimentent. » Elle s'exprimait facilement et avait l'habitude de s'éclaircir la voix avant de parler. La compagne du forgeron s'était inventé un léger accent qu'elle utilisait en public, ça collait bien à sa personnalité déroutante.

Le couple Stroder habitait une petite maison confortable à côté de leur forge. Maison d'un étage avec toit à pignons couvert de bardeaux.

La femme avait aménagé et agrandi avec les années un potager où elle s'adonnait à la culture de différents légumes. Un caveau conservait durant l'hiver les légumes cueillis l'automne. Cordélia passait beaucoup de temps dans son jardin. « Il pourrait venir me donner un coup de main de temps en temps. Travailler ensemble, que ce serait mignon ! » soupirait-elle en vain quand elle bêchait, plantait, sarclait, arrosait, arrachait les mauvaises herbes et cueillait les légumes mûrs. Son mari avait une autre passion.

Le forgeron avait fait bâtir une rallonge à la maison qu'il appelait son laboratoire et où il passait de nombreuses heures. Dans cette pièce, il concoctait des potions et des mixtures, des onguents et des huiles gardées dans des fioles aux formes plus étranges les unes que les autres. Il croyait aux vertus thérapeutiques de ses remèdes. Après ses heures de travail, Markel Stroder recevait des gens souffrant de divers maux ou simplement mal en point. Certains se présentaient avec un membre déboîté. Le médecin des laissés-pour-compte soignait en imposant les mains et psalmodiant d'une voix rauque à peine audible des incantations porteuses de guérison. L'homme de laboratoire offrait ou suggérait aussi des remèdes de grand-mère aux recettes venues d'ailleurs ou bien du pays. Et ses mains expertes replaçaient par des manœuvres sûres un membre luxé. Dans son cabinet de recherche et d'expérimentation, flottaient toujours des effluves inconnus, musqués et grisants. Ça mettait les patients du maître en confiance et souvent ça suffisait à éveiller et stimuler la volonté de guérir.

Les ministres du Culte s'abstenaient de dénoncer les pratiques du forgeron-ramancheur de peur d'augmenter sa popularité. Le docteur Gorond déconseillait à ses patients de consulter cet homme qui se proclamait guérisseur. « Ne confiez pas votre santé, votre destin à un charlatan », clamait-il. Mais les gens continuaient d'avoir recours à ses services dans la plus grande discrétion. Le guérisseur parcourait les forêts de la région pour cueillir graines, fleurs, fruits sauvages, champignons, feuillages et autres produits de la nature utilisés dans la préparation de ses substances médicamenteuses.

— J'attendais ta visite d'un jour à l'autre, dit le forgeron, le regard éveillé et souriant.

— Qu'est-ce qui vous fait dire ça, monsieur ? demanda Tristan, un peu surpris.

— Ton père m'a parlé de toi l'automne dernier : ton âge, ta grandeur, ta facilité à t'exprimer, ta curiosité. À quatre ans, un garçon débrouillard veut découvrir tout ce qui l'entoure.

— Et c'est vous que je voulais visiter en premier, affirma le grand garçon, c'est ce que j'avais décidé en passant en voiture avec mes parents.

— J'en suis honoré, déclara le maître de forges. Au village, on parle de toi. À ma dernière visite au magasin général, j'ai entendu des clients, des clientes surtout, dire vouloir faire ta connaissance. Tout un chacun me demandait si je t'avais déjà rencontré.

Tristan ne répondit pas tout de suite. Il ne savait trop comment réagir. « On parle de moi, des gens veulent faire ma connaissance… » Ça le dépassait un peu, même si son Guide l'avait mis au courant qu'il était le grand sujet de conversation dans tout le canton. Le petit homme changea de propos.

— Vous avez hébergé le quêteux la nuit dernière, dit-il, adoptant le ton le plus neutre possible dans les circonstances.

— Oui, il a partagé notre table et a passé la nuit dans ma boutique. Ce matin, il n'a pas voulu déjeuner avec nous, il était pressé de voir vos installations et surtout de te rencontrer. Tu lui as parlé ?

— Bien sûr, mais au début, il m'a effrayé un peu, avoua candidement Tristan.

— Normal, mon garçon, vu son accoutrement.

— Je me suis fait à sa présence, puis j'ai pu m'intéresser à ce qu'il racontait, j'ai même posé quelques questions.

— Ce quêteux, commenta monsieur Stroder, ne fait pas que quêter, il vient livrer un message de vie à ceux et celles qui veulent ben porter attention à ce qu'il dit.

— Je suis bien d'accord, il a prononcé des paroles sages concernant ma défunte grand-mère, ç'a fait réagir ma mère et touché mon père, je crois. Mais, dites-moi, vous, vous croyez au pouvoir magique des quêteux de jeter des sorts ?

— Je vais te dire, mon garçon, maintenant, je n'ajoute foi qu'à ce que je peux voir et vérifier.

Cette dernière réponse n'étonna pas outre mesure Tristan, car son grand-père lui avait parlé de l'homme qu'il visitait en ce jour. Son père lui avait raconté avoir déjà aperçu, très tôt le matin, ce forgeron entrer dans le *black bush* et en ressortir des heures plus tard, son boghei plein de plantes sauvages et de rameaux de différents arbres et arbustes.

Certains soirs, quand le vent soufflait, des odeurs de médicaments s'exhalaient de l'arrière-boutique du soigneur populaire et flottaient dans l'air. Les gens du coin n'en faisaient plus de cas depuis longtemps. Certains étrangers de passage avaient déjà posé des questions, ils n'avaient obtenu aucune réponse.

— Mon grand-père prétend que vous faites de meilleurs remèdes que le docteur.

— Je ne saurais dire, mais tout ce que j'utilise, je le trouve dans les forêts de la région, réagit ce dernier.

— Vous allez dans le *black bush*, pourtant les habitants de la région s'abstiennent d'y mettre les pieds.

— Mais c'est là que je trouve les meilleurs ingrédients, répliqua Markel Stroder.

— Vous n'avez pas peur d'attirer le malheur sur vous et de ne jamais pouvoir en ressortir, comme ça serait arrivé dans le passé à certains intrus sceptiques? s'enquit Tristan.

— Je sais ce que je risque, mais je crois sincèrement que les dieux ferment les yeux. Ils jugent mes démarches pour alléger les souffrances des malheureux valables et nécessaires, répondit celui-ci.

Le maréchal-ferrant de la croisée des chemins ralluma pour la énième fois sa pipe qu'il laissait s'éteindre à tout bout de champ trop engagé qu'il était dans sa conversation avec son jeune visiteur.

— Les expériences auxquelles vous vous livrez dans votre boutique apparaissent bien mystérieuses aux gens ordinaires, mais moi, je vous comprends et vous approuve, monsieur. Je garderai pour moi ce que vous m'avez confié aujourd'hui, lui assura Tristan.

— Un jour, je te ferai visiter mon lieu de travail secret. Et je t'expliquerai la fabrication de ces remèdes que le commun des mortels qualifie de magiques, lui promit le maréchal-ferrant, tout heureux d'avoir trouvé un confident en la personne de ce jeune garçon.

— Je retiens l'invitation, monsieur Stroder, fit Tristan, et j'espère que ce sera pour bientôt.

— Oui, mon garçon, quand tu auras grandi encore un peu. Là, tu vas m'excuser, je dois rebourrer ma pipe.

Le forgeron vida le fourneau de sa pipe éteinte. Il l'emplit de tabac qu'il tassa légèrement. Tristan le regardait faire, captivé. Son nouvel ami ralluma sa vieille pipe, il en tira avec plaisir quelques bonnes bouffées.

— Vous aimez bien fumer la pipe, monsieur Stroder, commenta Tristan, admirant les jolies volutes bleuâtres s'élevant lentement dans l'air doux et immobile.

— Oui, mon garçon, ça me détend ben plus que la cigarette

La conversation avait repris ainsi et se poursuivrait de plus belle. La curiosité de Tristan était insatiable. Il avait beaucoup de questions à poser à ce personnage plus grand que nature qu'était le maréchal-ferrant de la croisée des chemins.

Soudain il leur sembla entendre une musique pure, on aurait cru divine. Les deux se turent. Le vieux forgeron n'avait jamais entendu rien d'aussi agréable. Fasciné, il posa les yeux sur Tristan qui, lui, semblait trouver la chose normale. D'où pouvait bien venir cette musique céleste, se demanda-t-il ?

La pipe à la main, l'homme se leva du banc et se dirigea d'un pas rapide vers l'arrière de sa forge, d'où semblaient émaner ces notes magiques. Mais là, plus rien. Que le bruit de la campagne. Il revint sur ses pas. Au moment où il contourna le coin de sa boutique, il entendit à nouveau la musique et aperçut une scène qu'il n'oublierait pas de sitôt : le coyote furtif, l'animal aux yeux dorés, celui qu'il avait entrevu à quelques reprises dans le *black bush*, eh bien, l'animal était prostré devant l'enfant et lui léchait la main comme le ferait un animal domestique. Le petit semblait complètement à l'aise. Il leva les yeux vers le forgeron et lui sourit. L'animal tourna aussi la tête vers le maréchal-ferrant, se leva lentement, et s'étira langoureusement avant de prendre au petit trot la direction du boisé. Au même moment, un lourd oiseau noir sembla s'envoler du toit de la forge, lui aussi en direction de la forêt.

Le vieil artisan ne put que conclure que depuis l'arrivée de Tristan, la vallée était vraiment devenue un endroit bien mystérieux. Qu'arriverait-il par la suite ?

Fin du tome 1

Remerciements

Je me demande si j'aurais pu mener à terme ce projet d'écriture dans les mêmes délais — cinq ans — sans l'encouragement et l'aide de deux personnes en particulier : Pascale Loranger et Ginette Martin.

Merci à vous deux et à tous les autres qui m'ont soutenu. Grâce à vous, je suis arrivé à donner à cette œuvre sa forme définitive.

On peut me joindre à l'adresse suivante :
https://www.facebook.com/lucien.bouthillier?fref=ts

Achevé d'imprimer en juin deux mille quatorze
sur les presses de

MARQUIS
(Québec), Canada.